Schöner wohnen mit
Zimmerpflanzen

Schöner wohnen mit
Zimmerpflanzen

John Brookes

Unipart-Verlag • Stuttgart

Genehmigte Lizensausgabe für den
UNIPART VERLAG GMBH
Remseck bei Stuttgart, 1993

Aus dem Englischen übersetzt
von Angelika Feilhauer

EIN DORLING KINDERSLEY BUCH
Originaltitel »THE INDOOR GARDEN BOOK«

ISBN 3 8122 3112 3

Inhaltsverzeichnis

Einleitung

Für die Bewohner der kälteren Gegenden der nördlichen Hemisphäre dauert der Winter mitunter von Oktober bis April, das heißt über ein halbes Jahr. Während »grüne« Träume und Gartenkataloge manchen Pflanzenfreund über diese lange Zeit hinwegtrösten, schauen sich andere nach einem Betätigungsfeld für ihr gärtnerisches Interesse um und wollen ihr Heim mit Grünpflanzen und farbenfrohen Blumen schmücken. Und bei den Stadtbewohnern wird die Sehnsucht nach Berührung mit der Natur zu keiner Jahreszeit gestillt. Allen diesen Menschen ist dieses Buch gewidmet.

Zimmerpflanzen stellen eine Verbindung zur Natur her, denn sie sind lebendig und wachsen. Das ist es, was sie so interessant macht. Gleichzeitig verschönern sie beinahe jeden Raum durch natürliche Formen, Farben und Düfte. Werden sie jedoch wahllos plaziert, können sie sogar unordentlich wirken oder harmonieren nicht mit ihrer Umgebung. Professionelle Designer kennen die dekorativen Eigenschaften der Pflanzen genau und wissen, in welcher Weise man eine Einrichtung mit lebendigem Grün noch besser zur Geltung bringen kann. Diese Fertigkeit aber läßt sich durch Übung und Schulung des Blicks für die Charakteristika von Pflanzen und Blumen erlernen. Dieses Buch will Ihnen helfen, Pflanzen und Blumen richtig kennenzulernen und ihre Formen, Farben und Strukturen in der Raumgestaltung optimal einzusetzen.

Verwendung von Zimmerpflanzen

Denken Sie zunächst einmal über die Art des Raumes nach, in dem Sie Pflanzen aufstellen möchten. Wollen Sie mit einer großen, spektakulären Pflanze einen Mittelpunkt schaffen oder mit einer Pflanzengruppe mit kontrastierenden Formen, Farben und Strukturen. Vielleicht haben Sie auch nur Platz für Pflanzen,

Viktorianisches Ambiente
Die typische Einrichtung im späten 19. Jahrhundert zeichnete sich durch dunkle Farben, schwere Stoffe und Polstermöbel aus. In diesem Raum wurden mehrere üppig bepflanzte Ampeln aufgehängt, und auf den Wandtischchen befinden sich Gloxinien. Die Ampeln lockern die strengen Linien der großen Fensterfläche auf und erhellen den durch die dunkle Holztäfelung entstehenden düsteren Eindruck.

Romantische Verspieltheit
Um die Jahrhundertwende wurden die Einrichtungen verspielter, und man lernte wieder, einfache Gartenblumen zu schätzen. Diese Büste ist von einer Gruppe Poinsettien umgeben, deren Blüten farblich auf die Skulptur abgestimmt sind. Hier ist ein prächtiger, fast sinnlicher Eindruck entstanden.

Traditioneller Landhausstil
Obwohl dies ein moderner Raum ist, repräsentiert er mit seinen leuchtenden Farben, dem Kamin, den tiefen Sesseln und einem Strauß Gartenblumen den großzügigen, traditionellen Landhausstil. Farbenprächtige exotische Blumen würden in dieser Umgebung unpassend wirken. Auch die Orchideen, die hier vor dem Kamin stehen, sind zartgefärbt und harmonieren mit der Farbe der Wände und der Einrichtung.

die in Ampeln wachsen, um ein Möbelstück ranken oder an einer Wandfläche des Raumes hochklettern. Das Kapitel »Raumgestaltung mit Pflanzen« demonstriert, wie Sie solche und andere Ideen verwirklichen können. Ein schlichtes Arrangement aus frischen Blumen macht die Atmosphäre eines Zimmers gleich freundlicher. In dem Kapitel »Das Arrangieren von Schnittblumen« wurde mit einer Auswahl von Schnittblumen und Laub – darunter im Handel erhältliches Material und Gartenpflanzen – eine Reihe durch die Jahreszeiten bestimmter Arrangements zusammengestellt. Da im Winter die Schnittblumen teuer sind, sollten Sie zu dieser Zeit auch Trockenblumen verwenden, damit die Farben und Stimmungen von Sommer und Herbst nicht in Vergessenheit geraten. Im Kapitel »Das Arrangieren von Trockenblumen« wird gezeigt, wie Sie neben Blumengestecken auch Bäumchen, Kränze und andere Dekorationen selbst herstellen können. Der »Pflanzen-Ratgeber« enthält Hinweise, wie man die beschriebenen Pflanzen optimal einsetzt, das Kapitel »Pflanzen in verschiedenen Wohnbereichen« demonstriert an Beispielen die vielen Möglichkeiten, mit Pflanzen und Blumen überall im Haus aufregende Effekte zu erzielen.

Mit Pflanzen gestalten

Nie hat es eine solche Vielfalt an Einrichtungsstilen gegeben wie heute. Und alle, auch die modernsten, sind auf die eine oder andere Weise durch die Vergangenheit beeinflußt. Kennen Sie die Elemente einer Stilrichtung, so fällt es Ihnen leichter, die Eigenschaften zu umreißen, die eine Pflanze haben muß, um den betreffenden Stil noch hervorzuheben. Um dies zu veranschaulichen, wurde eine Auswahl heute bevorzugter Einrichtungsstile analysiert und mit Pflanzen ergänzt oder gestaltet.

Amerikanischer Kolonialstil
Eine Stilentwicklung, die durch Architektur und Gebrauchsgegenstände des kolonialistischen Nordamerika beeinflußt ist. Die ersten Siedler betätigten sich als Gärtner, und dies spiegelt sich in der Art und Weise wider, wie neben Bauernblumen auch Kräuter und Gemüse zur Dekoration verwendet wurden. Die in Körben arrangierten Strauchmargeriten in diesem Schlafzimmer sind ein schönes Beispiel.

Schlichter rustikaler Stil
In den sechziger Jahren kamen abgebeizte Kiefernmöbel und buntbedruckte Stoffe auf. Eine einfache, aber gemütliche Ausstattung mit vielen typisch bäuerlichen Gebrauchsutensilien. In diese Umgebung gehören Bauernblumen, wie Osterglocken und Trockenblumen.

Exotischer Einfluß
In den sechziger Jahren fanden viele Gebrauchs- und Dekorationsgegenstände aus östlichen Ländern Eingang in die europäische Wohnkultur. Die Muster und Farben folkloristischer Textilien passen gut zu den klaren Formen und intensiven Farben tropischer Pflanzen.

Die Geschichte der Zimmerpflanzen

Pflanzen werden bereits seit vielen Jahrhunderten im Haus gehalten. Das Interesse niederländischer Maler, Interieurs und Blumendekore darzustellen, ging Hand in Hand mit dem wachsenden Interesse der westlichen Welt an der Pflanzenkultivierung. Offenbar beeinflußte auch die in Holland in den dreißiger Jahren des 16. Jahrhunderts in Mode gekommene Tulpe andere Länder, doch schon seit der Heimkehr der Kreuzfahrer hatten viele Reisende immer wieder Pflanzen mit nach Hause gebracht. Wir wissen auch, daß Kräuter im Haus häufig Verwendung fanden, beispielsweise für medizinische Zwecke oder in der Küche. Im 17. Jahrhundert wurden dann Orangerien errichtet, Bauten aus Ziegel und Stein und mit großen Südfenstern, in denen Orangenbäumchen überwinterten. Aber erst mit der Einführung heizbarer Gewächshäuser wurde es möglich, Pflanzen uneingeschränkt in geschlossenen Räumen zu ziehen.

Zunächst wurden in primitiv beheizten Häusern tropische Früchte kultiviert, wie etwa Ananas, Guavas und Limetten – und daneben die ersten Kamelien. Später folgten Dattelpalmen und Bananen. Sukkulenten, wie Aloe und Agave, zog man auch für medizinische Zwecke oder um im Sommer Terrassen damit zu schmücken. Während des 19. Jahrhunderts wurde der Wintergarten Bestandteil eines jeden größeren Hauses. Das Kultivieren von Zimmerpflanzen war große Mode, und besonders Farn- und Palmenhäuser sowie Gebäude für exotische Pflanzen galten als schick. Im späten 19. Jahrhundert schloß diese Entwicklung einfache Topfpflanzen mit ein, die jetzt immer häufiger in schlichten Bürgerhäusern anzutreffen waren, auch wenn ihnen der Rauch der offenen Kamine nicht gut bekam. Vor allem die Damen der Gesellschaft beschäftigten sich gern mit Floristik. Als Reaktion auf diesen Stil begann man Anregun-

Der Einfluß der dreißiger Jahre
Die Gestaltung dieses Badezimmers ist vom Stil der dreißiger Jahre inspiriert. Das Bad ist einfarbig gehalten und mit einem geometrisch geformten, metallgerahmten Spiegel ausgestattet. Die Schlichtheit verlangt nach Pflanzen mit klaren Formen wie die der Drachenbäume, die ihrer sonst nüchternen Umgebung großzügige Eleganz verleihen.

Fernöstliches Flair
Dieses Zimmer ist stark vom strengen Einrichtungsstil traditioneller japanischer Häuser beeinflußt. Die Farben sind weitgehend neutral und werden nur durch sorgfältig gesetzte Farbakzente belebt. Die rosa Blattränder der Keulenlilie im Vordergrund führen die Farbe der Kissen fort. Die unbelaubten Zweige wurden wegen ihrer linearen Formen ausgewählt.

Klare, lineare Flächen
Die Entwicklung der modernen Architektur und Innenausstattung ist vielschichtig und von Einflüssen aus Japan, Skandinavien, Italien und Amerika geprägt. Typisch sind strenge, lineare Formen, das Fehlen von Mustern und Möbel aus laminierten Hölzern, Metall oder Leder. Diese Art der Inneneinrichtung wird durch die Verwendung großer Pflanzen, wie beispielsweise von Kentien, aufgelockert und bereichert. Darüber hinaus beziehen die Pflanzen das Draußen in den Innenraum mit ein.

gen in einer ungebrochenen, unverfälschten, ländlichen Tradition zu suchen. Man kultivierte und überwinterte im Haus Pflanzen der gemäßigten Zone und hängte Kräuter zum Trocknen auf. Eine andere Bewegung zu Beginn dieses Jahrhunderts war die Beschäftigung mit ganz speziellen Pflanzen, wobei die Lilie eine sehr große Rolle spielte. Der wirkliche Ursprung der Zimmerpflanzenkultur liegt jedoch in Skandinavien, wo man von jeher Pflanzen ins Haus holte, um die Öde des langen Winters zu mildern. Aber erst nach dem Zweiten Weltkrieg wurden Pflanzen dann zu einem festen Bestandteil moderner Raumgestaltung. Während dieser Zeit hielten Zimmerpflanzen, so wie wir sie heute kennen, Einzug in fast jedes Heim. Und der Handel führte Arten aus Asien sowie Zentral- und Südamerika ein. Seitdem hat man neue Sorten gezüchtet, die weniger Pflege benötigen und mit Zentralheizung und richtiger Behandlung problemlos im Haus gehalten werden können.

Die Wahl der Pflanzen

Ob Pflanzen geeignet oder nicht geeignet sind, hängt von der Art Ihrer Einrichtung ab, denn es gibt heute eine Vielzahl von Einrichtungsstilen. Die Wahl wird natürlich auch durch Ihren persönlichen Geschmack bestimmt werden sowie durch praktische Faktoren wie Tages- und Nachttemperaturen, Lichtverhältnisse, Zugluft, Kinder und Haustiere und selbstverständlich auch den vorhandenen Platz.

Industriedesign
Während der siebziger Jahre entwickelte sich eine neue Stilrichtung, die industrielle Einrichtungsgegenstände und Materialien zum Vorbild nahm. Die harten Linien und kräftigen Farben dieses Stils verlangen nach großen Blumen und Pflanzen mit ausgeprägten Wuchsformen und Farben.

High-Tech-Stil
Eine Abwandlung des sehr strengen Industriedesigns ist der in den achtziger Jahren aufgekommene High-Tech-Stil, der hier durch die Integration von Pastelltönen weicher wirkt. Große Pflanzen wie diese Birkenfeigen können architektonisch eingesetzt werden, um die Räume zu verbinden.

Traditionelle Ausstattung
Ebenso verbreitet ist die Raumgestaltung mit traditionellen Formen, Farben und Mustern und großen, schlichten Möbeln, die neueren oder älteren Stils sein können. Die Pflanzengruppen hier wirken einfach und klar und sind Teil der gesamten Raumkonzeption. Sie betonen die Umgebung, anstatt sie zu dominieren.

·1·

Die dekorativen Eigenschaften von Pflanzen

Die Fotos in diesem einleitenden Kapitel veranschaulichen die erstaunlich vielfältigen Wuchsformen der Pflanzen. Sie reichen von auffälligen, fast architektonischen Formen mit kräftigem Laub bis hin zu teppichähnlichen Bodendeckern mit Tausenden von winzigen Blättchen. Neben der ungeheuren Bandbreite an Wuchsformen gibt es unzählige Variationen von Größen, Formen, Farben und Strukturen der Blätter und Blüten. Auch Schnittblumen bieten eine reiche Farbpalette, die sowohl intensive, leuchtende Farben als auch zarte gedämpfte Töne umfaßt. Die Blütenköpfe sind klein oder groß, flach, spitz oder rund, oder aber sie setzen sich aus mehreren Teilen zusammen und legen oft schon aufgrund ihrer Form bestimmte Verwendungszwecke nahe. Berücksichtigen Sie diese Eigenschaften bei der Auswahl von Pflanzen und Blumen, damit diese mit der Atmosphäre und Einrichtung Ihres Heimes harmonieren. Pflanzen, die in das Gesamtbild eines Zimmers integriert werden oder unterschiedlich genutzte Bereiche innerhalb eines Raumes verbinden sollen, müssen in Form und Größe angepaßt werden. Ebenso wichtig ist, daß Farben und Strukturen von Pflanzengruppen oder Blumenarrangements auf die Farbe der Wände und Textilien abgestimmt werden, damit ein ausgewogener Gesamteindruck entsteht.

Unendliche Vielfalt

Dieses Foto zeigt eine willkürliche Zusammenstellung frisch geschnittener Blumen, Blätter und Früchte, die die Bandbreite an Farben, Strukturen, Größen und Formen erahnen läßt.

Pflanzenform

Von den Eigenschaften einer Pflanze ist es vor allem die Form, die zuerst ins Auge fällt. Sie kommt in erster Linie durch den Gesamtumriß der Pflanze zustande, doch spielen auch andere Charakteristika eine Rolle, wie die Dichte des Wuchses, die Größe und Anzahl der Stengel oder Stämme und Zweige, die Anordnung der Blätter oder Fieder sowie das Gewicht des Laubes. Mit dem Wachstum einer Pflanze verändert sich allerdings auch die Form, doch gewisse Verallgemeinerungen sind möglich. In diesem Buch wurden die Pflanzen durchgängig nach folgenden Wuchsformen unterteilt: aufrechtwachsende Pflanzen, Pflanzen mit ausschwingendem Wuchs, Pflanzen mit Trauerwuchs, rosettigwachsende Pflanzen, buschigwachsende Pflanzen, kletternde Pflanzen, hängende Pflanzen, kriechende Pflanzen. Nach diesem System ist auch der Pflanzen-Ratgeber (s. S. 160) gegliedert, in dem bestimmte Gewächse die unterschiedlichen Wuchsformen veranschaulichen.

Kokospalme
Cocos nucifera (s. S. 169)
Wie die meisten Palmen und Farne haben diese Pflanzen eine ausschwingende Form und ihre schwertförmigen Wedel steife Konturen.

Zimmeraralie
Fatsia japonica (s. S. 181)
Die Gesamtform dieser Pflanze ist zwar buschig, die großen gefingerten Blätter aber haben ganz verschiedene Konturen.

Feige
Ficus pumila (s. S. 193)
Wenn man diese Pflanze ungehindert wachsen läßt, bildet sie bald einen grünen Teppich. Die Triebe können auch hängen oder klettern.

Kletter- oder Hängephilodendron
Philodendron scandens (s. S. 188)
Pflanzen weisen oft ganz verschiedene
Formelemente auf. So hat dieser Philoden-
dron neben seiner wunderschönen Blatt-
form noch sehr reizvoll rankende Triebe.

Riesenpalmlilie
Yucca elephantipes (s. S. 167)
Pflanzen mit aufrechtem Wuchs
und spitzen Blättern haben
meist einfache und großzügige
Formen.

Kanarischer Efeu
Hedera canariensis (s. S. 184)
Durch die Art der Stütze wird die Wuchsform einer Kletterpflanze bestimmt,
die Konturen des Laubes dagegen sind
ausschlaggebend, ob sie filigran oder
kräftig erscheint.

Elefantenfuß
Beaucarnea recurvata (s. S. 171)
Der weiche Trauerwuchs dieser Pflanze
kommt durch den üppigen
Schopf linienförmiger Blätter zustande.

Nestbromelie
Nidularium innocentii (s. S. 175)
Die meisten Rosettenpflanzen haben ausge-
prägte und auffallende Konturen.

13

Blattgröße

Die Harmonie eines Designs, und damit der Reiz, beruht häufig nur auf der Wiederholung von Elementen gleicher Größe. Diese Tatsache kann man sich auch beim Arrangieren von Pflanzen zunutze machen. Andererseits lassen sich gerade durch die Betonung von Größenunterschieden eindrucksvolle Effekte erzielen.
So kann beispielsweise die grazile Beschaffenheit kleiner Kletterpflanzen dadurch hervorgehoben werden, daß man ihr große Blattflächen mit schlichten Formen entgegensetzt.

»Cocospälmchen«
Microcoelum weddelianum
(s. S. 170)
Diese kleinen, schlanken Wedel sind sehr schön in der Kombination mit Wedeln großer Palmen.

Kentie
Howeia belmoreana (s. S. 170)
Große Exemplare stehen am besten allein oder in Gruppen mit spitzblättrigen Pflanzen.

Leuchterblume
Ceropegia woodii (s. S. 201)
Die Leuchterblume kommt besonders als
Einzelpflanze gut zur Geltung, wenn die
Triebe von einem Bord oder aus einer Ampel
herabhängen.

Philodendron
Philodendron erubescens
(s. S. 187)
Diese großblättrige Kletterpflanze bildet einen sehr
dekorativen Hintergrund für
niedrige Gewächse.

Kletterphilodendron
Philodendron scandens
(s. S. 188)
Eine ideale Pflanze für hängende Körbe. Man kann den
P. scandens auch um großblättrige Philodendren ranken
lassen.

Blattform

Die Blattform ist ein sehr starkes optisches Charakteristikum einer Pflanze, und es können großartige Arrangements entstehen, wenn man sich entweder auf kontrastierende oder aber auf harmonierende Blattformen beschränkt. Die Bandbreite an unterschiedlichen Formen ist groß. Da gibt es beispielsweise lanzettliche, eiförmige, herzförmige und gekerbte Blätter oder sogar Blätter, die wie Geigenkästen geformt sind. Die Blattform kann das wichtigste Merkmal einer Pflanze sein oder nur ein zusätzlicher dekorativer Aspekt.

Efeutute
Scindapsus pictus ›Argyraeus‹ (s. S. 188)
Herzförmige, zugespitzte Blätter.

Fensterblatt
Monstera deliciosa (s. S. 187)
Die großen, herzförmigen Blätter bekommen Löcher, wenn die Pflanzen älter werden.

Passionsblume
Passiflora caerulea
(s. S. 185)
Fächerförmige, stark gelappte Blätter.

Königswein
Cissus rhombifolia
(s. S. 186)
Die Blätter sind zugespitzt und grobgezähnt.

Geigenkasten-Gummibaum
Philodendron bipennifolium
(s. S. 169)
Junge Blätter sind ungleichmäßig geformt, ältere haben die Form eines Geigenkastens.

Federspargel
Asparagus setaceus (s. S. 183)
Drahtige, verzweigte Triebe mit fiedrigen, farnähnlichen Wedeln.

Dieffenbachia
Dieffenbachia-Hybride › Exotica ‹
(s. S. 163)
Die länglichen Blätter haben
einen welligen Rand und
laufen spitz zu.

Birkenfeige
Ficus benjamina (s. S. 171)
Kleine, schlanke, eiförmige
Blätter mit ausgeprägten
Spitzen.

Riesenpalmlilie
Yucca elephantipes (s. S. 167)
Lange, schmale Blätter mit
einer Spitze feingezähnter
Ränder.

Australische Silbereiche
Grevillea robusta (s. S. 166)
Die Blätter sind doppelt ge-
fiedert und erinnern an Farne.

Schwertfarn
Nephrolepis exaltata
› Bostoniensis ‹ (s. S. 170)
Die Wedel sind in schmale
Fieder geteilt und verleihen dem
Farn ein anmutiges Aussehen.

Fingeraralie
Dizygotheca elegantissima
(s. S. 165)
Schmale Teilblättchen
gehen wie Speichen
strahlenförmig von den
Stielenden aus.

17

Blattfärbung

Das enorme Spektrum an Blattfärbungen ist verwirrend und reicht von einer großen Vielfalt unterschiedlicher Grautöne über vollkommen silberweißes oder tiefrotes Laub bis hin zu Blättern mit kontrastierenden Zeichnungen. Großartige Wirkungen erzielt man, wenn man sich bei Arrangements auf das Zusammenspiel von zwei, höchstens aber drei Farben beschränkt.

Zebrakraut
Zebrina pendula (s. S. 189)
Die Blätter sind mit zwei durchscheinenden grünen Streifen fein gezeichnet.

Mosaikpflanze
Fittonia verschaffeltii (s. S. 193)
Karminrote Adern durchziehen die olivgrünen Blätter und bilden einen auffälligen Farbkontrast.

Buntwurz
Caladium-Bicolor-Hybride (s. S. 182)
Papierdünne Blätter mit ungewöhnlich zarter Zeichnung in Rot, Weiß und Grün.

Buntnessel
Coleus-Blumei-Hybride
(s. S. 177)
Die Färbung und Zeichnung des Laubs ist äußerst vielfältig. Man findet gelbe, rote, grüne und braune Töne.

Wunderstrauch
*Codiaeum variegatum
var. pictum* (s. S. 164)
Die Blätter sind in warmen exotischen Farben gesprenkelt, gefleckt oder geädert.

Neoregelie
Neoregelia carolinae ›Tricolor‹ (s. S. 174)
Die grün und cremefarben gestreiften Blätter färben sich während der Blüte rot.

Marante
Calathea makoyana (s. S. 165)
Die Blätter sehen aus
wie handbemalt und haben
ein großartiges dunkel-
grünes Muster.

Gemeiner Efeu
Hedera helix (s. S. 190)
Die mittelgrünen Blätter
sind in dunklerem Grün gefleckt und cremefarben
gerändert.

Keulenlilie
Cordyline terminalis
(s. S. 163)
Die gestreiften Blätter
sind an den Rändern leb-
haft rot gezeichnet.

Buntwurz
Caladium-Bicolor-Hybride
(s. S. 182)
Diese jungen Blätter (s. auch
links) zeigen die unter-
schiedlichen Färbungen, die
an einer Pflanze auftreten
können.

Kolbenfaden
Aglaonema crispum
›Silver Queen‹ (s. S. 164)
Die elegant geformten
dunkelgrünen Blätter tragen
eine üppige, silbriggrüne
Zeichnung.

Begonie
Begonia-Hybride ›Tiger
Paws‹ (s. S. 193)
Die leuchtendrote Pana-
schierung (Farbmusterung)
auf den Unterseiten der
smaragdgrünen Blätter er-
scheint oberseits braun.

Judenbart
Saxifraga stolonifera
›Tricolor‹ (s. S. 190)
Die Blätter sind olivgrün,
haben einen rosa Rand und
feine rosa Behaarung.

Tüpfelblatt
Hypoestes phyllostachya
(s. S. 179)
Die dunklen, olivgrünen
Blätter sind rosa gefleckt.

19

Blattstruktur

Bei den Blattstrukturen findet sich eine
ebenso große Vielfalt wie bei den Formen,
Größen und Färbungen des Laubs. Nur
sehr wenige Blätter weisen keine Oberflächenstruktur auf. Die Variationen reichen von
glänzend bis matt, von behaart bis runzelig
und von gerippt bis gesteppt. Diese spezifische
Eigenart einer jeden Pflanze ist ein wesentlicher Teil ihres Gesamtbildes. Raffinierte
Gruppen entstehen deshalb vor allem auch
durch Pflanzen mit kontrastierenden Blattstrukturen.

Zimmertanne
Araucaria heterophylla (s. S. 166)
Durch die zarten, nadelbe-
setzten Ästchen wirkt die Pflanze
sehr filigran.

Schusterpalme
Aspidistra elatior (s. S. 165)
Eine typische Längsrippung
charakterisiert die ledrigen
Blätter.

Nestfarn
Asplenium nidus (s. S. 173)
Die lanzettlichen, glänzenden Blätter sind ober-
seits runzelig und fühlen
sich wachsartig an.

Rexbegonie
Begonia-Rex-Hybride (s. S. 183)
Das außerordentlich dekorative
Laub ist genoppt, wodurch eine
rauhe, eigenartige Oberfläche
entsteht.

Steppdeckenpeperomie
Peperomia caperata (s. S. 180)
Die fleischigen, gerunzelten
Blätter sind dunkelgrün und füh-
len sich wachsartig an.

Frauenhaarfarn
Adiantum raddianum
(s. S. 183)
Die hauchdünnen, duftigen
Fiederblättchen stehen an
braunschwarzen, glänzen-
den Stielen.

Gynura
Gynura aurantiaca (s. S. 191)
Auffallend sind die grob-
gezähnten Blätter, die ganz
mit violetten Härchen be-
setzt sind.

Geweihfarn
Platycerium bifurcatum (s. S. 191)
Die geweihähnlichen Wedel
sind mit feinen, weißen
Schuppen besetzt.

Pfeilwurz
Maranta leuconeura
› Erythroneura ‹ (s. S. 178)
Leuchtendrote Adern treten
aus den samtigen Blattober-
seiten hervor.

Rachenrebe
Columnea › Banksii ‹
(s. S. 189)
Die paarigstehenden
dunkelgrünen Blätter sind
fleischig und wachsartig.

Blütengröße

Die Schönheit einer Blüte hängt nicht allein von
ihrer Farbe ab, wenngleich dies ein wichtiger Faktor ist.
Auch die Größe trägt zu der einzigartigen Wirkung
einer bestimmten Blüte bei und ist bei der Zusammen-
stellung eines Pflanzenarrangements von großer
Bedeutung. Wählen Sie in der Größe harmonierende
Blüten und verwenden Sie auch Gefäße, die im
Größenverhältnis stimmen.

Mimose
Acacia longifolia (s. S. 212)
Dieser immergrüne Strauch
entwickelt kurzstielige Blütenbüschel. Die Einzelblütchen
sind goldgelb und erbsengroß.

Rittersporn
Delphinium elatum (s. S. 216)
Die hohen Rispen dieser Schnitt-
blumen eignen sich für jedes große
Arrangement.

Chrysantheme
Chrysanthemum-Hybride (s. S. 223)
Chrysanthemen gehören mit ihren
prächtigen und herrlich ge-
färbten Blüten zu den größten
Schnittblumen.

Weihnachtsstern
Euphorbia pulcherrima (s. S. 179)
Eine prächtige Zimmerpflanze
mit großen, leuchtendroten Hochblättern, die unscheinbare Blüten
umschließen.

Kornblume
Centaurea cyanus
Die kleine, reizvolle Feldblume
ist wegen ihrer intensiven
Blütenfarbe berühmt.

Gartenanemone
Anemone coronaria (s. S. 222)
Die leuchtendgefärbten,
mohnähnlichen Blüten haben
ungefähr den Durchmesser
eines Tennisballs.

Blütenform

Natur und Züchter haben eine ungeheure Vielfalt an Blütenformen geschaffen, die von den einfachen Blüten der Primel bis hin zu den exotischen, blumenblattlosen, runden Blüten des Leucospermum reicht. Ob Blumenarrangements gelingen, hängt davon ab, ob bei der Wahl der Blumen die Blütenformen berücksichtigt wurden. Deren natürliche Konturen können als Anregung für die Gesamtgestaltung dienen. Verwenden Sie bei großen Arrangements lange, schlanke Blütenstände für die Außenlinien und rundere Formen als Mittelpunkte.

Muschelblume
Moluccella laevis
Die winzigen weißen Blüten dieser langen Rispe sind von kelchartigen grünen Hochblättern umgeben.

Große Flamingoblume
Anthurium andreanum (s. S. 182)
Diese exotischen Blüten bestehen aus wachsartigen, schildförmigen Blütenscheiden und vorstehenden, schmalen Blütenkolben.

Flammendes Käthchen
Kalanchoe blossfeldiana (s. S. 196)
Die kleinen Blüten dieser Zimmerpflanze wachsen in dichten Trugdolden, die auch in eine Vase gestellt werden können.

Schleierkraut, Rispiges Gipskraut
Gypsophila paniculata (s. S. 213)
Die lockeren Rispen mit ihren einfachen oder gefüllten Blüten wirken wie »Schleier«, was besonders gut zur Geltung kommt, wenn man sie allein in einem Glasgefäß arrangiert.

Gartenstiefmütterchen
Viola-Wittrockiana-Hybride
(s. S. 213)
Die weichen Blätter der herzförmigen Blüten sind lagenweise angeordnet.

Gerbera
Gerbera jamesonii (s. S. 217)
Die großen einfachen oder gefüllten Blüten der Gerbera gibt es in vielen lebendigen Farben. Sie können als Mittelpunkte bunter Arrangements dienen.

Paradiesvogelblume
Strelitzia reginae (s. S. 164)
Bei diesen außergewöhnlichen Blumen umschließen grüne Hochblätter die orangefarbenen und blauen Blüten, die aufrecht stehen wie der Kamm eines exotischen Vogels.

Zonalpelargonie
Pelargonium-Zonale-Hybride
(s. S. 178)
Die kleinen Blüten sind meist in dunkleren Schattierungen geadert oder gefleckt und stehen büschelig.

Traubenorchidee
Dendrobium sp. (s. S. 223)
Diese langlebigen Blüten
stehen an hohen, ausschwingenden Stielen.

Inkalilie
Alstroemeria pelegrina (s. S. 213)
Die langstielige Lilie hat
trompetenförmige Blüten.

Usambaraveilchen
Saintpaulia-Ionantha-Hybriden
(s. S. 175)
Die einfachen oder gefüllten
Blüten dieser Zimmerpflanze
stehen büschelig an kurzen
Stielen.

Enzian
Gentiana sp
Die kleinen Blüten des
Enzians sind wie Trichter
geformt.

Gladiole
Gladiolus sp. (s. S. 215)
Diese eleganten Schnitt-
blumen haben hohe Äh-
ren mit einfachen Blüten.

Blaues Lieschen
Exacum affine (s. S. 178)
Die einfachen Blüten dieser
Zimmerpflanze sind klein und
flach.

Knollenbegonie
Begonia tuberhybrida (s. S. 176)
Die großen, rosenähnlichen Blüten
dieser Zimmerpflanze sind einfach
oder gefüllt.

Leucospermum
Leucospermum nutans (s. S. 221)
Diese ungewöhnlichen Blüten haben
gelbe, dornenartige Blätter mit roten
Verdickungen.

Gartennelke
Dianthus caryophyllus (s. S. 215)
Die gefüllten Blüten haben gekräuselte Blätter und stehen an bü-
scheligwachsenden Stielen.

Becherprimel
Primula obconica (s. S. 181)
Bei diesen Zimmerpflanzen
stehen die leuchtendgefärbten
Blütendolden an einzelnen
Stengeln.

·2·
Raumgestaltung mit Pflanzen

Das Arrangieren, Gruppieren und Plazieren von Pflanzen ist eine Kunst. Weil es dabei sehr auf den persönlichen Geschmack ankommt, gibt es in diesem Bereich keine allgemeingültigen Regeln. Man kann jedoch Richtlinien geben oder auch Hinweise, was man beachten beziehungsweise, was man vermeiden sollte. Am wichtigsten ist, wie bereits erwähnt, immer daran zu denken, daß jedes Arrangement mit seiner Umgebung harmonieren muß. Es ist nicht nur das Aussehen einer Pflanze von Bedeutung, man muß sie auch in Verbindung mit ihrem Gefäß, ihrem Hintergrund, dem gesamten Raum und dem Mobiliar, das sie umgibt, betrachten. Sie können einzelne Gewächse in ein schlichtes Gefäß setzen, mehrere aufeinander abgestimmte Pflanzen zu einer formalen Gruppe arrangieren, einen dschungelartigen Gartenraum oder einen üppigen grünen Wintergarten entstehen lassen, leuchtende, farbenfrohe Schnittblumen in eine einzelne Vase setzen oder alle diese Elemente kombinieren – in jedem Fall müssen Sie zuvor alle Pflanzen und Blumen auf die im vorangegangenen Kapitel beschriebenen Eigenschaften prüfen. Erst dann sollten Sie sich mit der Wahl der Gefäße befassen, die nicht nur die richtige Größe haben müssen, um eine gesunde Pflanzenentwicklung zu gewährleisten, sondern auch das Arrangement ergänzen und die gewünschte Atmosphäre unterstreichen.

Pflanzen und Gefäße

Die Blütenfarben von Zimmerpflanzen können durch die Farbe der Pflanzgefäße noch betont werden. Auf dem Bild links verbindet das Rosa der Pflanzgefäße die ganze Gruppe und verstärkt darüber hinaus das kräftige Rosa der Blüten.

Pflanzen und Gefäße 1

Die Kriterien, die Sie bei der Auswahl eines Pflanzgefäßes berücksichtigen müssen, sind zahlreich und vielschichtig, und für jede Regel findet sich ein Beispiel,
das sie widerlegt. Darüber hinaus wird die Wahl durch
den persönlichen Geschmack bestimmt. Dennoch
sind einige Anhaltspunkte erwähnenswert.
Die wichtigste Überlegung ist das Größenverhältnis
von Pflanze und Gefäß. Allgemein gilt: Je kleiner die
Pflanze, um so mehr sollte ihre Höhe der des Gefäßes
entsprechen. Um herauszufinden, welche Kombinationen am wirkungsvollsten sind, setzen Sie Pflanzen am
besten nacheinander in verschiedene Gefäße. Haben
Sie sich für ein Gefäß entschieden, dessen Proportionen
mit denen der Pflanze in Einklang stehen, sollten Sie sich
vergewissern, daß sich beide für den vorgesehenen Standort eignen. Das ist für das Gelingen eines Arrangements
von grundlegender Bedeutung, denn sowohl Pflanzgefäß
wie Pflanze müssen in praktischer und ästhetischer
Hinsicht zur Umgebung passen.
Es ist wichtig, Pflanze und Gefäß so auszuwählen, daß
sie den Stil des Raumes, für den sie vorgesehen sind,
unterstreichen. Die Wirkung eines Gefäßes hängt vom
Material, aus dem es hergestellt wurde, von seiner Form,
seiner Farbe und seiner Oberflächenstruktur ab, und
eine Pflanze läßt sich nach ähnlichen Gesichtspunkten
aussuchen. So wirkt beispielsweise eine spitzblättrige
Palmlilie streng und modern, während eine Begonie mit
ihren üppigen Blüten und weichen Konturen besser für
herkömmlichere Einrichtungen geeignet ist. Lassen Sie
sich daher nicht in Versuchung führen, eine Palmlilie mit
einem Aluminiumtopf zwischen Stilmöbel und chintz-
bezogene Sessel zu stellen.

Pflanzgefäße für unterschiedliche Wuchsformen

Guzmanie
Guzmania lingulata

Efeutute
Scindapsus pictus
› Argyraeus ‹

Gemeiner Efeu
Hedera helix

Konische Glasschale
Die klare, lineare Form dieser Schale
ergänzt hervorragend die kräftigen Konturen dieser Rosettenpflanzen.

Kugelförmiges Keramikgefäß
Die kriechende Efeutute wuchert üppig
über das runde Gefäß, dessen schlichte
Farbe und Form die silbrige Blattzeichnung gut zur Geltung bringt.

Hoher Tontopf
In diesem hohen Gefäß kann der Efeu
seine Triebe wirkungsvoll herabranken
lassen; eine aufrechtwachsende Pflanze
sähe darin unproportioniert aus.

Schwertfarn
Nephrolepis exaltata
› Bostoniensis ‹

Pellefarn
Pellaea rotundifolia

Elefantenfuß
*Beaucarnea
recurvata*

Flaches Tongefäß
Die bizarre Form des Ele-
fantenfußes erfordert ein
schlichtes Gefäß wie diese
Tonschale. Sie ist sehr klein,
was den Wachstumsbe-
dingungen der *Beaucarnea*
entspricht.

Klassische Urnenform
Die Höhe dieser Urnenvase ist ideal für
die ausschwingenden Wedel des
Schwertfarns. Die Kombination wirkt sehr
formal und ausgewogen.

Bauchiger Keramiktopf
Die schlichte Form dieses Gefäßes läßt
die Konturen der zarten Pellefarnwedel
reizvoll hervortreten. Auch die Farbe
des Topfes ist ein hübscher Kontrast.

Zimmeraralie
Fatsia japonica

Buntwurz
Caladium-Bicolor-
Hybriden

Kapländische Bleiwurz
Plumbago auriculata

Glasiertes Keramikgefäß
Die glatten Stengel dieser buschigen
Buntwurz heben sich gut von dem grünen
Pflanzgefäß ab, dessen Farbe die Blatt-
zeichnung schön zur Geltung bringt.

Geflochtener Korb
Diese kräftige Zimmeraralie mit ihren
breiten, gelappten Blättern und der
buschigen Form paßt nur in einen schlichten, aber robusten Behälter.

Henkelkorb
Der hohe Henkel dieses Korbes bildet
eine schöne Stütze für die kleine,
kletternde Bleiwurz; seine grobe Struktur
entspricht den wildwuchernden Trieben.

Bubiköpfchen
Soleirolia soleirolii

Flache Tonschale
Die flache, weite Form dieser Schale
paßt ausgezeichnet zu dem kriechenden
Wuchs des Bubikopfes, und der rustikale
Ton bildet einen hübschen Hintergrund
für die winzigen, frischgrünen Blätter
der Pflanze.

Riesenpalmlilie
Yucca elephantipes

Scheibenopuntie
Opuntia microdasys

Fingeraralie
*Dizygotheca
elegantissima*

Quadratisches Kunststoffgefäß
Die eigenwillige Form dieser spitzblättrigen Palmlilie wird durch die nüchterne Würfelform des weißen Fiber-
glasgefäßes noch hervorgehoben.

Rustikaler Holzkübel
Nur ein einfaches Gefäß, dessen Proportionen mit dem eindrucksvollen Wuchs
der Opuntie korrespondieren, kommt
hier in Frage.

Großes Terrakottagefäß
Diese gelungene Kombination beruht
auf dem Kontrast zwischen dem kompakten Tongefäß und dem filigranen,
bronzefarbenen Laub der Pflanze.

Pflanzen und Gefäße 2

Blumenbehälter gruppieren

Eine Möglichkeit, einen Raum interessant zu gestalten, ist, beispielsweise, Töpfe und andere Pflanzgefäße zu Gruppen zusammenzustellen, um einen Blickfang zu schaffen. Sie können hier Gefäße gleicher Farbe verwenden, um die Einheit der Gruppe und das Ambiente in einem Teilbereich des Raums zu unterstreichen. Wenige solcher Gruppen reichen aus, um in einem großen Raum Akzente zu setzen, doch sie eignen sich ebensogut für kleinere Flächen. Bei der Wahl der Behälter sollten Sie darauf achten, daß Gefäße und Pflanzen zueinanderpassen, Pflanzen und Gefäße innerhalb der Gruppe harmonieren und sich die Gruppe in den Raum einfügt.

Farbliche Kontraste (rechts)
Die Töpfe wurden so ausgesucht, daß zwischen Gefäßen und Pflanzen ein farbliches Wechselspiel entsteht. Das Rot und Schwarz der Behälter ergänzt und reflektiert die Blattfärbungen der Pflanzen.

Rexbegonie
Begonia-Rex-Hybride

Wunderstrauch
Codiaeum variegatum var. pictum

Schwarzes Aluminiumgefäß

Rotes Kunststoffgefäß

Bubiköpfchen
Soleirolia soleirolii

Tontöpfe

Terrakottagefäße (oben)
Eine schlichte Gruppe von Gefäßen gleicher Art und Farbe trägt dazu bei, den üppigen Wuchs der Pflanzen optisch zu kontrollieren und ein ausgewogenes Arrangement entstehen zu lassen.

Groß und klein (rechts)
Hier wird die unterschiedliche Form und Größe der beiden Gefäße durch die Verwendung von zwei gleichen Pflanzen noch betont. Durch die monochromen Glasuren der Behälter bildet die Gruppe eine Einheit.

Efeutute
Scindapsus pictus ›Argyraeus‹

Weißes Keramikgefäß

Graues Keramikgefäß

Unterschiedliche Größen (oben)
Der reizvolle Effekt dieser Gruppe beruht auf der Wiederholung von Form und Struktur der Gefäße und dem Größenunterschied. Geschlossenheit erhält die Gruppe zusätzlich durch die Verwendung von nur einer Pflanzenart.

Wiederholung (unten)
Kommt eine kleine Pflanze in einem kleinen Gefäß allein nicht zur Wirkung, setzt man ein größeres Exemplar der gleichen Art in einem größeren Gefäß daneben. Die hier abgebildeten Töpfe nehmen das Dunkelgrün des Tüpfelblattes auf und bilden einen hübschen Kontrast zu seiner rosafarbenen Panaschierung.

Tüpfelblatt
Hypoestes phyllostachya

Schwarzes Keramikgefäß

Ungewöhnliche Blumengefäße

Viele Pflanzgefäße sind teuer, was sich insbesondere dann bemerkbar macht, wenn mehrere gleichzeitig gebraucht werden. Es lohnt sich daher, einmal einen Blick auf alltägliche Gebrauchsgegenstände zu werfen, wie etwa Papierkörbe, Einmachtöpfe, Zinkeimer, Kohlenbehälter, Wasserkessel, Gießkannen, Porzellangefäße oder Emailschüsseln, die, phantasievoll eingesetzt, zu neuem Glanz und Leben erwachen. Es gibt hier keine festen Regeln, es zählt allein, daß die Pflanzen in ihren Gefäßen hübsch aussehen und die Gefäße zu ihrer Umgebung passen. Experimentieren Sie selbst: Setzen Sie beispielsweise Zwiebelblumen in einen Einkaufskorb, Efeu oder andere Hängepflanzen in glänzende Eiskübel, kleine Kakteen in bunte Bleistifthalter oder nehmen Sie Kombinationen vor, die sich von selbst anbieten. Sogar ein alter Schornstein kann in einer rustikalen Umgebung dekorativ wirken. Setzen Sie dabei die Pflanze mit ihrem Topf auf den Kaminaufsatz oder auf im Innern aufgestapelte Ziegel.

Vogelkäfig (rechts)
Das dünne Gitter des Käfigs bildet für die Feige (*Ficus pumila*) ein ideales und elegantes Klettergerüst.

Gefäß mit Tierform (unten)
Ein ausgefallenes Gefäß lenkt die Aufmerksamkeit auf sich und hat darüber hinaus eine humorvolle Note. Die Wirkung einer Pflanze kann durch eine solche Präsentation sehr effektvoll sein.

Porzellanbüste (rechts)
Hier erinnert die Kombination von herabrankendem Efeu und einem klassischen Kopf an eine überwucherte antike Statue.

Grundregeln für Pflanzenarrangements 1

Ausgewogene Gruppen

Pflanzengruppen zu arrangieren bedeutet nicht nur, Gewächse in Gefäßen einfach zusammenzustellen, beispielsweise auf einem Bord oder an einem Tisch, sondern sie darüber hinaus im Raum zu integrieren. Spezielle Anregungen, wie man Pflanzen in bestimmten Umgebungen arrangiert, finden Sie in Kapitel 5 (Seite 112–157) »Pflanzen in verschiedenen Wohnberei-

chen«. Zunächst geht es jedoch darum, Pflanzen mit ihren Gefäßen so zu plazieren, daß harmonische Gruppen entstehen.
Wichtig dabei ist vor allem das optische Gleichgewicht – das heißt, die Größen der zu gruppierenden Pflanzen sowie die Auffälligkeit ihrer Farben, Formen und Strukturen harmonisch aufeinander abzustimmen.

Symmetrische Arrangements

Symmetrie
Zwei gleiche Feigen (Ficus pumila) zu beiden Seiten einer Zimmertanne (Araucaria heterophylla) lassen ein vollkommen symmetrisches Arrangement entstehen.

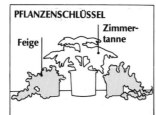

Asymmetrische Arrangements

Asymmetrie
Die Tanne hat optisch mehr Gewicht als eine einzelne Feige, daher sind zum Ausgleich zwei notwendig, die so plaziert sind, daß sie optisch miteinander verschmelzen und dadurch schwerer wirken.

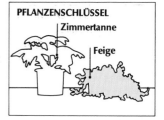

Pflanzen und Gegenstände im Gleichgewicht (links)
Zwei auffallende Guzmanien (*Guzmania monostachia*) flankieren einen Krug auf einem Wandtisch. Um diese Gruppe
zu vereinheitlichen und die Symmetrie zu betonen, wurden zu
beiden Seiten des Kruges Aschenbecher aufgestellt. Der Reiz
dieses Arrangements ist auch darauf zurückzuführen, daß sich
das Rot der Blumen und das Grün des Kruges in den Farben
des Bildes fortsetzen.

Methodische Symmetrie (oben)
Im allgemeinen eignen sich für vollkommen symmetrische
Arrangements Pflanzen mit sehr regelmäßigen Wuchsformen
und einer verhältnismäßig strengen Wirkung. Hier sind es
Brautmyrten (*Myrtus communis*), die zu beiden Seiten des Spie-
gels aufgestellt wurden. Das schlichte Tischarrangement besteht
aus einer einzelnen Flamingoblume (*Anthurium sp.*) und einem
Palmwedel (*Howeia sp.*).

Grundregeln für Pflanzenarrangements 2

Kontraste setzen

Was macht ein gelungenes und ausgeglichenes Pflanzenarrangement auch außergewöhnlich? Die Antwort lautet: Kontraste. Stellen Sie sowohl in Formen und Größen wie in Farben und Strukturen Gegensätzliches nebeneinander. Experimentieren Sie mit der Zusammenstellung und achten Sie darauf, daß Sie Pflanzen mit ähnlichen Wachstumsbedingungen aussuchen. Verlassen Sie sich dann auf Ihr Auge, um herauszufinden, was zusammenpaßt und was nicht. Beim Bilden von Kontrasten sollte man sich auf ein oder höchstens zwei Elemente beschränken. Kontraste kommen grundsätzlich besser zur Geltung, wenn sie in Arrangements integriert werden, die insgesamt geordnet und harmonisch sind.

Form

In dieser Gruppe bildet eine gedrungene, fast stammlose Riesenpalmlilie *Yucca elephantipes)* mit ihren schmalen, spitzen Blättern einen Kontrast zu den niedrigen, kugeligen Formen der Kakteen. Die robuste Form der Riesenpalmlilie ist so dominierend, daß als Gegengewicht mehrere der kleinen Kakteen notwendig sind. Das Einfügen der spitzblättrigen, aber niedrigen

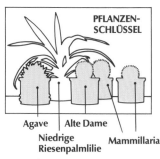

PFLANZEN-SCHLÜSSEL

Agave | Alte Dame
Niedrige Riesenpalmlilie | Mammillaria

Agave *(Agave victoriae-reginae,* links) schafft eine hübsche Verbindung zwischen den beiden Hauptelementen.

Struktur

Der grazile, duftige Frauenhaarfarn *(Adiantum raddianum)* beansprucht durch seine Größe ebensoviel Aufmerksamkeit wie die kleine, kompakte Steppdeckenpeperomie *(Peperomia caperata).* Die Pflanzen kommen nur dadurch optisch ins Gleichgewicht, weil sie nebeneinanderstehen.

PFLANZENSCHLÜSSEL

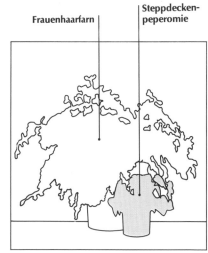

Frauenhaarfarn | Steppdeckenpeperomie

Größe

Die drei Pflanzen dieser Gruppe haben die gleiche Form und Struktur. Sie alle tragen lange, schmale, spitze Blätter, auffallend aber ist der Größenunterschied. Die kleine Agave *(Agave victoriae-reginae)* ist nur wenige Zentimeter hoch, während die Riesenpalmlilie *(Yucca elephantipes)* etwa 1,5 m Höhe erreicht. Durch ihre gleichartige Form und Struktur sowie die ähnlichen weißen Pflanzgefäße wird der Größenunterschied noch stärker hervorgehoben. Größenunterschiede kommen auch dann sehr gut zur Geltung, wenn man Pflanzen in einer Reihe aufstellt, beispielsweise auf einem Kaminsims oder einem Bord, und dabei Pflanzen der gleichen Art, aber unterschiedlicher Höhen verwendet.

PFLANZENSCHLÜSSEL

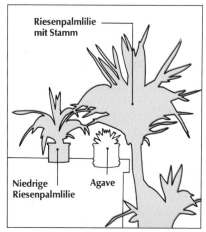

Farbe

Hier werden drei rosafarbene Elatiorbegonien *(Begonia-Elatior-Hybriden)* durch ein weißblühendes Exemplar aufgewogen. Da die drei rosafarbenen Pflanzen etwas dichter beisammen sind und die weiße Begonie ein wenig abseits steht, wirkt keine Farbe dominant, sondern nur der Kontrast wird betont. Man kann auch ein Gewächs mit panaschiertem Laub neben eine Pflanze setzen, in deren Blüten sich die Farbzeichnung wiederholt.

PFLANZENSCHLÜSSEL

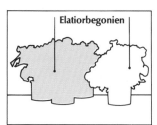

Beleuchtung von Pflanzen

Vermutlich werden Sie Ihre Pflanzen abends bei künstlichem Licht ebenso häufig ansehen wie tagsüber. Deshalb sollten Sie Pflanzen und Blumen zusätzlich durch Beleuchtung ihres Hintergrundes zur Geltung bringen. Mit Richtstrahlern wird der Lichtstrahl gebündelt und kann einzelne Gegenstände hervorheben, Pflanzen plastisch hervortreten lassen, die Wuchsform betonen, die Färbung unterstreichen und die Struktur herausstellen. Richtstrahler lassen durch das Zusammenspiel von Licht und Schatten dramatische Effekte entstehen, und ganz einfache Pflanzen bekommen plötzlich eine be-sondere Note. Wichtig ist auch die Überlegung, welche Qualität das Licht haben soll. Die im Haushalt üblichen Glühbirnen spenden warmes Licht, das besonders Gelb- und Rottöne hervorhebt. Halogenlampen dagegen geben konzentrierteres, kälteres Licht. Um wärmeres Licht zu erhalten, können Sie auch farbige Birnen oder Filter in warmen Farben verwenden. Pflanzen sollten nicht zu nahe an einer Lichtquelle stehen, da die von der Lampe abgegebene Wärme die Blätter schädigen kann. Bei einer 100-Watt-Birne können 60 cm als sicherer Abstand betrachtet werden.

Natürliches Licht

Sonnenlicht wirkt auf das Pigment Chlorophyll ein, das in allen Pflanzen vorhanden ist, und setzt die sogenannte Photosynthese in Gang. Für die Pflanzenentwicklung am wichtigsten sind der blaue und der rote Spektralbereich. Blaues Licht regt die Blattbildung und rotes Licht die Blütenentwicklung an. Da normale Glühbirnen kaum blaues Licht verbreiten, sind sie für das Pflanzenwachstum kaum förderlich. Es gibt jedoch Speziallampen, die das Tageslicht ersetzen können (s. S. 258–259).

Welche Art und wieviel Tageslicht eine Pflanze benötigt, hängt von ihrem ursprünglichen Lebensraum in der Natur ab. Manche Pflanzen brauchen direkte Sonne, während andere indirektes Licht vorziehen (Tageslicht, das durch Jalousien, Vorhänge oder Rollos gedämpft wird), oder sogar Schatten. Die natürlichen Lichtverhältnisse in Ihren Räumen sind ausschlaggebend dafür, an welchem Platz Sie Pflanzen aufstellen können. Sie brauchen einen Standort, an dem natürliches Licht eine gesunde Entwicklung ermöglicht und abends durch Strahler für eine gute Beleuchtung gesorgt ist.

Ein Fenster als Rahmen (links)
Das indirekte Licht an diesem winzigen Fenster bekommt der Zimmeraralie (*Fatsia japonica*) gut und betont das herrliche Grün ihrer Blätter.

Ein sonniges Fensterbrett (unten)
Auf diesem breiten Fensterbrett hat eine weiße Drehfrucht (*Streptocarpus sp.*), die zu beiden Seiten von geschnitzten Vögeln eingerahmt wird, ihren Platz gefunden. Das Licht betont das leuchtende Weiß der Blüten und läßt die Blätter fast transparent erscheinen.

Beleuchtungs-effekte 1

Beleuchtung von oben (Downlighting)

Mit Richtstrahlern oder mit einer Hängelampe kann ein Arrangement gezielt beleuchtet werden. Das Licht kann auch einer Gruppe kleinerer Pflanzen Zusammenhalt geben.

Einsatz einer Hängelampe (unten)
Durch eine Lampe in geringer Höhe über einer Tonschale mit einem Bubikopf *(Soleirolia soleirolii)* wird das Laub schön hervorgehoben.

LICHTFALL   Licht von oben

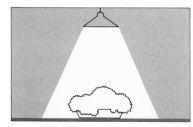

Punktstrahler (rechts)
Ein in die Decke eingebauter Punktstrahler wirft ein konzentriertes Lichtbündel auf die auf dem Tisch arrangierten Pflanzen und Gegenstände. Er beleuchtet eine Schale mit Nelken *(Dianthus sp.)*, eine große Bromelie *(Portea petropolitana extensa)* und ein Ahornbäumchen *(Acer sp.)*, das vorübergehend ins Haus geholt wurde.

Beleuchtung von unten (Uplighting)

Beleuchtet man eine Pflanze oder Pflanzengruppe mit einem am Boden montierten Strahler von unten, werden Schatten an Wand und Decke geworfen. Wie die Schatten fallen, kann durch die Position der Lampe bestimmt werden.

LICHTFALL   Seitenansicht

Licht von hinten   Licht von vorn

Beleuchtung von hinten
Hier wurde ein nach oben gerichteter Strahler hinter die Pflanze gestellt. Es entsteht ein abstraktes Schattenmuster.

Beleuchtung von vorn
Ein Strahler vor einer Pflanze hebt Farbe und Form hervor; der Schatten entspricht der natürlichen Wuchsform.

Beleuchtungs-effekte 2

Beleuchtung von vorn und hinten

Aufregende Effekte erzielen Strahler auf einem Tisch
oder einem Bord. Beleuchtet man von vorn, werden starke
Schatten geworfen, die die natürliche Form der Pflanzen
oder Blumen hervorheben, dahinter aufgestellte Strahler
dagegen werfen sehr viel weichere Schattenbilder.

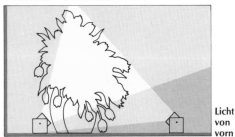

LICHTFALL   Seitenansicht

Licht
von
hinten

Licht
von
vorn

Beleuchtung von hinten (oben)
Dieses Licht läßt die Blumen in warmen Farben erscheinen.
Beleuchtung von vorn (unten)
Die Schatten unterstreichen die charakteristische Form der Tulpen.

Beleuchtung von der Seite

Mit einem Wand- oder Deckenstrahler kann das Licht direkt auf eine Pflanze oder ein Blumenarrangement gerichtet werden. Da der Strahler schwenkbar ist, läßt sich der Lichtstrahl genau ausrichten.

Seitlich von oben beleuchten (unten)
Dieser schräg nach unten gerichtete Strahler hebt die weiche Struktur und den filigranen Wuchs des Frauenhaarfarns deutlich hervor.

LICHT-FALL

Seitliches Licht

Seitlich beleuchtete Trockenblumen
Küchen gehören zu den Räumen, die verschiedene Arten von Beleuchtung erfordern. Der Arbeitsbereich muß hell sein, für den Eßplatz ist gedämpftes Licht besser. Die hier auf getrocknete Blumen gerichteten Strahler verbreiten angenehmes, warmes Licht.

Mit Pflanzen gestalten 1

Nur selten hat man Gelegenheit, einen Raum von Grund auf neu zu gestalten, das heißt, alle Möbel, Stoffe, Dekorationsgegenstände und Pflanzen gleichzeitig auswählen zu können. Doch auch wenn Ihre Ideen durch vorhandenes Inventar begrenzt werden, sollten Sie überlegen, wie durch Pflanzen eine bestimmte Atmosphäre oder ein besonderer Stil geschaffen oder betont werden kann. Pflanzen und Blumen sind ein integraler Bestandteil vieler Stilrichtungen. Auf den folgenden Seiten finden Sie einige der heute beliebtesten Richtungen in der Raumgestaltung sowie Vorschläge für dazu passende Pflanzen.

Landhausstil

Beim Landhausstil ist man bestrebt, den Garten »ins Haus zu holen«. Überall befinden sich Blumenmuster – auf Tapeten, Vorhängen, Kissen und Porzellan –, die durch die Einbeziehung frischer Blumen eine lebendige Note bekommen. Dieser Stil kann sowohl streng als auch verspielt sein und eignet sich für die Stadt ebenso wie für das Land. Gegenstände haben hier keinen bestimmten Platz, doch sie sollten zahlreich sein, um eine wohnliche Atmosphäre zu schaffen. Wichtige Elemente sind solide Holzmöbel, natürliche Textilien, warme Farben und handwerklich interessantes Zubehör.

Pflanzen für eine rustikale Küche (rechts)
In schlichten glasierten Tongefäßen stehen, locker arrangiert, panaschierter Efeu (Hedera helix), Gartenthymian (Thymus vulgaris) und ein Zierspargel (Asparagus falcatus).

Elemente eines strengen Landhausstils (links)
In diesem Fall sind die Farben wichtiger als die Formen. Blatt- und Blütenpflanzen sollten wie Schnittblumen mit weichen Formen die Muster von Tapeten, Porzellan und Stoffen ergänzen. Hier wurden Arten gewählt, die man häufig in alten, schönen Bauerngärten findet. Diese Variante des Landhausstils wirkt strenger als die gegenüber abgebildeten Beispiele.

PFLANZENSCHLÜSSEL

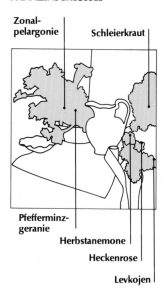

Zonalpelargonie

Schleierkraut

Pfefferminzgeranie

Herbstanemone

Heckenrose

Levkojen

**Schwimmende Blüten-
köpfe als Tischschmuck**
(oben)
Viele verschiedene Gera-
nienblüten *(Pelargonium
sp.)* auf zwei aufeinander-
gestellte und mit Wasser
gefüllte Teller verteilt,
geben einen farbenpräch-
tigen Schmuck für einen
ländlich gedeckten Tisch.

**Wiederholung von
Blumenmustern** (links)
Blumen und nochmals
Blumen, auf Stoff und Por-
zellan oder getrocknet
und in dicke Sträuße ge-
bunden, lassen eine
Fülle entstehen, die an
einen üppig blühenden
Bauerngarten erinnert.

**Elemente eines zwanglosen
Landhausstils** (rechts)
Wieder ist die Form der
Pflanzen und Blüten den Farben untergeordnet. Blumen
wie die rosafarbenen Glattblattastern *(Aster novi-belgii)* sind
frisch und haben warme Töne,
ohne zu leuchten. Getrocknete Fruchtstände haben gro-
bere Strukturen und sind
einfarbig. Sie harmonieren gut
mit den Farben und Strukturen von Holz, Ton und Körben,
und die getrockneten Blu-
men wiederholen die weichen
Farbtöne der Keramik.

PFLANZENSCHLÜSSEL

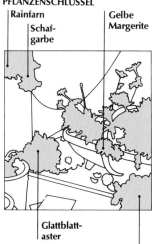

Rainfarn

Schaf-
garbe

Gelbe
Margerite

Glattblatt-
aster

Fruchtstände der
Jungfer im Grünen

Mit Pflanzen gestalten 2

Folkloristischer Stil

In den zahlreichen Stilrichtungen, die unter den Begriff Folklore fallen, spiegeln sich Bräuche und Kulturen aller Herren Länder wider. Der Stil beruht auf der Verwendung von Gebrauchsgegenständen, die nach traditionellen Methoden gefertigt wurden. Ihre Muster sind charakteristisch und können abstrakt oder figürlich sein.

Verwendung von folkloristischen Textilien (oben)
Die Farben des schönen Kelims wiederholen sich in der Keramikschale und den ockergelben Augen der Strauchmargeriten (*Chrysanthemum frutescens*).

Südamerikanischer Stil (links)
Die leuchtenden Blüten und die markante Form dieser Osterkaktee (*Rhipsalidopsis gaertneri*) kommen vor der rauhen Struktur des Steinsimses und der Steinskulptur gut zur Geltung.

Elemente des folkloristischen Stils (links)
Pflanzen mit klaren Umrissen und kompakten Formen sind notwendig, um sich gegen die Musterfülle zu behaupten. Die Wahl von Kakteen liegt daher nahe, insbesondere bei Gegenständen südamerikanischen Ursprungs, wie sie hier gezeigt sind. Man sollte warme Farben verwenden, die mit den Tönen der Naturfarben harmonieren. Zu dieser Art der Dekoration passen auch Trockenpflanzen, Kiesel und ausgeblichenes Treibholz.

PFLANZENSCHLÜSSEL

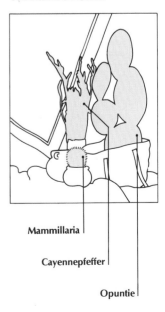

Mammillaria

Cayennepfeffer

Opuntie

Fernöstlicher Stil

Über viele Jahrhunderte hinweg waren fernöstliche Kunst-
richtungen für Europäer eine Quelle der Inspiration für die Gestaltung von Räumen. Es gibt sehr viele verschiedene Richtungen,
denn jedes fernöstliche Land wie China, Malaya oder Japan
hat einen eigenen nationalen Stil, der teilweise durch die heimische Flora beeinflußt ist.

**Kontraste japanischen
Stils** (links)
Die Nadelform des Bonsais
entspricht der Blattform
der Chrysanthemen, und
der rauhe Stein kontra-
stiert mit der feinen Glasur
des Keramiktellers.

Fernöstliche Eleganz
(oben)
Eine weitere einfache
Gruppierung, deren Wir-
kung auf strengen, sehr
gegensätzlichen Formen
und kontrastierenden
Oberflächen beruht.

Elemente fernöstlichen Stils
(rechts)
Ein wichtiges Element fernöstlichen Stils ist die Beschrän-
kung auf wenige schlichte
Formen und große, in neutralen Farben gehaltene Flächen,
die mit leuchtenden Farben
akzentuiert werden. Die fiedrigen Konturen des Zyper-
grases (Cyperus sp.) ersetzen
hier den Bambus.

PFLANZENSCHLÜSSEL

Zwerg-
gladiolen

Aeschynanthus

Spinnen-
chrysanthemen

Zypergras

Mit Pflanzen gestalten 3

High Tech

Dieser Stil beruht auf der Verwendung von zweckmäßigen Formen und Materialien, wie sie für Industrieprodukte benutzt werden. Dekorative Elemente gibt es kaum. Hier müssen Pflanzen klare Silhou-etten und Blumen kräftige Farben haben, damit sie nicht von den glänzenden, metallischen Flächen, den leuchtenden Primärfarben und dominierenden Formen überspielt werden.

Lebendige Farben verwenden (oben)
Verwenden Sie Blumen mit klaren Umrissen und kräftigen Farben wie diese Flamingoblume (*Anthurium*-Andreanum-Hybride).

Kräftige Formen (links)
Im Vordergrund dieses Bildes erscheint die aggressive Form einer Felsenkaktee (*Cereus peruvianus*). Helle Lampen und spiegelnde, weiße Bodenfliesen erfordern große, dominante Pflanzen, wie zum Beispiel das Zypergras (*Cyperus sp.*) im Hintergrund.

High-Tech-Elemente (rechts)
Geeignet sind Pflanzen, die starke optische Akzente setzen, wie Agaven, Palmlilien und Kakteen. Die Pflanzen rechts im Bild haben scharf umrissene Formen und Blätter, deren schlichtes Grün gut mit dem roten Kunststoffgefäß und dem Gummibelag harmoniert.

PFLANZENSCHLÜSSEL

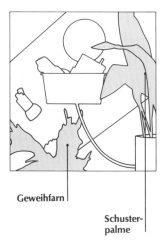

Geweihfarn

Schuster-palme

Art deco

Die Art deco der zwanziger und dreißiger Jahre inspiriert bis heute die Innenarchitektur. Für sie sind streng geometrische Formen, monochrome Farben und spiegelnde Oberflächen, wie Chrom und lackiertes Holz, charakteristisch.

Zwanglose Art deco (oben)
Tulpen *(Tulipa*-Hybriden*)* haben eine kräftige Form, die diesem Stil entspricht, vor allem wenn ein großer Strauß in einer Vase aus dieser Periode arrangiert wird.

Strenge Art deco (rechts)
Dieses Foto zeigt die für diesen Stil typischen geometrischen Formen sowie glänzenden Oberflächen und monochromen Farben. Königslilien *(Lilium regale)* passen hier besonders gut, und der Elefantenfuß *(Beaucarnea recurvata)* bildet mit seiner charakteristischen Form einen attraktiven Kontrast zu den strengen Linien der Stühle.

Elemente der Art deco (links)
Nur Pflanzen mit ausgeprägten Umrissen ergänzen die strengen Linien und kompakten Formen dieses Stils. Hier wiederholen sich die exakten Konturen der Plastik in der Form der Königslilien. Das Weiß der Blüten fügt sich in die monochrome Farbgestaltung ein. Die lineare Wuchsform der Leuchterblume *(Ceropegia woodii)* in der Keramiklampe hebt sich reizvoll von der Wand ab.

PFLANZENSCHLÜSSEL

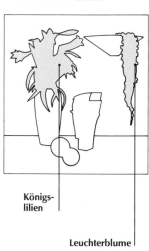

Königs-
lilien

Leuchterblume

Mehrere Pflanzen in einem Gefäß 1

Bei großen Arrangements erzielen Sie eindrucksvolle Effekte, wenn Sie mehrere Pflanzen zusammen in ein Gefäß setzen. Darüber hinaus gedeihen die Pflanzen so besser, weil ein Kleinklima entsteht. Das heißt, die Feuchtigkeit, die von einer Pflanze abgegeben wird, kommt ihrem Nachbarn zugute. Außerdem verwachsen die Einzelpflanzen häufig miteinander, wodurch der Wuchs schöner wird.

Sie können ausschließlich gleiche Pflanzen verwenden oder aber verschiedene Arten, die die gleichen Wachstumsbedingungen erfordern. Die Pflanzen werden, wie hier gezeigt, aus ihren Töpfen genommen und zusammen in normale Blumenerde gesetzt. Bei kurz-

zeitigen Arrangements empfiehlt es sich jedoch, sie mit ihren Töpfen in einem ausreichend großen Gefäß zu arrangieren, dessen Boden mit feuchtem Torf ausgelegt ist. Werden sie aber direkt eingepflanzt, muß das Gefäß Abzugslöcher haben oder mit einer Drainageschicht ausgelegt werden. Bei diesem Verfahren haben die Wurzeln mehr Platz. Allerdings ist es schwieriger, eine kränkelnde Pflanze wieder zu entfernen beziehungsweise Pflanzen mit unterschiedlichen Wässerungsansprüchen zusammenzusetzen. Man kann auch, entsprechend den Pflanzen, die man wählt, beide Methoden kombinieren, um ein bestimmtes Gewächs speziell behandeln zu können.

Begonienpflanzung

Eine farbenprächtige Blattpflanzengruppe entsteht, wenn man mehrere Rexbegonien (*Begonia-Rex-Hybriden*) zusammensetzt. Diese Gewächse haben außerordentlich dekoratives Laub mit herrlicher Zeichnung in Rot, Silber, Grün und Schwarz. Wählen Sie Exemplare mit verschiedenartigen Blattzeichnungen und -strukturen, damit ein raffiniertes Zusammenspiel von Farben entsteht. In Torfsubstrat pflanzen und warm stellen. Vor Sonne schützen.

Geräte und Materialien

Porzellangefäß

Schaufel

Torf-substrat

Lanzenrosette
Aechmea fasciata
(s. S. 172)

Blähton

　Holzkohle

Ein großes Gefäß bepflanzen

Im allgemeinen sind die einfachsten Arrangements dieses Typs auch die schönsten. Oft gelingen Mischpflanzungen auch deshalb nicht, weil sie zu unterschiedliche Formen und Strukturen enthalten. Dann wird das Arrangement insgesamt unordentlich und läßt sich schlecht plazieren. Rechts auf dem Bild wurden mehrere exotisch wirkende Lanzenrosetten ausgewählt. Ihre dominante Form erfordert ein schlichtes Gefäß, und in diesem Fall fiel die Wahl auf einen Porzellanbehälter, dessen Weißton den Schimmer auf den Blättern wiederholt.

Das fertige Arrangement
Lanzenrosetten benötigen einen sonnigen Platz, damit sie schön bleiben. Der natürliche Trichter in der Mitte der Rosette muß stets mit Wasser gefüllt sein. In den rosafarbenen Hochblättern erscheinen kurzlebige blaßblaue Blüten, die Hochblätter selbst bleiben bis zu sechs Monate dekorativ.

Wie man pflanzt

1 Eine 2 cm dicke Schicht Blähton auf dem Gefäßboden verteilen und einige Holzkohlenstücke daraufstreuen. Gefäß zur Hälfte mit Substrat füllen und eine der Pflanzen daraufsetzen, um festzustellen, ob der Rand des Topfes so hoch ist wie der des Pflanzgefäßes.

2 Die Lanzenrosette gut gießen, bevor sie aus dem Topf genommen wird. Während man die Pflanze zwischen Daumen und Zeigefinger hält, schlägt man den Topf fest gegen eine Tischkante, oder man klopft mit der Faust kräftig gegen den Boden des Topfes.

3 Hinten im Gefäß etwas Erde anhäufen und die Pflanzen leicht schräg einsetzen, damit Blattrosetten und Blütenstände gut sichtbar sind.

**PFLANZEN
Kleinklima 1**
Warm, sonnig

Pflanzung mit Glanzkölbchen
Glanzkölbchen (*Alphelandra squarrosa* › Louisae ‹), im gleichen Porzellangefäß, wie oben gezeigt, ergeben eine schlichte, aber sehr reizvolle Zusammenstellung. Ihre markante Form und die aufregende Färbung von Blättern und Blüten werden noch betont, wenn man mehrere Pflanzen zusammensetzt.

Mehrere Pflanzen in einem Gefäß 2

Pflanzen in einem Korb arrangieren

Wählt man einen Korb als Pflanzgefäß, muß die Pflanzenart ihm angepaßt werden. Zu einem Weidenkorb gehören beispielsweise einfache Gewächse wie Cinerarien (*Senecio*-Cruentus-Hybriden), Blaue Lieschen (*Exacum affine*) oder Blumen wie die hier abgebildeten. Im Frühjahr können Zwiebelblumen verwendet werden, die man erst kurz vor Beginn der Blüte mit ihren Töpfen in den Korb setzt.

Die hier gewählten Pflanzen dienen für Arrangements, die nur während ihrer Blüte oder der Zeit, in der ihr Laub am schönsten ist, zusammengestellt werden. Weil ihre Pracht nur von kurzer Dauer ist, können sie in ihren Töpfen bleiben, was den Vorteil hat, daß man auch Pflanzen mit unterschiedlichem Wasserbedarf zusammensetzen kann, sofern sie gleich viel Licht und Wärme benötigen.

Ein ausgefallenes Arrangement aus Kohlköpfen
Diese Zierkohlköpfe (*Brassica oleracea convar. acephala*) sehen aus wie ein Strauß mit riesigen Blüten. Ihre grüngeränderten Blätter sind purpurn oder elfenbeinfarben, kraus oder glatt. Am schönsten sieht es aus, wenn man – wie auf dem Foto – mehrere Pflanzen dicht zusammensetzt. Zierkohl gibt es im Spätsommer und Herbst. An einem hellen, kühlen Platz bleibt er mehrere Wochen schön.

**PFLANZEN
Kleinklima 5**
Kühl, indirekte Sonne

Geräte und Materialien

Weidenkorb

Folie

Blähton·

Torf

Efeu
Hedera helix
(s. S. 190)

Schere

Ein Arrangement aus Primeln und Efeu

1 Ein Stück Folie, beispielsweise von einem Müllsack, in den Korb legen, um ihn abzudichten. Folie zurechtschneiden, doch die Ränder etwas überstehen lassen. Sie werden später eingeschlagen. Auf dem Korbboden eine etwa 3 cm dicke Schicht Blähton verteilen.

2 Feuchten Torf 6 cm hoch in den Korb füllen. Die Töpfe hineinstellen und arrangieren. Die drei größeren lachsfarbenen Primeln nach hinten setzen und um die Töpfe herum Torf auffüllen. Auf einer Seite einen panaschierten Efeu über den Korb ranken lassen, um die Gesamtwirkung aufzulockern.

3 Zuletzt die restlichen Primeln vorn in den Korb setzen. Darauf achten, daß alle Töpfe gerade stehen, denn sie müssen gegossen werden, und Primeln benötigen sehr viel Wasser. Welkende Blüten und gelbe Blätter immer entfernen, damit das Arrangement möglichst lange schön bleibt. Diese Primeln halten an einem kühlen Platz sechs bis acht Wochen.

Becherprimeln
Primula obconica
(s. S. 181)

Ein Arrangement aus Begonien
Für einen wärmeren Standort bietet sich anstelle von Primeln beispielsweise eine Gruppe kleinblättriger Blattbegonien (*Begonia*-Hybride ›Tiger Paws‹) an. Ihr auffallend grün und bronze gefärbtes Laub hat eine so intensive Zeichnung, daß es hier keiner anderen Pflanzen bedarf.

Kletterpflanzen ziehen 1

Wenn Kletterpflanzen aufrecht wachsen sollen, benötigen sie eine Stütze. Pflanzen, die zum Klettern Luftwurzeln entwickeln, wie Philodendren, Fensterblatt (*Monstera deliciosa*), und Efeutute (*Scindapsus pictus* »Argyraeus«), wachsen gern an einer stets feucht gehaltenen Stütze empor. Dazu eignet sich ein aus Drahtgeflecht geformter und mit Moos gefüllter Stab, der besonders Kletterpflanzen mit dicken Stämmen und großen Blättern stabilen Halt bietet. Pflanzen, die mit Hilfe spiraliger Blattranken klettern, wie Passionsblumen (*Passiflora caerulea*) und Efeu (*Hedera sp.*), können an Bambusstäben, Drahtreifen und Spalieren gezogen werden.

Einen Moosstab herstellen

Geräte und Materialien

Moosstäbe werden vom Handel angeboten, doch man kann sie auch leicht selbst herstellen. An einem etwa 90 cm hohen Moosstab können sich drei oder vier kleine Pflanzen emporranken. Wichtig ist, daß das Moos immer feucht gehalten wird, weil andernfalls die Luftwurzeln nicht eindringen.

Moos
Eine nicht artgeschützte Sorte verwenden.

Bambusstäbe

Tontopf

Rundholz

Drahtschere

Unter-setzer

Wellpappe

Drahtgeflecht

Torf-substrat

Schaufel

Draht

Kletterphilodendron
Philodendron scandens
(s. S. 188)

PFLANZEN
Kleinklima 3
Warm, schattig

Wie man pflanzt

1 Aus Wellpappe eine Rolle formen und ein Drahtgeflecht darumwickeln, das etwa 5 cm breiter als der Rollenumfang zugeschnitten ist. Die Längsseiten miteinander verbinden.

2 Zwei Bambusstäbe zurechtschneiden, 3 cm oberhalb des unteren Endes in die Drahtsäule stecken, am Kreuzungspunkt sowie am Drahtgeflecht befestigen und in den Topf klemmen.

Zimmerpflanzen ziehen

Kletterpflanzen können auch an kahlen
Wänden gezogen werden oder um Spiegel,
Türen und Fenster. Als Stützen für die
Pflanzen verwendet man zwischen Nägel
oder Ringschrauben gespannte Drähte oder
Nylonschnüre. Die Triebe werden, der
gewünschten Form folgend, mit Beutelver-
schlüssen an den Stützen befestigt.

Pflanzen an einer Wand ziehen (rechts)
Der Zierspargel (*Asparagus densiflorus*
› Sprengeri ‹) wird oft als Hängepflanze gehalten, doch hier wachsen seine weichen,
fiedrigen Triebe um ein Bild herum.

Pflanze als Spiegelumrahmung (oben)
Ein Königswein (*Cissus rhombifolia*) bildet
einen wunderschönen Rahmen für diesen
großen Spiegel. Die dekorative Kletterpflanze
hält sich mit ihren drahtigen Ranken an
jeder Stütze fest und wächst sehr rasch – pro
Jahr 60 bis 90 cm. Sie ist anspruchslos und
gedeiht an fast allen Standorten.

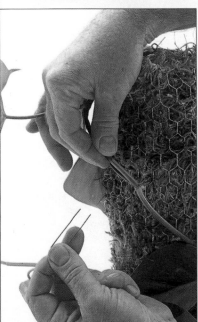

3 Den Topf zu ⅔ mit Substrat füllen.
Dann nach und nach das Moos in
die Drahtsäule geben und zwischendurch
immer wieder mit dem Rundholz zusammendrücken, bis die Säule gefüllt ist.

4 Die Philodendren einpflanzen
und ihre Triebe mit in Haarnadelform
gebogenen Drähten am Moosstab feststecken.

5 Moos und Pflanzsubstrat gut anfeuchten, bevor der Topf an einen warmen, schattigen Platz gestellt wird.
Den Stab täglich besprühen, damit das
Moos stets feucht ist.

Kletterpflanzen ziehen 2

Eine Drahtstütze konstruieren

Viele Pflanzen, die im Haus gezogen werden, sind in der Natur wuchernde Kletterer. Die käuflichen Exemplare sind meist an Drahtstützen gezogen, die bald nicht mehr ausreichen. Dann sollten Sie die Pflanze vorsichtig abnehmen und ihr eine größere Stütze geben, an der sie besser zur Geltung kommt. Pflanze und Stütze müssen in der Größe aufeinander abgestimmt werden. Hier wurde eine Passionsblume an Drahtreifen gezogen, die dem zarten Laub dieser Pflanzen entsprechen.

Geräte und Materialien

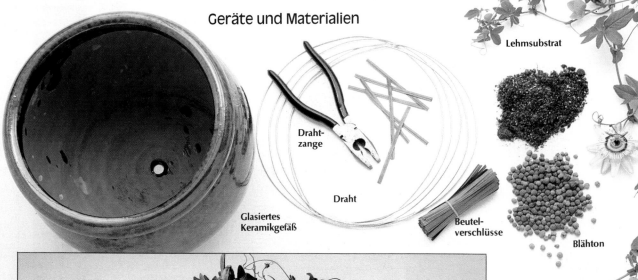

Lehmsubstrat

Draht-zange

Draht

Glasiertes Keramikgefäß

Beutel-verschlüsse

Blähton

Passionsblume
Passiflora caerulea
(s. S. 185)

**PFLANZEN
Kleinklima 1**
Warm, sonnig

Das fertige Arrangement
Da der eine Reifen weniger berankt ist als der andere, ist die Wuchsform der Pflanze locker und originell, und auch die kurzlebigen ungewöhnlichen Blüten kommen besser zur Geltung. Die Triebe müssen regelmäßig aufgebunden werden, damit die Pflanzen formschön bleiben. Wenn man sie zu Winterbeginn bis auf die Haupttriebe zurückschneidet und an einem kühlen, frostfreien Platz überwintern läßt, treiben sie im Frühjahr neu aus.

Wie man pflanzt

1 Zwei gleich lange Drahtstücke für die zwei Reifen zurechtbiegen. In das Gefäß setzen und prüfen, ob die Größe stimmt. Die Reifen beiseite legen. Sie werden später im Pflanzsubstrat festgesteckt.

2 Eine Scherbe über das Abzugsloch legen, dann eine 2 bis 3 cm dicke Schicht Blähton am Boden verteilen. Gefäß zu drei Vierteln mit Lehmsubstrat füllen. Eine der Passionsblumen von ihrer alten Stütze lösen, in das Gefäß setzen und die Erde um die Wurzeln andrücken. Einen der Reifen in den Topf schieben und die Triebe der Pflanze um ihn winden.

3 Den zweiten Reifen im Winkel von 90° zum ersten in das Gefäß setzen und beide Reifen mit Beutelverschlüssen aneinander befestigen. Während der Arbeit alle welken Blätter und Triebe der Pflanze entfernen. Die zweite Passionsblume einsetzen und einen der Triebe um eine Seite des unberankten Reifens winden, die anderen Triebe um die gegenüberliegende Seite.

Weitere Pflanzenstützen

Aus Bambus, Rattan oder Draht lassen sich viele verschiedene Stützen bauen. Bambusstäbe eignen sich für Spaliere oder, was ungewöhnlicher ist, als Stützpfeiler. Rattan ist biegsam und kann in alle runden Formen gebogen werden.

Spaliere (unten)
Walderdbeeren (*Fragaria vesca* ›Alpine‹) tragen kleine Früchte und sehen sehr anmutig aus.

Bambusspalier

Rattanrohr

Bambusstäbe

Feige
Ficus pumila

Kunst-
stoff-
spalier

Rattanreifen

Ampeln bepflanzen 1

Auf Terrassen, Balkonen und Veranden sind Ampeln ein vertrauter Anblick, aber sehr viel seltener findet man dekorative Ampeln in Innenräumen. Wenn Sie eine solche Ampel im Haus aufhängen möchten, müssen Sie folgende Punkte berücksichtigen: Drahtkörbe eignen sich nur für Räume mit wasserbeständigen Fußböden, wie beispielsweise Wintergärten. Kunststoffampeln mit einem Wasserreservoir und einem Wasserstandsanzeiger sowie ähnliche Modelle mit Tropfschalen sind hier praktischer, sehen aber nicht so hübsch aus. Andererseits spricht nichts dagegen, Keramikgefäße und Körbe an dicken Kordeln aufzuhängen oder auch Wandkörbe aus einem geeigneten Material.

Wichtig ist, daß die Ampeln gut befestigt werden, denn nasse Erde ist schwer. Zur Befestigung der Ketten oder Kordeln müssen die Haken in einen Deckenbalken und nicht nur in den Putz gedübelt werden.

Wenn Sie vorhaben, eine Ampel zu bepflanzen, achten Sie darauf, daß die Pflanzen mit Ihrer Einrichtung harmonieren. Sofern diese nicht wirklich schlicht ist, sollten Sie sich auf einen Pflanzentyp beschränken. Im Freien können Sie bei der Auswahl der Farben ungezwungener verfahren, doch sollten Sie sich für Arten entscheiden, die Wärme und Wind vertragen.

Drahtkörbe bepflanzen

Drahtkörbe werden immer wieder gern bepflanzt, da in ihnen die Pflanzen bald zu großen Kugeln aus Blüten und Laub zusammenwachsen. Für den Korb auf unserer Abbildung wurden blaue und weiße Glockenblumen verwendet. Bekommen sie ausreichend Wärme und Wasser, blühen sie durchgehend von August bis November; Grund genug, um eine solche Ampel in einem Wintergarten aufzuhängen.

Querschnitt einer bepflanzten Ampel

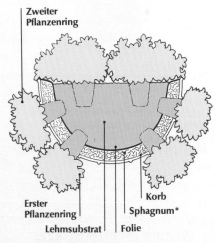

Zweiter Pflanzenring

Erster Pflanzenring

Lehmsubstrat

Korb

Sphagnum*

Folie

Ein Gartenzimmer voller Ampeln

Dieser helle Gartenraum bietet Ampeln ausgezeichnete Bedingungen. Mittelpunkt der Gruppe ist ein großartiger Geweihfarn (*Platycerium bifurcatum*). Links von ihm ranken ein Königswein (*Cissus rhombifolia*) und ein Fleißiges Lieschen (*Impatiens* sp.), rechts wachsen mehrere Grünlilien (*Chlorophytum comosum* »Vittatum«). In den Körben an der Wand befinden sich Trockenblumen und ein weiterer Königswein.

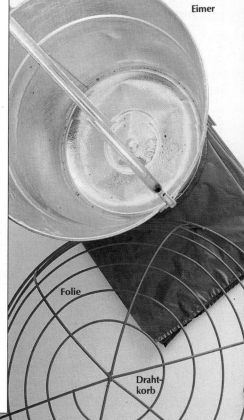

Eimer

Folie

Drahtkorb

Wie man pflanzt

1 Den Korb auf einen umgedrehten Eimer setzen und mit einer 5 cm dicken Schicht Fasertorf auslegen. Dann ein rundes Stück Folie zuschneiden, das an den Korbrändern 10 cm übersteht. In 5 cm Abstand zum Boden Löcher in die Folie schneiden.

2 Größere Pflanzen teilen, damit sie in die Löcher gesetzt werden können. Pflanzen zunächst gut gießen, dann aus dem Topf nehmen, mit beiden Händen halten, Daumen in die Mitte des Erdballens drücken und diesen auseinanderziehen. Die Wurzeln der geteilten Pflanzen werden durch die Torfschicht und die Folie geschoben und eingesetzt.

4 Oben die restlichen Lücken mit blauen blühenden Exemplaren schließen. Dann die überstehende Folie einschlagen, Korb gut wässern, Ketten oder Kordeln wieder anbringen und an einen sonnigen Platz hängen.

PFLANZEN
Kleinklima 4
Kühl, sonnig

Glockenblume
Campanula isophylla
(s. S. 191)

3 Rund um den unteren Teil des Korbes Pflanzen einsetzen. Wurzeln mit Erde bedecken, diese andrücken und ein Stück höher weitere Exemplare pflanzen, um die Lücken zu schließen. Oben werden mehrere große, weiße Glockenblumen gepflanzt.

Geräte und Materialien

Schere

Torfsubstrat

Handspaten

Sphagnum*

* Aus Gründen des Artenschutzes statt Sphagnum Fasertorf verwenden.

55

Ampeln bepflanzen 2

Einen Flechtkorb bepflanzen

Hängende, mit Pflanzen gefüllte Körbe können einem Raum Frische und Farbe verleihen. Überlegen Sie dabei zunächst, wo Sie ihn plazieren möchten, und bedenken Sie bei der Auswahl der Pflanzen, welche Wirkung Sie mit ihnen erzielen wollen. Darüber hinaus müssen sich die Pflanzen für den vorgesehenen Platz eignen, das heißt, sie sollten etwa gleiche Wachstumsbedingungen erfordern. Auch darf der Korb nicht von den natürlichen Farben der Pflanzen ablenken. Für das hier gezeigte Arrangement wurden Pflanzen mit verschiedenen, kontrastierenden Wuchs- und Blattformen gewählt, die einen besonders attraktiven Anblick bieten.

Geräte und Materialien

PFLANZEN
KLeinklima 2 Warm, indirekte Sonne
Kleinklima 3 Warm, schattig

Federspargel
Asparagus setaceus
(s. S. 183)

Flechtkorb

**Schaumstoff-
einlage**

Alufolie

Blähton

Schaufel

**Torf-
substrat**

Holzkohle

Zierspargel
Asparagus densiflorus
Sprengeri (s. S. 191)

Guzmanie
Guzmania lingulata
(s. S. 174)

Schwertfarn
Nephrolepis exaltata
› Bostoniensis ‹
(s. S. 170)

Saumfarn
Pteris cretica
(s. S. 183)

Nestfarn
Asplenium nidus
(s. S. 173)

Frauenhaarfarn
Adiantum raddianum (s. S. 183)

Sphagnum*

* Aus Gründen des Artenschutzes statt
Sphagnum Fasertorf verwenden.

Das fertige Arrangement
Durch die zuletzt eingepflanzten Guzmanien wurden Farbtupfer gesetzt, die die Gruppe mit der Umgebung verbinden, indem sie das Rot des Klatschmohns auf dem Gemälde wiederholen. Anschließend wurden die Kordeln wieder um den Korb gelegt und vor einem Nordfenster an der Decke aufgehängt. Es ist sinnvoll, hier einen drehbaren Haken zu verwenden, damit sich auch der Korb drehen läßt und alle Pflanzen die gleiche Menge Licht erhalten.

Wie man pflanzt

1   Den Korb mit Alufolie auskleiden, damit er nicht verrottet. Dann den Schaumstoff darauflegen und zurechtschneiden. Einige Steine hinten in den Korb legen, um dort die Pflanzfläche etwas zu erhöhen, und den Boden dann mit einer Schicht Blähton auslegen.

2   Den Korb mit Torfsubstrat füllen und eine Handvoll Holzkohle zugeben, damit es nicht sauer wird. Oben einen Gießrand frei lassen. Als erste Pflanze einen buschigen Federspargel mit seinen zarten Zweigen auf die durch Steine erhöhte Fläche setzen, um dem Arrangement Höhe zu geben.

3   In diesem Stadium, das heißt, solange die Pflanzen noch in ihren Töpfen sind, sollte man ausprobieren, wie man die Gewächse am besten anordnet. Hier wurden rechts und links vom Federspargel zwei herabhängende Zierspargel eingesetzt.

4 Um den Hintergrund zu füllen, werden zu beiden Seiten des Federspargels zwei Schwertfarne gepflanzt. Die Farne beim Einsetzen schräg nach außen halten, damit ihre Wedel über den Korbrand hängen.

5 Vorn einen Frauenhaarfarn und einen Saumfarn pflanzen. Die zarten Wedel des Frauenhaarfarns und die stark verzweigten Wedel des Saumfarns sorgen für weitere Variationen in den Blattformen und -färbungen.

6 Durch die Einbeziehung eines Nestfarns (links) entsteht ein hübscher Kontrast zwischen dessen breiten, riemenförmigen Wedeln und den sie umgebenden, fiedrigen Pflanzen. Zuletzt die beiden Guzmanien einsetzen, die noch sichtbare Erde mit Moos bedecken und vor dem Aufhängen gut wässern.

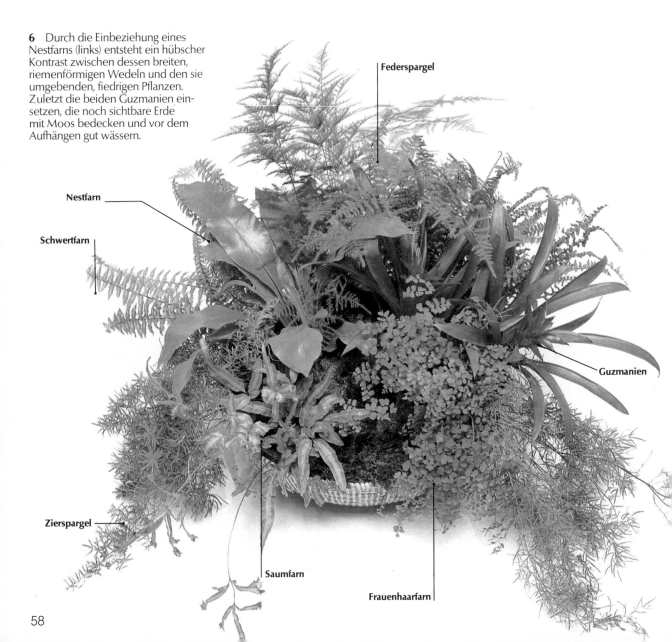

Federspargel

Nestfarn

Schwertfarn

Guzmanien

Zierspargel

Saumfarn

Frauenhaarfarn

Zwiebelblumen im Haus 1

Mit blühenden Zwiebelpflanzen können wunderschöne Pflanzengruppen zusammengestellt werden, und das auch in Zeiten, in denen sonst wenig blüht. Die meisten Zwiebelpflanzen gedeihen in Gefäßen ohne Abzugslöcher ebensogut wie in herkömmlichen Töpfen und können daher in Suppenterrinen, Gemüseschüsseln, Porzellangefäße oder Glasbehälter gepflanzt werden. Als Pflanzsubstrat eignet sich handelsübliche Blumenerde. Die Anzucht ist aber auch in Wasser und Kies möglich.

Wenn Zwiebelblumen, die im allgemeinen im Garten wachsen, im Haus gezogen werden, ist ein künstlicher »Winter« erforderlich, damit sie zur Blüte kommen. Sie werden nur dann schön blühen, wenn sie mehrere Wochen kühl (bei 6° bis 8°C) und dunkel stehen. Der Handel bietet auch präparierte Zwiebeln an, die nicht dunkel gehalten werden müssen.

Bepflanzen Sie Schalen mit frühblühenden Krokussen, die es in Weiß, Gelb, Bronze, Lila oder Purpur gibt. Hyazinthen werden sowohl wegen ihres schweren Duftes als auch wegen ihrer großen Blüten gezogen. Wählen Sie darüber hinaus Narzissen mit ihren frischen, heiteren Farben sowie lilienblütige Tulpen und Kauffmannia-Tulpen wegen ihrer kräftigen Formen und Farben.

Ein Fensterbrett voller Zwiebelblumen (oben)
Eine Amaryllis (*Hippeastrum*-Hybride), Narzissen (*Narcissus*-Hybriden) und Hyazinthen (*Hyacinthus*-Orientalis-Hybriden) stehen aufgereiht auf einer Fensterbank.

Krokusse in einem Korb (unten)
Eine Fülle von Blüten und Laub, das über die Ränder eines Korbes quillt. Hier wurden leuchtendweiße Krokusse (*Crocus*-Hybriden) mit dem grasartigen Blattwerk einer Simse (*Scirpus cernuus*) kombiniert.

Zwiebelblumen im Haus 2

Obgleich Zwiebelblumen heute überall erhältlich sind, gibt es eine so immense Vielfalt an Hybriden, daß es sich vielleicht lohnt, den Katalog einer Spezialfirma zu studieren, um die Zwiebelblumen auswählen zu können, deren Formen und Farben genau Ihren Wünschen entsprechen. Wer frische Farben und einen zarten Duft bevorzugt, trifft mit Narzissen eine gute Wahl. Bestimmte Narzissenarten, darunter die hier verwendete Sorte *Narcissus* › Cragford ‹, können statt in Pflanzsubstrat auch in Kies gezogen werden. Wenn Sie im Oktober Narzissenzwiebeln einpflanzen und, wie unten gezeigt, vortreiben, sollten sie um die Weihnachtszeit blühen.

Zu den am meisten verbreiteten, aus Zwiebeln wachsenden Zimmerpflanzen, die im Frühjahr oder Sommer blühen, gehören unter anderem Amaryllis *(Hippeastrum-Hybriden)* mit ihren großen Trichterblüten und verschiedene Lilienarten, darunter die duftende weiße Osterlilie *(Lilium longiflorum)*.

Geräte und Materialien

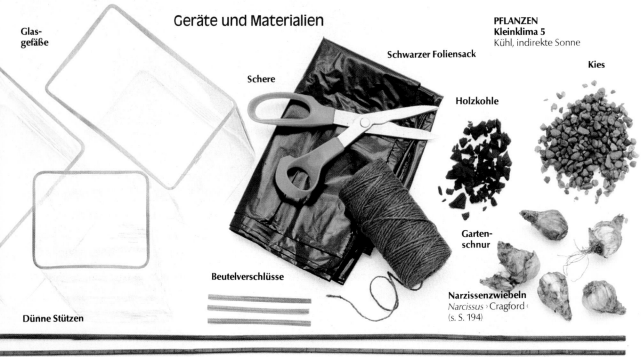

Glas-gefäße

Schere

Schwarzer Foliensack

PFLANZEN
Kleinklima 5
Kühl, indirekte Sonne

Kies

Holzkohle

Garten-schnur

Beutelverschlüsse

Narzissenzwiebeln
Narcissus › Cragford ‹
(s. S. 194)

Dünne Stützen

Wie man die Zwiebeln einpflanzt

1 Den Kies zuerst waschen, damit das Wasser nicht zu trübe wird. Dann den Kies mit ungefähr 20 kleinen Holzkohlestückchen vermischen und das Gefäß etwa zu zwei Dritteln damit füllen. Die ersten Zwiebeln hineinsetzen. Mit dem Finger für jede Zwiebel eine Mulde machen.

2 In ein Gefäß dieser Größe sollten etwa neun Zwiebeln passen; sie dürfen sich jedoch nicht berühren. Dann weiteren Kies zwischen den Zwiebeln verteilen und darauf achten, daß die Zwiebelhälse herausschauen. Bis knapp unter die Zwiebeln Wasser einfüllen. Die Zwiebeln dürfen dabei nicht naß werden.

3 Präparierte Zwiebeln im Licht wachsen lassen, andere Zwiebeln müssen dunkel gehalten werden. Dazu schneidet man einen schwarzen Foliensack zurecht und befestigt ihn mit Schnur am Gefäß. Das Ganze an einen kühlen Platz stellen und nach etwa vier Wochen prüfen, ob die Zwiebeln Wasser brauchen.

4   Nach acht bis zehn Wochen sollten etwa 1 bis 2 cm lange Triebe sichtbar sein. Die Zwiebeln können dann ins Helle gebracht werden. Haben die Narzissen ihre volle Größe erreicht, müssen Stengel und Blätter eventuell gestützt werden. Unordentlich wachsende Blätter oder sich biegende Stengel mit Beutelverschlüssen an dünnen grünen Stäben befestigen. Man kann die Stützen aber auch schon früher einsetzen, um Blätter und Stengel bereits während des Wachstums zu stützen.

5   Narzissen stehen nicht gern warm. Bei hohen Temperaturen schießen die Stengel in die Höhe, und die Blätter werden weich und schwammig. Sind die Blüten verwelkt, entfernt man sie und setzt die Pflanzen in den Garten um.

Verschiedene Zwiebelblumen

Pro Topf nur eine Blütenfarbe verwenden, denn die Blütezeiten sind verschieden. Hyazinthen entwickeln sich so unterschiedlich, daß hier vorzugsweise einzelne Zwiebeln in 7-cm-Töpfe gesteckt werden. Sind dann die Blütenknospen gut ausgebildet, setzt man Pflanzen im gleichen Entwicklungsstadium zusammen.

Töpfe mit Osterglocken (oben)
Als zusätzlicher Schmuck wurde Gras in das Pflanzsubstrat eingesät.

Hyazinthen in voller Blüte (links)
Hyazinthen sehen besonders reizvoll aus, wenn man eine große Anzahl zusammensetzt.

Bepflanzung von Blumenkästen 1

Im allgemeinen werden Blumenkästen nur draußen verwendet, doch wo eine geeignete Fensterbank vorhanden ist und die Fenster nicht nach innen geöffnet werden, können Kästen auch ausgezeichnet im Haus aufgestellt werden. Der Handel bietet hier viele verschiedene Modelle an. Kunststoff ist ein leichtes, preiswertes Material für Blumenkästen, und wenn man Hängepflanzen hineinsetzt, ist es unter dem Laubschirm kaum noch sichtbar. Aus Fiberglas werden heute gute Blei-, Holz- und Steinimitationen hergestellt, die extrem leicht, aber verhältnismäßig teuer sind. Steintröge sehen immer hübsch aus, sind jedoch für die meisten Fensterbänke zu schwer und sollten besser auf den Boden gestellt werden. Terrakotta paßt gut zu älteren Häusern und Einrichtungen aufwendigeren Stils. Aus Holz, das hauptsächlich im Freien Verwendung findet, lassen sich genau passende Kästen

bauen, die, ausgerüstet mit einem herausnehmbaren Kunststoffeinsatz, problemlos zu bepflanzen sind. Blumenkästen sollten Abzugslöcher haben, damit sich in den unteren Schichten keine Nässe staut, die Fäule zur Folge hat. Bei Holz, Stein und Ton lassen sich Löcher bohren, Kunststoffkästen haben Vertiefungen, die mit einem Schraubenzieher durchstoßen werden können. Auf jeden Fall sollten Sie Untersetzer unter die Kästen stellen, die Tropfwasser auffangen. Sowohl im Haus als auch im Freien müssen die Kästen so tief sein, daß die Erde nicht zu rasch austrocknet. Allerdings werden Sie feststellen, daß bei Wärme alle Blumenkästen sehr viel Wasser benötigen. Sehr hoch angebrachte Blumenkästen, die Schaden anrichten könnten, sollten an der Wand oder dem Fenster befestigt werden, wie zum Beispiel mit einem Blumenkastenhalter.

Verschiedene Blumenkastenmodelle

Das Material Ihres Blumenkastens sollte zum Erscheinungsbild des Hauses passen, wenn er außen aufgestellt wird, beziehungsweise im Haus mit der Einrichtung harmonieren. Schlichtheit ist in jedem Fall ratsam, damit die Pflanzen optimal zur Geltung kommen. Wer einen speziell angefertigten Holzkasten verwendet, kann ihn passend zur Farbe der Wand streichen. Die Auswahl der Pflanzen ist jahreszeitlich bedingt und darüber hinaus von der Lage des Fensters abhängig.

Zedernholzkasten (links)

Dieser tiefe Holzkasten paßt genau auf die Fensterbank. Er wurde mit scharlachroten Geranien (*Pelargonium*-Hortorum-Hybriden) bepflanzt, die fast das ganze Jahr hindurch blühen und vor der gelben Wand einen dekorativen Blickfang bilden.

Gestrichener Holzkasten (unten)

Dieser weißgestrichene Holzkasten wird fast vollkommen von purpurnen Lobelien (*Lobelia erinus* ›Pendula‹) überrankt. Tiefrosa Petunien (*Petunia*-Hybriden) und Strauchmargeriten (*Chrysanthemum frutescens*) vervollständigen die farbenfrohe Sommerpflanzung, die hübsch von der gußeisernen Halterung eingerahmt wird.

Messingbehälter (oben)

Das glänzende Messing dieses Blumenbehälters hebt sich vom Hintergrund gut ab. Das Gefäß enthält Blaue Lieschen (*Exacum affine*), in deren goldgelben Staubgefäßen sich die Farbe des Metalls wiederholt. Messingbehälter können auch mit bronzeblättrigen Semperflorens-Begonien (*Begonia*-Semperflorens-Hybriden), rostfarbenen Topfchrysanthemen (*Chrysanthemum*-Morifolium-Hybriden) oder einer Auswahl farbenprächtiger Buntnesseln (*Coleus blumei*) bepflanzt werden.

Blumenkästen für Innenräume bepflanzen

Überlegen Sie zunächst, welche Pflanzen sich für die an Ihrer Fensterbank herrschenden Lichtverhältnisse eignen, und achten Sie bei der Auswahl darauf, daß alle die gleichen Wachstumsbedingungen haben. Für diese Sommerpflanzung wurde ein einfacher weißer Kunststoffkasten verwendet, in dem neben rosa und purpurnen Schieftellern eine rosagestreifte Tradeskantie wächst. Im Frühjahr kann man die Kästen beispielsweise mit Zwiebelblumen und Kräutern bepflanzen, im Winter mit Narzissen *Narcissus jonquilla)*.

Wie man pflanzt

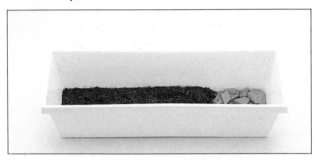

1 Eine Schicht Scherben (scharfe Kanten nach unten) in den Kasten legen, damit überschüssiges Wasser abfließen kann. (Wer keine Tonscherben zu Hause hat, fragt beim Händler nach, bei dem man sie oft umsonst bekommt.) Dann 5 cm Erde einfüllen, hinten etwas mehr, damit die Pflanzung dort erhöht ist.

2 Die Pflanzen hineinsetzen und ausprobieren, wie die Anordnung am schönsten ist. Zunächst sechs purpure Schiefteller nebeneinander pflanzen, aber Lücken für rosa Exemplare und das herabhängende Laub der Tradeskantie lassen.

3 Eine Tradeskantie in die Mitte des Kastens setzen, einige Triebe vorn herunterhängen lassen, die anderen zwischen die Schiefteller legen. Zum Schluß die noch freien Stellen mit rosa Schieftellern und weiteren Tradeskantien schließen.

Das fertige Arrangement

Beide Pflanzenarten bevorzugen Standorte mit Südlage. Schiefteller blühen von Juni bis Oktober und ranken über den Rand des Blumenkastens, wenn sie größer werden.

Geräte und Materialien

**PFLANZEN
Kleinklima 1**
warm, sonnig

Tradeskantie
Tradescantia fluminensis
›Variegata‹
(s. S. 189)

Schiefteller
Achimenes grandiflora
(s. S. 181)

**Scherben
Lehmsubstrat**

Kasten mit Untersetzer

Handspaten

Gartenschere

Bepflanzung von Blumenkästen 2

Einen Außenkasten bepflanzen

Der Winter ist die Jahreszeit, in der man sich nach Grün und bunten Blumen sehnt, vor allem, wenn man mitten in einer Großstadt lebt. Um den Blick durchs Fenster zu verschönern, sollte man einen Blumenkasten mit Gewächsen bepflanzen, die farbenfrohe Früchte oder immergrünes, dekoratives Laub tragen. Der hier gezeigte Blumenkasten muß allerdings vor Frost geschützt werden, denn die Korallenkirschen und Chrysanthemen sind nicht winterhart. Man stellt den Kasten daher am besten an ein Fenster, von wo aus er bei Kälte leicht ins Haus genommen werden kann. Oder man verwendet ihn für einen kühlen Platz im Haus.

Wie man pflanzt

1 Eine 3 cm dicke Schicht Blähton in den Blumenkasten füllen (es können auch Scherben oder Kies verwendet werden), um eine gute Drainage zu gewährleisten. Dann etwa 6 cm Lehmsubstrat darauf verteilen.

2 Bevor die Pflanzen aus den Töpfen genommen werden, die Anordnung im Kasten festlegen. Die Korallenkirschen in die Mitte und die Chrysanthemen an den Rand setzen. Den Efeu so plazieren, daß seine herabhängenden Triebe gut zur Geltung kommen.

3 Die Pflanzen aus ihren Töpfen nehmen und überschüssige Blumenerde abschütteln. Zwei Korallenkirschen in die Mitte des Kastens setzen und zu beiden Seiten Chrysanthemen pflanzen. Vier kleine Efeu über die Seiten und den vorderen Rand des Kastens hängen lassen. Die Erde um die Pflanzen herum andrücken und gut gießen.

Topfchrysantheme
Chrysanthemum morifolium
(s. S. 181)

Geräte und Materialien

Blähton

Schaufel

Lehm-substrat

Efeu
Hedera helix
(s. S. 190)

Blumenkasten aus Ton

Weitere Vorschläge für Fenstergärten

Neben dem Aufstellen von Blumenkästen gibt es noch andere Möglichkeiten, um Fenster zu verschönern. So kann man beispielsweise Topfpflanzen auf Borde aus Glas (oder Acrylglas) vor ein Fenster setzen. Holzborde sollte man zuvor behandeln, um sie wasserunempfindlich zu machen. Die Auswahl der Pflanzen hängt von der Ausrichtung des Fensters ab. Setzen Sie zum Beispiel sonnenliebende Wüstenkakteen und tropische Gewächse vor Südfenster, Blütenpflanzen an West- und Ostfenster und Pflanzen, die indirektes Licht vorziehen, an Nordfenster. Man kann aber auch Pflanzenfenster konstruieren, die Miniaturgärten ähneln.

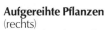

PFLANZEN

Kleinklima 4
Kühl, sonnig

Kleinklima 5
Kühl, indirekte Sonne

Korallenkirsche
*Solanum
capsicastrum*
(s. S. 180)

Aufgereihte Pflanzen
(rechts)
Auf Glasborden aufgereihte Pflanzen behindern zwar die Sicht, wirken aber sehr dekorativ. Wenn alle Pflanzen in einheitlichen Gefäßen wachsen, erscheint selbst ein dichtgedrängtes Arrangement geordnet. Die meisten der hier gezeigten Pflanzen sind in der Wüste heimische Kakteen und Sukkulenten, die pralle Sonne vertragen. Auch Pflanzen mit buntgezeichneten Blättern, wie das Tüpfelblatt (*Hypoestes phyllostachya*) auf dem unteren Bord, stehen gern hell.

Ein Miniaturgarten
(unten)
Pflanzen gedeihen in Gruppen besonders gut und entwickeln sich unter günstigen Lichtverhältnissen sehr rasch. In einem Glaserker wie diesem ist es jedoch wichtig, direkte Sonnenbestrahlung abschirmen zu können. Darüber hinaus muß, besonders bei Hitze, für gute Lüftung und erhöhte Luftfeuchtigkeit gesorgt werden. Letzteres wird erreicht, wenn man die Pflanzen auf mit nassem Kies gefüllte Untersetzer stellt.

Flaschengärten anlegen

Rundes Papier

Trichter

Glasflasche

Flaschengärten bieten Pflanzen, die feuchte Luft lieben, optimale Wachstumsbedingungen. Wenn der Garten allerdings das ganze Jahr schön aussehen soll, muß er mit extrem langsam wachsenden Arten bepflanzt werden. Aus diesem Grund ist es zwar verlockend, Zwergformen von Usambaraveilchen (*Saintpaulia*-Ionatha-Hybriden) zu verwenden, empfehlenswert ist es aber nicht; denn sobald die Blüten welken, sehen sie langweilig aus. Am besten benutzt man Pflanzen mit bunt panaschierten Blättern und setzt durch Formen und Strukturen Kontraste. Zum Bepflanzen geeignet sind alle Flaschen, deren Hals weit genug ist, um die Pflanzen einzusetzen. Buntglas läßt weniger Licht durch, aber man kann dies ausgleichen, indem man den Flaschengarten entsprechend heller stellt.

Frauenhaarfarn
Adiantum raddianum microphyllum
(s. S. 183)

Sphagnum*

Torf-substrat

Blähton

Geräte und Materialien

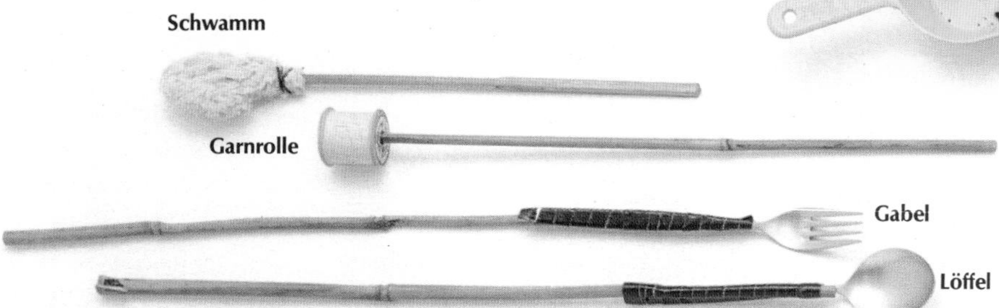

Schaufel

Holz-kohle

Schwamm

Garnrolle

Gabel

Löffel

Fittonie
Fittonia verschaffeltii argyroneura › Nana ‹
(s. S. 193)

Fittonie
Fittonia verschaffeltii
(s. S. 193)

Frauenhaarfarn
Adiantum hispidulum
(s. S. 183)

**PFLANZEN
Kleinklima 3**
Warm, schattig

1 Ein rundes Papier in Größe der zu bepflanzenden Fläche zuschneiden und die Anordnung der Pflanzen ausprobieren. Dabei gilt grundsätzlich: größere Gewächse nach hinten setzen, niedrigere nach vorn.

2 Mit Hilfe eines Trichters aus steifem Papier eine 3 cm dicke Schicht Blähton in der Flasche verteilen und eine Handvoll Holzkohle zugeben. 5 bis 7 cm feuchtes Torfsubstrat einfüllen.

* Aus Gründen des Artenschutzes statt Sphagnum Fasertorf verwenden.

3 Nach hinten etwas Erde aufhäufen, damit die Pflanzen dort etwas erhöht stehen. Das Substrat mit einem Löffel glätten und hinten das erste Pflanzloch vorbereiten.

4 Einen Frauenhaarfarn aus seinem Topf nehmen, Erde abschütteln, Gabel in den Wurzelballen stechen und die Pflanze vorsichtig in die für sie vorbereitete Vertiefung setzen. Gabel herausziehen, Wurzeln bedecken und Erde rundum andrücken.

5 Einen weiteren Frauenhaarfarn in den Hintergrund setzen, und zwar als Abwechslung ein Exemplar von *Adiantum hispidulum*. Die Pflanzen dürfen nicht zu dicht stehen. Der Zwischenraum muß mindestens 3 cm betragen, damit sie sich entwickeln können.

PFLANZENSCHLÜSSEL

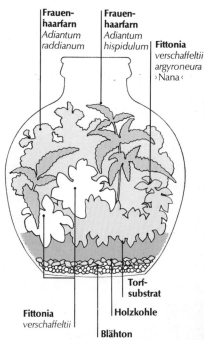

Frauen-haarfarn
Adiantum raddianum

Frauen-haarfarn
Adiantum hispidulum

Fittonia
verschaffeltii argyroneura › Nana ‹

Fittonia
verschaffeltii

Torf-substrat

Holzkohle

Blähton

6 Vorn kleine Fittonien pflanzen. Ihre festen, silbergeaderten Blätter bilden einen hübschen Kontrast zur Fülle der dahinter wachsenden Wedel. Als farbigen Mittelpunkt der Pflanzung kann man eine rotgeaderte Fittonie wählen. Die noch freiliegende Erde unter Torfmull verstecken und eine Tasse Wasser am Glas herunterlaufen lassen. Durch Aufsetzen eines Korkens erhöht man die Luftfeuchtigkeit, doch das Glas beschlägt sehr schnell.

Terrarien bepflanzen

Terrarien sind Glaskästen, die die gleiche feuchte Umgebung bieten wie Flaschengärten, da die von den Blättern der Pflanzen abgegebene Feuchtigkeit im Innern kondensiert und wieder in die Erde zurückgeführt wird. Da man in einem Terrarium die Pflanzen aber leichter schneiden und herausnehmen kann als in einem

Flaschengarten, können hier auch raschwüchsige Arten wie Moose oder das Tüpfelblatt gepflanzt werden. Dies ermöglicht auch die Verwendung von Gloxinien (*Sinningia pusilla*), die man wieder entfernt, sobald sie verwelkt sind. Hier wurde ein Terrarium verwendet, das an ein winziges Gewächshaus erinnert.

Geräte und Materialien

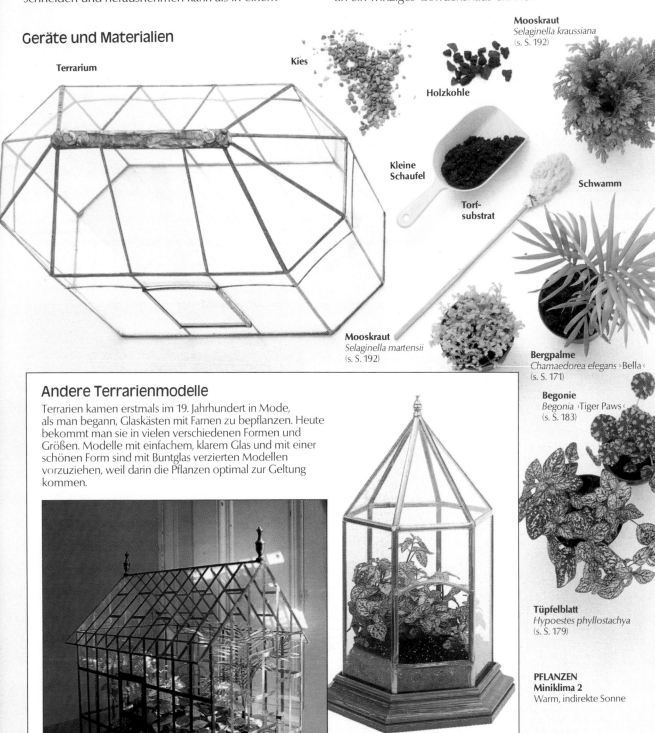

Terrarium

Kies

Mooskraut
Selaginella kraussiana
(s. S. 192)

Holzkohle

Kleine Schaufel

Torf-substrat

Schwamm

Mooskraut
Selaginella martensii
(s. S. 192)

Bergpalme
Chamaedorea elegans › Bella ‹
(s. S. 171)

Begonie
Begonia › Tiger Paws ‹
(s. S. 183)

Tüpfelblatt
Hypoestes phyllostachya
(s. S. 179)

PFLANZEN
Miniklima 2
Warm, indirekte Sonne

Andere Terrarienmodelle

Terrarien kamen erstmals im 19. Jahrhundert in Mode, als man begann, Glaskästen mit Farnen zu bepflanzen. Heute bekommt man sie in vielen verschiedenen Formen und Größen. Modelle mit einfachem, klarem Glas und mit einer schönen Form sind mit Buntglas verzierten Modellen vorzuziehen, weil darin die Pflanzen optimal zur Geltung kommen.

Miniaturpagode (oben)
In ein kleines Terrarium pflanzt man am besten mehrere Pflanzenexemplare einer Art.

Kleingewächshaus (links)
Kleine moosbedeckte Felsen als reizvolle Ergänzung.

Wie man pflanzt

1 Eine 2 cm dicke Schicht Kies in das Terrarium geben, etwas Holzkohle darauf verteilen und 5 cm feuchte Erde einfüllen. Einige der ausgewählten Pflanzen in das Terrarium setzen und arrangieren.

2 Rechts, etwas hinter der Mitte, eine Vertiefung machen und die größere Bergpalme einsetzen. Die Wurzeln waagrecht ausbreiten und mit Erde zudecken. Die Pflanze nimmt dadurch keinen Schaden, wächst aber langsamer.

3 Links hinten eine zweite Bergpalme pflanzen, darunter eine Begonie setzen und neben diese ein Mooskraut wie *Selaginella martensii,* das wunderbar mit dem leuchtenden Grün der Begonienblätter harmoniert.

PFLANZENSCHLÜSSEL

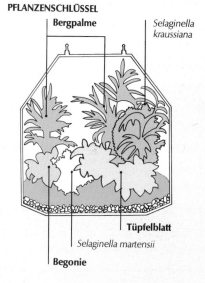

4 Ein zweites Exemplar von *S. martensii* vorn im Terrarium einsetzen und ein *S. kraussiana* hinter die größere Bergpalme. Schließlich die noch offenen Stellen um

die Palme mit Tüpfelblättern bepflanzen und nackte Erde unter Kies verstecken. Pflanzen und Erde besprühen und das Terrarium schließen.

Terrarien säubern
Kondenswasser oder Algen an den Innenwänden mit einem Schwamm entfernen.

Kleingärten mit Kakteen und Sukkulenten

Mit Kakteen und Sukkulenten, die ähnliche Wachstumsbedingungen stellen, kann man kleine Wüstenlandschaften entstehen lassen. Da die Wurzelsysteme dieser Pflanzen nicht tief gehen, genügen flache Schalen. Falls sie keine Abflußlöcher haben, muß für gute Drainage gesorgt werden. Darüber hinaus sollte man noch sparsamer gießen, als allgemein empfohlen.

Agave
Agave victoriae-reginae (s. S. 200)

Geräte und Materialien

Grober Sand

Schaufel

Kies

Lehm-substrat

Bischofsmütze
Astrophytum myriostigma (s. S. 198)

PFLANZEN Kleinklima 4
Kühl, sonnig

Mammillaria
Mammillaria bocasana (s. S. 199)

Tonschale

Wie man pflanzt

Mammillaria
Mammillaria sp. (s. S. 199)

1 Eine 3 cm dicke Schicht Kies in das Gefäß füllen. Eine Mischung aus ⅓ grobem Sand und ⅔ Lehmsubstrat 3 cm dick auf dem Kies verteilen.

2 Bevor die Pflanzen aus den Töpfen genommen werden, die Anordnung festlegen. Und denken Sie daran, daß die Erde mit dekorativem Kies abgedeckt werden kann.

Pack-papier

3 Um eine dornenbesetzte Kaktee ein Stück gefaltetes Packpapier legen; die Pflanze damit hochheben und den Topf abziehen.

4 Die Agave aus ihrem Topf nehmen und nach hinten in das Gefäß setzen. Zwei Bischofsmützen und eine Mammillaria einpflanzen. Um die Wurzeln herum vorsichtig Lehmsubstrat auffüllen.

Dekorative Oberflächen

Die meisten Gärtnereien und Gartencenter führen eine große
Auswahl an Steinsplit sowie feine und grobe Kiessorten, die zur
Verzierung von Pflanzungen verwendet werden können.
Marmorsplit bekommt man beim Steinmetz, und in Tierhand-
lungen ist eine reiche Auswahl an farbigem Kies (für Aquarien)
erhältlich. Für Kakteen und Sukkulenten ist Kies fast immer
am schönsten, da er an die kargen Landschaften erinnert, in denen die Pflanzen beheimatet sind. Man kann jedoch auch
andere Materialien ausprobieren.

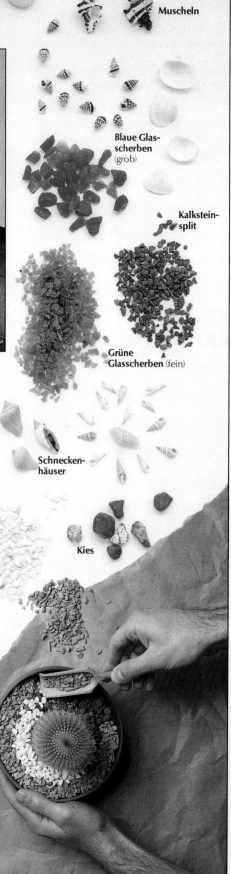

Kiesel

Muscheln

Blaue Glas-
scherben
(grob)

Kalkstein-
split

Grüne
Glasscherben (fein)

Schnecken-
häuser

Marmorsplit

Kies

Einen Kakteengarten schmücken

Große Flächen nackter Erde zwischen den Pflanzen wirken
wenig ansprechend, deshalb deckt man sie mit Split oder
schönen Kieseln, die an Felsen erinnern, ab. Auf diese Weise
entsteht eine Miniaturlandschaft, die an den Lebensraum
dieser Wüstenpflanzen erinnert.

Muster und Strukturen (oben)

Mehrere konzentrische Ringe aus verschiedenen Farben und Materialien sind
sehr reizvoll und dekorativ. In den spitz-
zulaufenden Schneckenhäusern wiederholt sich die Form der Kaktusdornen.

Die Erde dekorieren (rechts)

Mit einer kleinen Schaufel läßt sich
dekoratives Material gut verteilen.

Kleine »Wassergärten« anlegen

In Glasgefäßen angelegte »Wassergärten« sind außerordentlich dekorativ und reizvoll, auch wenn Glas nur für kurzfristigere Pflanzungen geeignet ist. Es hat den Nachteil, daß es lichtdurchlässig ist und damit auf längere Sicht schädlich für die Wurzeln (s. S. 260/261).
Die Pflanzen werden in Glasgefäße mit Wasser und einem Füll- oder Haltesubstrat gesetzt, wobei dem Wasser lösliche Nährstoffe beigefügt werden.
Am besten verwenden Sie Pflanzen, die sich bereits im

Wasser bewurzelt haben, denn diese Wurzeln unterscheiden sich deutlich von in Erde gewachsenen. Sie können entsprechende Pflanzen kaufen oder aber krautige Stecklinge in Wasser bewurzeln. Wer eine Pflanze von Erde auf Wasser umstellen will, muß warten, bis sich anstelle der alten neue sukkulente Wurzeln entwickelt haben. Dieser Vorgang dauert acht bis zwölf Wochen, und während dieser Zeit muß die Pflanze unter einer Plastiktüte warm und feucht gehalten werden.

Geräte und Materialien

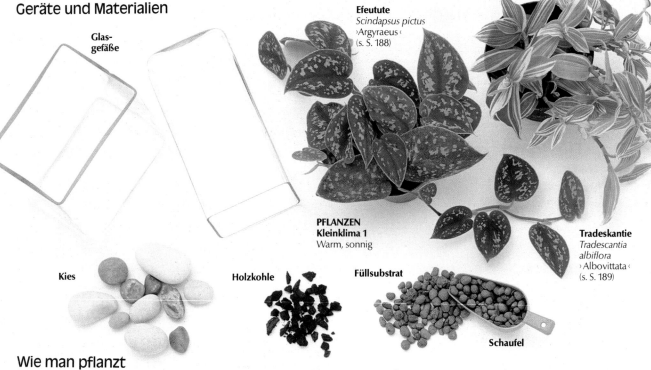

**Glas-
gefäße**

Efeutute
Scindapsus pictus
›Argyraeus‹
(s. S. 188)

**PFLANZEN
Kleinklima 1**
Warm, sonnig

Tradeskantie
*Tradescantia
albiflora*
›Albovittata‹
(s. S. 189)

Kies

Holzkohle

Füllsubstrat

Schaufel

Wie man pflanzt

1 Füllsubstrat 2 bis 3 cm hoch in ein Gefäß geben und darauf eine Schicht Kies. Alle Materialien vor Gebrauch gründlich reinigen. Etwas Holzkohle zufügen, damit das Wasser frisch bleibt.

2 Zwei Drittel des Gefäßes mit Füllsubstrat füllen, ein Drittel mit Wasser und warten, bis sich das Füllsubstrat vollgesogen hat.

3 Pflanze in das Gefäß setzen und Füllsubstrat um die Wurzeln verteilen. Wer eine Pflanze auf Hydrokultur umstellt, muß zunächst sorgfältig alle Erde entfernen.

Das fertige Arrangement
In das mit Kies dekorierte Füllsubstrat wurden eine Efeutute und eine Tradeskantie gesetzt, die in den durchsichtigen Gefäßen Ebenen unterschiedlicher Strukturen entstehen lassen. Die Pflanzen erhalten ihre Nährstoffe in Form eines Granulats, das die Nährstoffe nach und nach ins Wasser abgibt (s. S. 261).

Weitere Arrangements

Beinahe alle Pflanzen können in Hydrokultur (s. S. 260/261) gezogen werden, die gegenüber herkömmlichen Methoden mehrere Vorteile hat: Sie ist für Wohnungen vor allem praktisch, weil die Lagerung von Erde entfällt und weniger Schmutz entsteht; Wässern und Düngen sind unproblematischer; und der Pflanzenwuchs ist kräftiger. Darüber hinaus können die Pflanzen nicht von bodenbürtigen Schädlingen und Krankheiten befallen werden.

Ein Gemüsegarten
(oben)
Die Süßkartoffel (*Ipomoea batatas*) zieht man im allgemeinen ihrer eßbaren Knollen wegen. Hier wachsen die Wurzeln in Wasser und treiben dekorative herzförmige Blätter.

Ein orientalischer Garten (links)
Dieses Zypergras (*Cyperus sp.*) steht in der Natur hauptsächlich sumpfig und eignet sich daher gut für Wassergärten. Das Gefäß enthält Füllsubstrat, nur vorn wurde weißer Kies verwendet.

Behandlung von Bonsais

»Bonsai« bedeutet, wörtlich übersetzt, »Pflanze in einer Schale«. Es handelt sich um eine alte japanische Kunst, Zwergbäume zu ziehen. Dabei wird ein Baum oder Strauch durch Beschneiden der Wurzeln und Zweige in seinem Wachstum beschränkt. Diese zunächst in Japan entwickelte Technik wurde früher hauptsächlich für winterharte Bäume aller Art angewendet, wie Ahorne, Weißbirken, Buchen, Lärchen und Kiefern. Heute bezeichnet man diese Bäume als *Outdoors*, Freiland-Bonsais, da sie den größten Teil des Jahres im Freien stehen müssen. Sie dürfen während des Winters höchstens einige Tage in ein geheiztes Zimmer gebracht werden, im Sommer, wenn Innen- und Außentemperaturen gleich sind, ist es auch für längere Zeit möglich. Eine Neuentwicklung sind *Indoors*, Zimmer-Bonsais: Hier handelt es sich um tropische oder subtropische Baumarten, die sich das ganze Jahr im Haus wohl fühlen. Alle Bonsais brauchen sehr viel Licht, und da ihre Wurzeln auf sehr kleine Gefäße beschränkt sind, müssen sie, besonders bei Wärme, häufig gewässert werden.

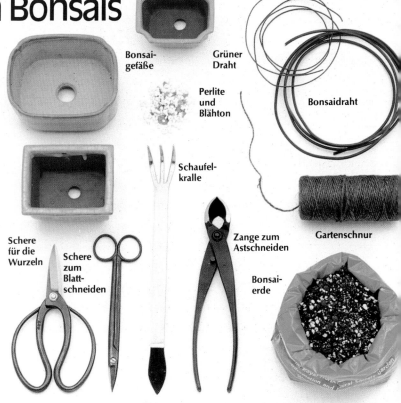

Geräte und Materialien

Bonsaigefäße

Grüner Draht

Perlite und Blähton

Bonsaidraht

Schaufelkralle

Schere für die Wurzeln

Schere zum Blattschneiden

Zange zum Astschneiden

Gartenschnur

Bonsaierde

Zimmer- und Freiland-Bonsais

Bonsais kann man aus Samen und Stecklingen ziehen oder als Pflanzen mit unterschiedlichem Alter kaufen. Bei richtiger Pflege leben diese Bäume viele Jahre. Ihr Preis hängt vom Alter und der Wuchsform ab. Bonsais sollten in flachen, frostbeständigen Schalen mit großen Abzugslöchern gezogen werden. Diese Gefäße kommen aus Japan und sind in vielen Formen und Farbtönen erhältlich, die die Aufmerksamkeit nicht von den Bäumen ablenken.

Ein Freiland-Bonsai
Dieser japanische Ahorn (*Acer palmatum* › Dissectum ‹) hat einen doppelten gewundenen Stamm und einen anmutigen, aufrechten Wuchs. Im Herbst nehmen die Blätter ein wunderschönes Kupferrot an.

Ein Zimmer-Bonsai
Dieser *Ficus retusa* ist 15 Jahre alt und hat interessant geformte Wurzeln. Er sollte an einem Ost- oder Westfenster stehen und vor Nachmittagssonne geschützt werden.

Erziehen und Schneiden

Die Japaner kennen viele Formen des Bonsais, die, abhängig von Umriß und Wuchsrichtung des Stammes, besondere Namen tragen. Mit Hilfe von Drähten und durch Schneiden von Ästen und Blättern können Sie einen Baum in vielen ungewöhnlichen Formen erziehen. Zum Drahten der Äste benutzt man speziellen Bonsaidraht, der sehr steif ist und die Äste in der gewünschten Wuchsrichtung hält. Schneiden und Erziehen sollte man zu Frühjahrsbeginn, bevor das Wachstum einsetzt. Die Blätter kann man während der gesamten Wachstumsperiode schneiden, um die Entwicklung neuer, kleinerer Blätter anzuregen, die in der Größe mit dem Baum harmonieren.

Ergänzende Formen (links)
Bevor Sie einen Baum zu schneiden oder zu erziehen beginnen, müssen sie sich für die Form entschieden haben. Wollen Sie ihn zusammen mit einem zweiten Baum arrangieren, stellen Sie die beiden Pflanzen nebeneinander. Hier wurde das kleinere Exemplar fächerförmig und flach erzogen, um den dahinterstehenden Baum zu ergänzen.

1 Den Bonsaidraht um den Stamm wickeln und in die Richtung biegen, in die der Ast wachsen soll. Den Ast mit dünnem Gartendraht daran befestigen.

2 Den Zweig fast bis zu dem Punkt, an dem er gedrahtet ist, zurückschneiden. Den Schnitt direkt über der Blattachsel durchführen, denn dort entwickelt sich der neue Trieb.

3 Alle unerwünschten Zweige herausschneiden und lange auf die Hälfte kürzen. Alle Äste zurücknehmen; wo mehrere Triebe dicht beisammenstehen, nur einen stehenlassen.

Wurzelschnitt und Umtopfen

Bei älteren Bonsais muß jedes zweite bis dritte Frühjahr die Erde erneuert und ein Wurzelschnitt durchgeführt werden. Man sollte sie aber nicht in größere Töpfe setzen, weil dadurch das Wachstum angeregt wird. Verwenden Sie ein spezielles Bonsai-Substrat, das gut durchlüftet und nährstoffreich genug ist, um aktives Wachstum zu garantieren. Muß auch der Baum geschnitten werden, so läßt man nach dem Umtopfen zunächst drei Wochen verstreichen, damit sich die Pflanze erholen kann.

1 Die Pflanze aus dem Topf nehmen und mit einer Schaufelkralle oder einer Eßgabel vorsichtig überschüssige Erde von den Wurzeln entfernen.

2 Die Wurzeln mit einer speziellen Schere oder Wurzelzange etwa um die Hälfte kürzen. Beschädigte Wurzeln entfernen. Blähton einfüllen.

3 Wurzeln zusammenbinden, Schnurenden durch Abzugslöcher ziehen und Pflanze damit fixieren, bis sich neue Wurzeln entwickelt haben.

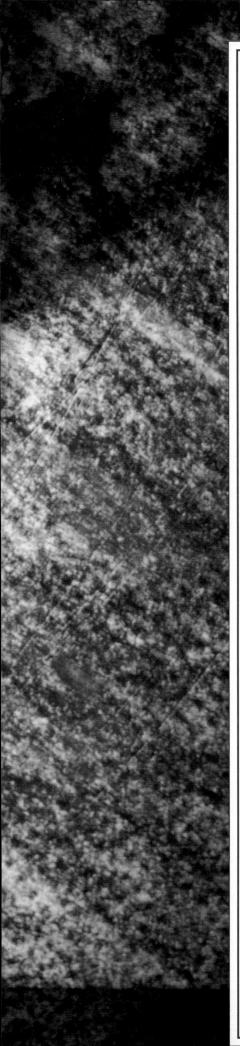

·3·

Das Arrangieren von Schnittblumen

Schnittblumen zu arrangieren, mit denen man sein Heim schmückt, macht viel Spaß, denn sie haben eine Frische, die Topfpflanzen nur selten bieten können. Es wurden schon viele Bücher über das Blumenarrangieren geschrieben, doch wenn man einmal vom japanischen Ikebana absieht, einer Kunst, bei der die Zusammenstellung bestimmter Blumen symbolische Bedeutung hat, kann man es nicht auf der Grundlage festgelegter Regeln erlernen.

Das Schöne eines Arrangements sind die Blumen selbst, und man sollte sie so arrangieren, daß ihre natürlichen Eigenschaften optimal zur Geltung kommen, statt sich an formale Regeln zu halten, die vielleicht ihrem natürlichen Wuchs entgegenwirken. Auch wenn man das Arrangieren von Blumen nicht systematisch erlernen kann, kann man mit etwas Erfahrung und durch Experimentieren die Eigenschaften der verschiedenen Blumen und Laubarten entdecken und ein Gespür dafür entwickeln, sie entsprechend ihrer zahlreichen Möglichkeiten zu nutzen und gestalterisch einzusetzen.

Berücksichtigen Sie stets auch die vorgesehene Umgebung für das Arrangement, bevor Sie die Blumen auswählen, und ob es ein großartiges Arrangement für eine besondere Gelegenheit oder ein lockerer Strauß für alle Tage werden soll. Diese Überlegungen bestimmen die Zusammenstellung von Größen, Formen und Farben und helfen Ihnen, ein Arrangement zu schaffen, das seine Umgebung auf vollkommene Weise ergänzt.

Ein schlichtes Orchideenarrangement

Die lebendige Färbung dieser Orchideen (*Phalaenopsis*-Hybriden) hebt sich von der schwarzen Vase gut ab. Die einfachen Linien des Gefäßes lassen die grazile Form der leuchtenden Blüten ganz in den Vordergrund treten.

Anwendung des Farbkreises

Ob ein Blumenarrangement gelingt, hängt hauptsäch-
lich von der richtigen Verwendung der Farben ab. Die
Fähigkeit, Farben zu kombinieren, erwirbt man durch
Erfahrung und eigene Experimente. Darüber hinaus ist
es hilfreich, sich etwas mit der Farblehre zu beschäftigen.
Hier wurde deshalb ein Kranz aus Schnittblumen und
Laub in Spektralfarben arrangiert – ein sogenannter
Farbkreis.

Primär- und Sekundärfarben
Orange, Violett und Grün sind
Sekundärfarben, die entstehen,
wenn man die Primärfarben zu
beiden Seiten des Farbkreises
zu gleichen Teilen mischt. Zusammen bilden sie ein gleich-
seitiges Farbendreieck, da sie
im Farbkreis gleich weit
auseinanderliegen. Sie können
Rot, Blau und Gelb zu einer
kräftigen Farbkombination
zusammenstellen oder – wenn
subtilere Effekte erwünscht
sind – Abstufungen von
Orange, Violett und Grün.

BLAU
Primärfarbe

GRÜN
Sekundärfarbe

GELB
Primärfarbe

Der Farbkreis
Der Farbkreis besteht aus Primär- und
Sekundärfarben, und jede Farbe stellt
eine ganze Familie von Pastellfarben
(Farbe plus Weiß), Schattierungen
(Farbe plus Schwarz) und Trübungen
(Farbe plus Grau).

VIOLETT
Sekundärfarbe

ROT
Primärfarbe

ORANGE
Sekundärfarbe

Komplementärfarben
Jede Sekundärfarbe ist die Komplementärfarbe derjenigen Primärfarbe, die an ihrem Zustande-kommen nicht beteiligt war. So ist beispielsweise das aus Rot und Blau entstandene Violett die Komplementärfarbe von Gelb. Verwenden Sie für Arrangements Komplementärfarben in vielen Schattierungen und Trübungen.

Nachbarfarben
Nachbarfarben sind harmonierende Farben aus nebeneinanderliegenden Abschnitten des Farbkreises. Setzt man kräftiges Rot, Orange und Gelb neben-einander, wirkt das vielleicht sehr hart. Zartere Zusammenstellungen entstehen, wenn man verschiedene Nuancen von jeder Farbe verwendet. Für einfarbige Arrangements benutzt man zahlreiche Abstufungen einer Farbe, und wunder-schöne, kunstvolle Sträuße entstehen, wenn man eine große Vielfalt von aus-schließlich grünem oder grauem Pflanzen-material zusammenstellt.

PFLANZENSCHLÜSSEL

Nelke · Rose · Gerbera · Lilie · Chrysantheme · Chrysantheme · Rose · Osterglocke · Zypresse · Farn · Iris · Brodiaea · Hyazinthe · Meerlavendel · Anemone

Das Präparieren von Schnittblumen

Es ist wichtig, zu wissen, daß selbst eine geschnittene Blume noch lebt und wächst. Am besten werden Blumen morgens geschnitten, weil sie dann den meisten Saft enthalten. Ist dies nicht möglich, schneidet man sie abends, nachdem die Pflanze den ganzen Tag über Nährstoffe gespeichert hat, die sie in der Vase länger leben läßt. Nach dem Pflücken werden die Stengel angeschnitten, sofort in hohes Wasser gestellt und dann mehrere Stunden an einen kühlen Platz gebracht. Wenn Sie Blumen im Geschäft kaufen, achten Sie darauf, daß die Blütenblätter (Petalen) fest und kräftig gefärbt sind. Das Laub muß grün sein und darf noch nicht welken. Die Frische der Blumen läßt sich gut an ihren Staubgefäßen erkennen. Sind diese noch fest, hat die Blüte sich erst kurz zuvor geöffnet. Kaufen Sie niemals Blumen, die im Freien in der prallen Sonne standen.

Krautige Stengel

Wenn eine frischgeschnittene Blume nicht ins Wasser gestellt wird, beginnen sich die Gefäße, die das Wasser leiten, zu schließen. Damit weiche Stengel das Wasser besser aufnehmen können, schneidet man sie mit einem scharfen Messer oder einer Schere schräg an, ohne die Stengel zu quetschen.

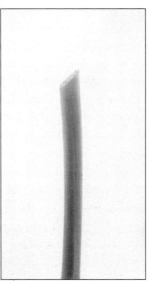

1 Den Stengel im Winkel von 45° anschneiden, damit eine größere Fläche entsteht, über die Wasser aufgenommen werden kann. Außerdem wird so verhindert, daß der Stengel direkt auf dem Vasenboden aufsitzt und die Wasserzufuhr unterbunden wird.

2 Einen etwa 5 cm tiefen, senkrechten Einschnitt machen, um die Fläche, über die Wasser aufgenommen werden kann, weiter zu vergrößern. Die angeschnittenen Blumen vor dem Arrangieren in hohem Wasser ausgiebig wässern, so daß sie möglichst viel Wasser aufnehmen.

Holzige Stengel

Holzige Blumenstengel und belaubte Zweige mit einer Gartenschere in einem Winkel von 45° anschneiden und die Rinde am unteren Ende abschälen. Die Stengel nicht plattdrücken oder quetschen, weil das die Aufnahme von Wasser erschwert. Alle Blätter abstreifen, die in der Vase unter Wasser sind, weil das Wasser sonst schlecht wird.

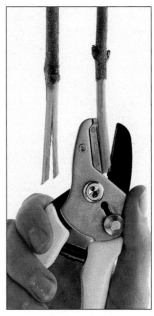

1 Bei teilweise verholzten Stengeln, etwa bei Rosen, Flieder und belaubten Zweigen, mit einem scharfen Messer die unteren 5 cm Rinde abschälen.

2 Mit der Gartenschere oder einem scharfen Messer 5 cm tief einschneiden, um die Fläche, über die Wasser aufgenommen wird, zu vergrößern.

Blutende Stengel präparieren

Narzissen, Euphorbien, Mohn und viele andere Pflanzen bluten, wenn sie geschnitten werden, und sondern einen klebrigen oder milchigen Saft ab. (Der Milchsaft der Euphorbien kann Hautreizungen hervorrufen.) Dadurch gehen Nährstoffe für die Blüte verloren, außerdem verstopft der Saft, wenn er ins Blumenwasser gelangt, die wasserleitenden Gefäße der Stengel und fördert die Entwicklung von Bakterien.

1 Nach dem Schneiden hält man die Stengel etwa 30 Sekunden lang in kochendes Wasser oder über eine Flamme. Die Wasseraufnahme wird dadurch nicht beeinträchtigt.

2 Die präparierten Stengel in warmes Wasser stellen, bis sie nicht mehr bluten. Dann kann man sie mit anderen Blumen arrangieren.

Nützliche Tips

● Blumen, soweit möglich, unter Wasser an- und einschneiden, damit sie sofort Wasser statt Luft aufnehmen.

● Damit Blumen mit hohlen Stengeln, wie Rittersporn und Hakenlilien, länger halten, die Stengel mit Wasser füllen und mit Watte verschließen.

● Krautige Stengel kräftigen, indem man dem Wasser ein Frischhaltemittel beifügt. Dann an einen dunklen Ort stellen, wo der durch Transpiration bedingte Wasserverlust geringer ist.

● Junges Laub vor dem Arrangieren zwei Stunden in Wasser legen.

● Bei Rosen mit dem Scherenrücken die Dornen von den Stengeln entfernen. Dornenfreie Rosen lassen sich leichter arrangieren.

● Ein oder zwei Tropfen Bleichmittel (z. B. flüssige Chlorbleichlauge) ins Blumenwasser geben. Es hemmt die Entwicklung von Bakterien. Einen Teelöffel Zucker in warmem Wasser auflösen, um die Blumen mit wertvoller Glukose zu versorgen.

● Das Wasser in einem Blumengefäß täglich auffüllen. Bei bestimmten Blumen, wie Dahlien, Astern oder Levkojen, wird das Wasser schnell schlecht, daher sollte man es jeden Tag erneuern.

● Welkende Blumen sofort entfernen; sie geben Äthylen ab, das auch andere Blumen welken läßt.

● Arrangements weder direkt in die Sonne noch an einen Heizkörper oder in Zugluft stellen. All dies verkürzt die Lebensdauer der Blumen, weil sich die Transpiration erhöht.

● Die Blumen täglich mit lauwarmem Wasser bestäuben. Auf diese Weise halten sie länger.

Lufteinschlüsse entfernen

Haben Blumen einige Zeit kein Wasser bekommen, können in den Stengeln Lufteinschlüsse entstehen. Luftblasen verhindern, daß Wasser im Stengel emporsteigt. Durch Wassermangel aber welken Blumen vorzeitig.

Tulpen präparieren

Vorgetriebene Tulpen haben schwächliche Stengel, die sich biegen und nur schwer arrangieren lassen. Man kann sie aber wieder geradeziehen, indem man sie in Papier einwickelt und in warmes Wasser mit einem Frischhaltemittel stellt.

Lufteinschlüsse bei Tulpen beseitigen
Man sterilisiert eine Nadel in einer Flamme und sticht den Stengel direkt unterhalb der Blüte ein, um Lufteinschlüsse zu beseitigen.

1 Nachdem die Stengel an- und eingeschnitten sowie einige der Blätter entfernt wurden, wickelt man die Blumen in Pack- oder Zeitungspapier ein.

2 Die so verpackten Tulpen mehrere Stunden in warmes Wasser stellen, in das man ein Frischhaltemittel gibt. Frischhaltemittel enthalten Zucker als Nahrung sowie ein Bakterizid.

Zubehör für das Stecken von Blumen

Verwendung von Maschendraht

In einem Knäuel aus zusammengedrücktem Maschendraht finden Stengel guten Halt. Man kann ihn allein verwenden oder zusammen mit Steckschwamm, der für zusätzlichen Halt sorgt. Drahtgeflecht gibt es im Handel am laufenden Meter: Verwenden Sie feinmaschigen Draht für schlanke Stengel und weitere Maschen für robuste Blumen und belaubte Zweige. Wenn ein oder mehrere sehr schwere Stengel gestützt werden müssen, steckt man sie in einen Nagelblock (auch Blumenigel genannt), der mit Knetmasse oder Saugnapf am Gefäßboden angeheftet wird, und setzt zusätzlich ein Maschendrahtknäuel ein.

1 Mit einer Draht- oder Universalschere ein quadratisches Stück Maschendraht zurechtschneiden. Es sollte die mehrfache Größe der Gefäßöffnung haben. Als Gefäß kann man eine gewöhnliche Rührschüssel verwenden und diese in einen dekorativen Behälter, beispielsweise einen Korb, stellen.

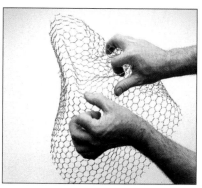

2 Den Draht mit den Händen zusammendrücken und zu einem Knäuel formen, daß er in die Schüssel paßt. Er sollte eine unebene Oberfläche haben. Und Vorsicht: Der Draht hat scharfe Kanten.

3 Den Drahtknäuel in das Gefäß setzen. Bei größeren Arrangements ist es unter Umständen notwendig, den Knäuel mit Drähten oder farblosen Klebestreifen, die um das Gefäß herumlaufen, zu befestigen.

4 Die Schüssel mit dem Maschendraht in den Korb stellen und die ersten Stengel hineinstecken.

Steckschwamm

Auch saugfähiger Steckschwamm ist für Blumenarrangements zu empfehlen; er gibt den Stengeln in jedem beliebigen Winkel Halt. Man bekommt ihn in verschiedenen Formen und Größen: als großen Block für große Arrangements und als Zylinder und Würfel für kleine Gestecke. Der Steckschwamm kann für jedes Gefäß zurechtgeschnitten werden. Man sollte ihn eine halbe Stunde vor Gebrauch einweichen, da er andernfalls das Wasser aus den Blumen saugt. Wer Blumen mit langen oder schweren Stengeln arrangiert, muß den Schwamm eventuell mit durchsichtigem Klebeband fixieren.

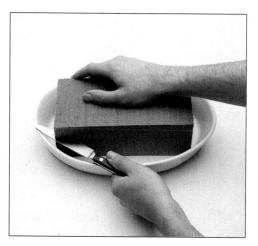

1 Den Steckschwamm in das Gefäß setzen. Bei flachen Arrangements (wie auf S. 85 gezeigt) den Steckschwamm in Höhe des Gefäßrandes abschneiden. Wer Stengel schräg nach unten gerichtet einsetzen will, läßt den Steckschwamm einige Zentimeter über den Gefäßrand hinausstehen.

2 Ist der Steckschwamm mit Wasser durchtränkt, drückt man die Stengel vorsichtig hinein. Wenn alle Blumen arrangiert sind, wird das Gefäß mit Wasser aufgefüllt.

Grundregeln beim Arrangieren 1

Zuerst sollten Sie genau überlegen, wo das Arrangement aufgestellt werden soll, damit Sie den Standort und dessen Umgebung sowohl bei der Wahl wie beim Arrangieren der Blumen berücksichtigen können. Wie erhält es Licht, aus welcher Richtung wird das Gesteck gesehen, und welches Gefäß eignet sich für den vorgesehenen Standort? Bevor Sie mit dem Arrangieren der Blumen beginnen, nehmen Sie Formen, Strukturen und Farben in Augenschein und machen einen Plan, dem eine einfache Form zugrunde liegt. Das Präparieren von Schnittblumen ist auf Seite 80 bis 81 beschrieben. Wählen Sie die ersten Stengel, mit denen Sie den Umriß festlegen. Dann füllen Sie die Form auf: Die großen Blüten kommen nach unten und die schlanken Pflanzen nach oben. Für die Mitte des Arrangements werden die auffälligsten Elemente verwendet.

Ein schlichtes Arrangement (rechts)
Bei großen Arrangements darf die Form nicht zu steif sein; die natürlichen Linien der Pflanzen sollten zur Geltung kommen. Hier wurde ein Umriß mit Laub, weißem Flieder (*Syringa sp.*) und Schleierkraut (*Gypsophila paniculata*) gesteckt und mit roten Blumen Farbakzente gesetzt.

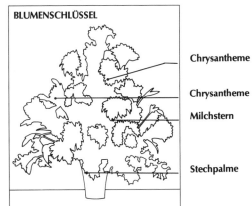

Arrangement in Dreiecksform

Steckschwamm oder Maschendraht in die Vase setzen. Zuerst die Spitze des Dreiecks festlegen, dann die beiden Seiten mit mehrblütigen Chrysanthemenstengeln abstecken. Die Form mit Stechpalmenzweigen verstärken, die eine geeignete Silhouette und schöne Beeren haben. Das Arrangement mit den Blütenständen des Milchsterns und einigen großen Chrysanthemenblüten vervollständigen.

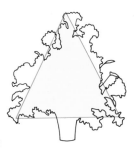

BLUMENSCHLÜSSEL

Chrysantheme

Chrysantheme

Milchstern

Stechpalme

Grundregeln beim Arrangieren 2

Kreisform

Ein Steckschwamm wird so in die Vase eingepaßt, daß er bündig mit dem Rand abschließt. Den Umriß mit Schleierkraut (*Gypsophila paniculata*) festlegen und dann durch weißen Flieder (*Syringa sp.*) verstärken. Anschließend mit Zweigen einfachblühender weißer Chrysanthemen (*Chrysanthemum*-Hybriden), orangefarbenen Lilien und rosagrünen Inkalilien (*Alstroemeria sp.*) auffüllen.

BLUMENSCHLÜSSEL

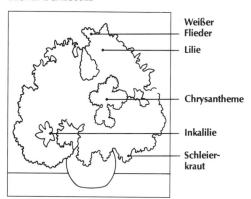

Weißer Flieder
Lilie
Chrysantheme
Inkalilie
Schleierkraut

Halbkreisform oder Kuppel

In den Hals des Gefäßes wird ein Drahtgeflecht eingesetzt, das ein wenig übersteht, damit die Stengel schräg hineingesteckt werden können. Mit den Zweigen einen kuppelförmigen Umriß bilden, vorn einen Zweig, abwärts gerichtet, einfügen. Mit Orchideen, den Linien der Zweige folgend, ergänzen.

BLUMENSCHLÜSSEL

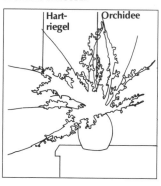

Hartriegel   Orchidee

Lineare Form

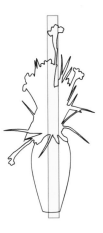

BLUMENSCHLÜSSEL

Weiße Iris →

Iris-
blätter

Ein strenges, fernöstlich
wirkendes Gesteck. Einen
Steckschwamm in die
Vase einpassen und etwa
3 cm über den Rand
stehen lassen. Mit einer
Iris die Höhe festlegen und
die anderen Iris in unterschiedlichen Höhen rings-
um gruppieren. Auch Gla-
diolen würden sich hier
eignen.

Flaches Dreieck

Auch für dieses niedrige Arrangement wurden Iris
verwendet. Den Umriß auf beiden Seiten mit blauen Iris
festlegen und durch Irisblätter ergänzen. Die weißen
Iris auf unterschiedliche Längen kürzen und in der Mitte
als Blickfang arrangieren.

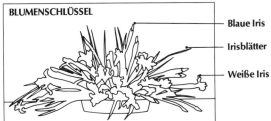

BLUMENSCHLÜSSEL

Blaue Iris

Irisblätter

Weiße Iris

Ein Frühlingsarrangement

Narzissen sind einfache Blumen, die am besten in schlichten Sträußen zur Wirkung kommen. Für gemischte Arrangements sind sie nicht geeignet.

Hier wurden sie so angeordnet, daß sich die Stengel nach außen neigen, wie es dem natürlichen Wuchs der Narzissen entspricht. Als Gefäß dient ein einfacher geflochtener Korb mit einem Glaseinsatz, in dem mehrere Sträuße von Narzissen zusammen mit dem eigenen Laub arrangiert wurden. Das Gesteck kann auf einen kleinen Beistelltisch gesetzt werden oder auf einen rustikalen Küchentisch.

Das Arrangieren der Pflanzen

1 Eine Glasschüssel in einen runden Korb setzen und ein Stück Steckschwamm so zuschneiden, daß es bündig mit dem Gefäßrand abschließt. Ein großes Stück Drahtgeflecht wie oben gezeigt zurechtbiegen und am Korbrand befestigen.

Geräte und Materialien

Draht-geflecht

Korb

Glasschüssel

Steckschwamm

Gartenschere

Draht- oder Universalschere

Osterglocke
Narcissus
›Golden Harvest‹

Jonquille
Narcissus
medioluteus

Großkronige Narzisse
Narcissus ›Fermoy‹

Jonquille
Narcissus
›Barrij‹

Kleinkronige Narzisse
Narcissus
›Soleil d'Or‹

Großkronige Narzisse
Narcissus
›Armada‹

Großkronige Narzisse
Narcissus
›Ice follies‹

2 Die Narzissen sondern einen klebrigen Saft ab und müssen vor dem Stecken präpariert werden (s.S. 80). Zunächst einen halbkreisförmigen Umriß stecken und Blumen und Laub arrangieren.

3 Die Grundform mit den größeren Osterglocken und deren Blättern auffüllen. Falls notwendig, vor dem Stecken kürzen. Wenn das Arrangement als Schmuck für den Eßtisch vorgesehen ist, muß man es während der Arbeit immer wieder von allen Seiten begutachten.

4 Mit den kleinen, zarten Jonquillen alle Lücken schließen. Größere Blumen, die noch übrig sind, können zur Betonung der Silhouette verwendet werden. Die am untersten Rand stecken-den Stengel über den Korbrand nach unten biegen, so daß eine runde Gesamtform entsteht. Andere Stengel werden gekürzt, damit das Arrangement in der Mitte Fülle bekommt. Einige der kleineren Narzissen sehr kurz schneiden und um die Korb-ränder einsetzen, so daß das Drahtgeflecht verdeckt wird.

Ein Sommerarrangement

Im Sommer ist das Angebot an Blumen so üppig, daß Sie, bevor Sie Blumen pflücken oder kaufen, genau überlegen sollten, wo Sie Ihr Arrangement aufstellen möchten und welche Wirkung es haben soll. Das hier gezeigte Gesteck wirkt luftig und leicht und eignet sich gut für einen Beistelltisch oder eine Wandnische. Es

wurden blaue und gelbe Blumen mit kräftigen Formen gewählt, die im Kontrast zu den zarteren grauen und weißen Blüten und dem grünen Laub im Hintergrund stehen. Die Grundform ist ein asymmetrisches Dreieck; als Gefäß dient eine ovale Auflaufform, die unter den Pflanzen fast vollkommen verschwindet.

Blumen arrangieren

1 Steckschwamm so zurechtschneiden, daß er etwas übersteht, und mit knetbarer Steckmasse oder Saugnapf am Gefäßboden befestigen. Mit den robusten Kugel- und getrockneten Elfenbeindisteln den Umriß bilden.

2 An den Seiten Eukalyptus einfügen. Vorn einige belaubte Zweige so in den Schwamm stecken, daß sie über den Rand des Gefäßes hängen. Mit den tiefgelben Blüten des Johanniskrautes werden dann Farbtupfer gesetzt.

Geräte und Materialien

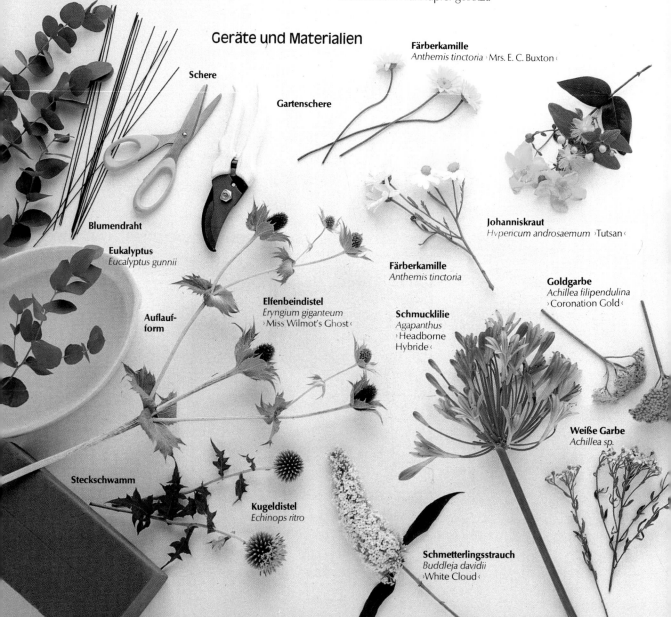

Färberkamille
Anthemis tinctoria ›Mrs. E. C. Buxton‹

Schere

Gartenschere

Johanniskraut
Hypericum androsaemum ›Tutsan‹

Blumendraht

Eukalyptus
Eucalyptus gunnii

Färberkamille
Anthemis tinctoria

Goldgarbe
Achillea filipendulina
›Coronation Gold‹

**Auflauf-
form**

Elfenbeindistel
Eryngium giganteum
›Miss Wilmot's Ghost‹

Schmucklilie
Agapanthus
›Headborne
Hybride‹

Weiße Garbe
Achillea sp.

Steckschwamm

Kugeldistel
Echinops ritro

Schmetterlingsstrauch
Buddleja davidii
›White Cloud‹

3 Die gelben Partien, die den Blick auf die Mitte des Arrangements lenken, durch einige Goldgarben verstärken. Während des Zusammenstellens die einzelnen Stengel auf passende Länge schneiden, um die Gesamtform zu erhalten. Die auffälligste Goldgarbenblüte wird links von der Mitte des Gestecks plaziert. Den Stengel recht kurz abschneiden, damit das Auge in das Arrangement gelenkt wird. Mehrere weiße Garben hinzufügen, um dem Gesteck Fülle zu verleihen.

4 Die größten Blüten sollten an die Basis des Gestecks kommen. Die langen, schweren Blütenstände des süß duftenden Schmetterlingsstrauchs vorn und an den Seiten einfügen, um auch da mehr Volumen zu schaffen. Beim Stecken der Blumen verschwinden Gefäß und Schwamm nach und nach unter einem zarten Meer aus Blüten und Blättern.

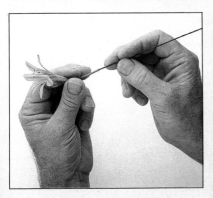

5 Da eine ganze Schmuckliliendolde in der Größe nicht mit den anderen Blüten harmoniert, werden die Einzelblütchen abgebrochen und feine Blumendrähte in die Stilenden geschoben.

6 Das Gesteck anschließend mit einigen gelben und weißen Kamillenblüten auflockern. Zuletzt die an Drahtstielen befestigten Schmucklilienblüten hauptsächlich rechts einfügen, um ein Gegengewicht zu den Kamillen auf der linken Seite zu schaffen.

Ein Herbstarrangement

Die Farben des Herbstes sind sehr viel dunkler als die des Frühjahrs und Sommers. Hier wurden rotbraune und goldgelbe Blumen und Beeren mit kontrastierendem violetten Laub gewählt. Scharlachrote Dahlien und Hagebutten setzen Akzente. Das gezeigte Gesteck hat eine flache Form und sollte so plaziert werden, daß man von oben daraufschaut, das heißt auf einen niedrigen Tisch

oder als Schmuck auf einen Eßtisch. Als Tafelschmuck kann der herbstliche Charakter des Arrangements noch mit einigen Früchten ergänzt werden. Ein einfacher Korb, dessen natürliche Färbung gut mit den Farben der Blüten und Blätter harmoniert, dient hier als Behälter. In den Korb wurde ein wasserdichter Glasbehälter gesetzt.

Geräte und Materialien

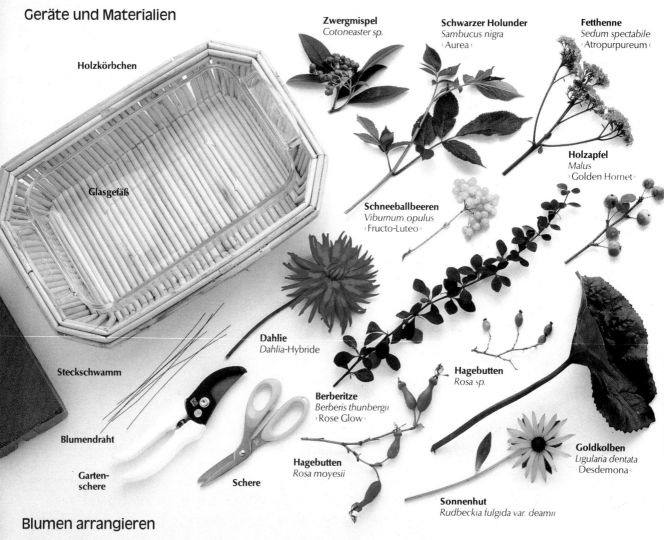

Holzkörbchen

Glasgefäß

Steckschwamm

Blumendraht

Gartenschere

Schere

Zwergmispel
Cotoneaster sp.

Schwarzer Holunder
Sambucus nigra
› Aurea ‹

Fetthenne
Sedum spectabile
› Atropurpureum ‹

Holzapfel
Malus
› Golden Hornet ‹

Schneeballbeeren
Viburnum opulus
› Fructo-Luteo ‹

Dahlie
Dahlia-Hybride

Berberitze
Berberis thunbergii
› Rose Glow ‹

Hagebutten
Rosa sp.

Hagebutten
Rosa moyesii

Goldkolben
Ligularia dentata
› Desdemona ‹

Sonnenhut
Rudbeckia fulgida var. deamii

Blumen arrangieren

1 Ein Stück Steckschwamm so für das Glasgefäß zurechtschneiden, daß es ein wenig über den Gefäßrand hinaussteht und Stengel auch waagrecht hineingeschoben werden können. Zwei Holunderzweige und zwei runde Fetthennenblätter auf den Schwamm legen, um den Umriß anzudeuten.

2 Ist man mit dem Umriß zufrieden, muß man überlegen, ob das Gesteck von oben oder von der Seite betrachtet werden soll, um die Blumen entsprechend arrangieren zu können. Das Laub in den Schwamm stecken und mit den violetten Fetthennenblüten etwas Volumen schaffen.

3 Als Blickfang die goldgelben Sonnenhüte einsetzen und, den Linien des
Holunders folgend, einige Berberitzen-
zweige hinzufügen, um das Gesteck
duftiger zu gestalten. Vorn eine Lücke
für einen Zwergmispelzweig suchen.
Alle Zweige und Blumen sollten schräg
angeschnitten werden, damit sie das
Wasser besser aufnehmen können.
Beim Stecken darauf achten, daß die
Schnittstellen nicht an der Wandung oder
auf dem Boden des Gefäßes aufsitzen,
weil sie in diesem Fall schlecht Wasser
aufnehmen können.

4 Mehrere Holzäpfel zusammen
andrahten und einfügen. Mit Dahlien ergänzen, um auffällige Farbtupfer zu
setzen. Ihre Farbe wiederholt sich auf der
gegenüberliegenden Seite des Gestecks
in den Hagebuttenzweigen. Das Gefäß
dann mit kühlem Wasser füllen und an
seinen Platz stellen. Nach etwa 24 Stunden muß Wasser nachgefüllt werden,
da der Schwamm viel Wasser aufnimmt.

5 Die Beeren des Gemeinen Schneeballs stehen weit auseinander, deshalb
werden zwei Stengel zusammen angedrahtet. Festhalten und mit feinem
Blumendraht umwickeln. Der Draht läßt
sich leicht in den Schwamm stecken.

6 Eine Lücke im vorderen Gesteck
mit mehreren der angedrahteten Beerenbüschel füllen und die rote Fläche
rechts durch einen weiteren Hagebutten-
zweig verstärken. Eine Weintraube und
einige Holzäpfel neben das Arrangement
legen.

Ein Winterarrangement

Im Winter gibt es nur wenige Blumen, doch wer einen Garten hat, wird dort eine erstaunliche Menge geeigneten Pflanzenmaterials für ein Arrangement finden. Noch gibt es Beeren vom vergangenen Herbst und panaschiertes Laub, und nach Weihnachten zeigen die ersten Nieswurze ihre Blüten. Das hier abgebildete Arrangement ist vorwiegend in Grüntönen gehalten. Bei der Gestaltung wurden die vielen unterschiedlichen Blattformen berücksichtigt und durch weiße und gelbe Blüten sowie orangefarbene Beeren ergänzt.
Als geeignetes Gefäß bot sich ein alter Tonkrug an.

Geräte und Materialien

Steckschwamm

Gartenschere

Tonkrug

Das Arrangieren der Pflanzen

1 Ein Stück Steckschwamm so zurechtschneiden, daß es in den Hals des Kruges paßt und bündig mit der Oberkante abschließt. Als erstes Zaubernuß- und Zypressenzweige hineinstecken.

Japanische Zierkirsche
Prunus subhirtella
› Autumnalis ‹

Nieswurz
Helleborus corsicus lividus

Schneeball
Viburnum tinus

Iris
Iris foetidissima

Kaukasus-Efeu
Hedera colchica
› Paddy's Pride ‹

Mahonie
Mahonia sp.

Italienischer Aronstab
Arum italicum

Garrya
Garrya elliptica

Zypresse
Cupressus glabra

Zaubernuß
Hamamelis mollis

2 Einen großen Mahonienzweig in die Mitte schieben und dahinter einen hohen Garryazweig sowie einige frühe Kätzchen stecken. Dadurch wird die Höhe und die dreieckige Grundform des Gesteckes festgelegt.

3 Als Mittelpunkt ein großes Nieswurz-Blütenbüschel hineinsetzen, nachdem die unteren Blätter und einige der oberen abgestreift wurden. Die Lücke hinten im Arrangement mit einem Schneeballzweig schließen.

4 Die gelbgrünen Efeublätter und orangefarbenen Irisbeeren als Blickfang oben im Arrangement einfügen. Mit schmalen, spitzen Irisblättern ergänzen, um einen Kontrast zu den robusteren Formen der anderen Blätter zu schaffen, und hinter der Zypresse links einen Zierkirschenzweig hineinstecken. Zuletzt die intensiv gezeichneten Aronstabblätter einfügen, die am unteren Rand des Arrangements den Blick auf sich lenken. An einem kühlen Platz hält das Arrangement etwa zwei Wochen. Jeden Tag Wasser nachfüllen.

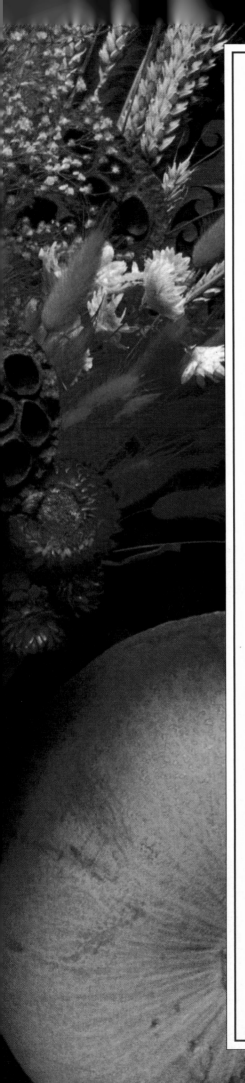

·4·
Das Arrangieren von Trockenblumen

Lebende Pflanzen brauchen regelmäßige Pflege und bestimmte Umweltbedingungen, um zu gedeihen. Schnittblumen bleiben bestenfalls einige Wochen frisch und schön; Trockenblumen dagegen benötigen nicht einmal Wasser und Licht, und wenn sie einmal arrangiert sind, lassen sie weder die Köpfe hängen, noch werfen sie ihre Blütenblätter ab. Trockenarrangements eignen sich für jeden Standort und erinnern während des Winters, wenn frische Blumen teuer oder schwer erhältlich sind, an den Überfluß des Sommers, an üppige Blumenrabatte und Bauerngärten. Wie bei Arrangements mit frischen Blumen, muß auch bei solchen mit Trockenblumen auf Konturen, Kontraste der Farben, Formen und Strukturen geachtet werden. Körbe, naturbelassen oder bemalt, Tongefäße und Glasvasen sind für Trockenblumen gleichermaßen geeignet. Lassen Sie vor allem Ihrer Phantasie freien Lauf. Aus getrockneten Pflanzen können nicht nur Sträuße, sondern auch Girlanden und Kränze gebunden werden. Basteln Sie einen Baum aus Blüten, oder stellen Sie ein duftendes Blumen-Potpourri zusammen, das an eine Spätfrühlingswiese oder eine laue Sommernacht erinnert. Auch in der Küche bringen trocknende Kräuter und Blumensträuße die Düfte des Sommers zurück. Für phantasievolle Blumenliebhaber eröffnen Trockenpflanzen ungeahnte Möglichkeiten. Neben Blumen können Sie Laub, Gräser, Beeren, Getreide, Früchte und Samenstände verwenden, die endlose Variationen in Farbe und Struktur erlauben.

Ein schlichtes
Arrangement aus getrockneten Blumen

Ein buntes Gemisch von getrockneten Blumen, Gräsern und Samenständen wurde hier in einem schlichten Tongefäß arrangiert. Durch die herbstlichen Farben wirkt der Strauß als harmonische Einheit, sehr reizvoll ergänzt durch die danebenliegenden üppigen Kürbisse.

Das Trocknen von Pflanzen 1

Um Blumen und andere Pflanzen zu trocknen, bedarf es weder zeitraubender Methoden noch kostspieliger Geräte. Viele Pflanzen müssen lediglich zur richtigen Zeit geschnitten, in Sträuße gebunden und zum Trocknen aufgehängt werden. Andere lassen sich, entsprechend ihrer Form, aufrecht oder liegend trocknen. Zartere Gartenblumen und Pflanzen, die, an der Luft getrocknet, ihre Farbe verlieren, können in einen luftdichten Behälter gelegt und mit einem geeigneten Trockenmittel bedeckt werden. Auch wenn die Trockenmethoden für Pflanzen nicht kompliziert sind, so fallen die Ergebnisse doch unterschiedlich aus, weil der Trockenprozeß auch vom Wetter beeinflußt wird. Pflücken Sie stets nur vollkommen trockene Blumen und beginnen Sie sofort mit dem Trockenverfahren. Blumen nie der Sonne aussetzen, da sonst ihre Farben verblassen.

Lufttrocknen

Dieses Verfahren eignet sich für die meisten Blumen, Gräser und Fruchtstände. Große Blumen werden einzeln aufgehängt und dürfen sich nicht berühren. Man überprüft die Pflanzen alle ein bis zwei Tage, und wenn Arten mit fleischigen Stengeln, wie der Rittersporn nicht richtig trocknen, sorgt man für etwas mehr Wärme.

In Sträußen trocknen

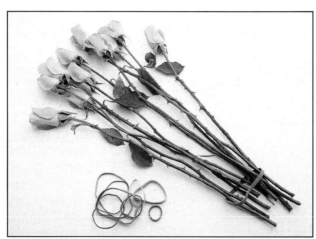

1 Die Blätter bis zu den Blüten von den Stengeln abstreifen, außer sie stehen, wie bei der Strohblume (*Helichrysum bracteatum*), in einer natürlichen Rosette um die Blüte. Hier läßt man sie an den Stengeln, damit diese nicht nackt wirken.

2 Die Stengel mit einem Gummi zusammenbinden, damit sich die Sträuße auch dann nicht auflösen, wenn die Stengel beim Trocknen schrumpfen. Keine zu großen Sträuße binden, sonst trocknen die Blumen in der Mitte nicht und schimmeln.

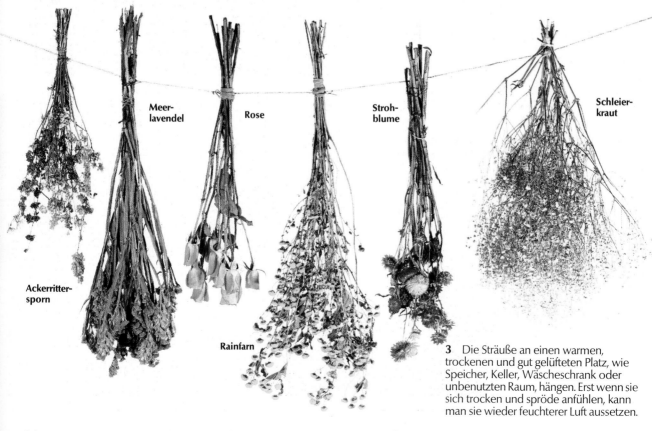

Ackerritter-sporn

Meer-lavendel

Rose

Rainfarn

Stroh-blume

Schleier-kraut

3 Die Sträuße an einen warmen, trockenen und gut gelüfteten Platz, wie Speicher, Keller, Wäscheschrank oder unbenutzten Raum, hängen. Erst wenn sie sich trocken und spröde anfühlen, kann man sie wieder feuchterer Luft aussetzen.

Aufrecht trocknen

Die meisten Blumen, die sich lufttrocknen lassen, können auch aufrecht stehend getrocknet werden. Diese Methode eignet sich besonders für Blumen oder Gräser mit sehr zarten Köpfen, die so besser halten. Die Pflanzen in wenig Wasser stehen lassen, bis sie es vollkommen aufgenommen haben und anfangen, spröde zu werden.

Flach trocknen

Fruchtstände, Gräser und Samenkapseln können in offenen Gefäßen oder auf Zeitungs- oder Packpapier trocknen.

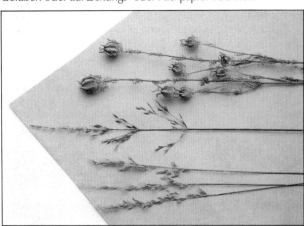

Konservieren mit Trockenmitteln

Dieses Verfahren ist ein wenig komplizierter, doch lohnt es sich bei zarteren Blumen und Rosen, die verblassen, wenn man sie an der Luft trocknet. Für die zu trocknenden Blütenköpfe benötigt man einen luftdichten Behälter, etwa eine Keksdose oder eine Kunststoffschachtel, die nicht zu klein sein darf. Die Blütenköpfe erhalten nach dem Trocknen Drahtstiele, damit sie leichter arrangiert werden können.

1 Eine Mischung aus gleichen Teilen Borax und Alaunpulver 3 cm hoch in den Behälter füllen. Man kann auch Silber- oder Quarzsand und Silicagel verwenden. Die Mischung vorher gründlich trocknen.

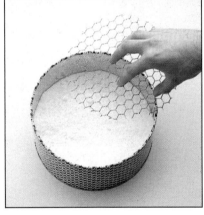

2 Passend für den Behälter ein Stück Maschendraht zurechtschneiden und dieses auf das Trockenmittel legen. Es hält die Blütenköpfe aufrecht.

3 Eine Blume, beispielsweise eine Gerbera, ungefähr 2 cm unter der Blüte abschneiden, so daß das Ende gerade noch reicht, um nach dem Trocknen einen Draht hineinzuschieben.

4 Blüten so einsetzen, daß sie sich nicht berühren. Stets Blumen der gleichen Art zusammen trocknen, damit sie gleichzeitig fertig sind.

5 Weiteres Trockenmittel etwa 2 cm hoch über den Blütenköpfen verteilen, und zwar mit einem Sieb, damit sie nicht beschädigt werden.

6 Den Behälter fest verschließen und, entsprechend der Blütenstärke, vier bis vierzehn Tage, ohne zu öffnen, an einen trockenen, warmen Platz stellen.

Das Trocknen von Pflanzen 2

Haltbarmachung mit Glyzerin

Dieses Konservierungsverfahren eignet sich für ganze Zweige, Beeren und große Blätter, darüber hinaus aber auch für lange Blütenstände wie die des Fingerhutes. Man stellt die Stengel in eine Mischung aus Glyzerin und siedendem Wasser und läßt sie so lange darin, bis sie genügend von dieser Lösung aufgenommen haben. Dünnes Laub benötigt dazu etwa eine Woche, dickes etwa sechs bis acht Wochen. Die Blattfärbung wird nach und nach intensiver, und sobald sich Glyzerin-

tropfen auf den Blättern zeigen, haben sie genügend von der Lösung aufgesogen. Dann nimmt man die Zweige heraus und reibt sie ab. Übermäßige Aufnahme läßt sie welken. Einzelne Blätter und hohe Zweige, bei denen die Mischung nicht bis in die Spitzen aufsteigt, legt man in ein Glyzerin-Wasserbad.

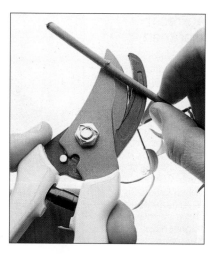

1 Die unteren Blätter entfernen, bei holzigen Stengeln die Rinde abschälen. Stengel im Winkel von 45° an- und 5 cm tief einschneiden, damit das Glyzerin aufgenommen werden kann.

2 In einem schmalen Gefäß einen Teil Glyzerin mit zwei Teilen siedendem Wasser mischen und die Lösung kräftig umrühren.

3 Das Glyzerin-Wasser-Gemisch etwa 10 cm hoch in ein hitzebeständiges Gefäß einfüllen, so daß der präparierte Teil der Stengel vollkommen eingetaucht ist.

4 Die Stengel in die Mischung stellen und das Gefäß in einen kühlen, dunklen Raum bringen, bis die Blätter ausreichend Glyzerin aufgenommen haben.

Pressen

Die meisten Blätter, darunter die von Farnen und grauen Ahornsträuchern, können durch Pressen getrocknet werden. Große Blätter und Farnwedel darf man nur leicht pressen, weil sie andernfalls zu brüchig werden zum Arrangieren. Zwischen zwei Lagen Lösch- oder Zeitungspapier gelegt, kann man sie unter einen Teppich oder eine Matratze legen und dort etwa eine Woche trocknen lassen. Kleinere Blätter, Blütenblätter und die zarten Köpfe wildwachsender Blumen können in einer Blumenpresse vierzehn Tage getrocknet werden.

Zwei Methoden, Blätter zu pressen
Große Blätter zwischen Löschpapier legen, kleine Blätter und Blüten zwischen die saugfähigen Lagen einer im Fachhandel erhältlichen Blumenpresse.

Herstellung eines Potpourris

Potpourri bedeutet eigentlich »fauler Topf«; denn ursprünglich mischte man getrocknete Blütenblätter mit Salz, die auf diese Weise fermentiert wurden und starke Düfte entwickelten. Auch wenn dieser Duft schnell verfliegt, ein Trockenpotpourri ist sehr leicht herzustellen.

Rosenblätter
Rosa sp.

Ackerrittersporn
Delphinium consolida

Ackerklee
Trifolium agrarium

Wacholderbeeren

Rosenblätter zur Verzierung

Duft-essenz

Lorbeerblätter
Laurus nobilis

Getrocknete Zitronenschale

Iriswurzel-pulver

Stranddistel
Eryngium maritimum

Blätter der Zitronengeranie
Pelargonium crispum

Ackerrittersporn
Delphinium consolida

Lavendel
Lavandula sp.

1 Blüten- und Laubblätter sowie Zitronenschale auf einer Unterlage an einem gut gelüfteten Ort trocknen. Das Material benötigt dazu bis zu zehn Tage.

2 Blüten- und Laubblätter vermischen. Die Zitronenschale in kleine Stücke zerreiben und dann mit den Gewürzen sowie einigen Tropfen Duftessenz (s. S. 106/107) zu der Mischung geben.

3 Die getrockneten Blüten und in Borax konservierte Rosenblätter hinzufügen. Den Behälter fest verschließen und sechs Wochen stehenlassen. Gelegentlich schütteln.

Zutaten für ein Potpourri

Mit den links abgebildeten getrockneten Blüten und Blättern wurden Duftkissen gefüllt. Die Schalen enthalten einige der beliebtesten Ingredienzen für die Potpourriherstellung. Lavendel duftet intensiv und wird gern für Potpourris genommen. Süßduftende Rosen dienen häufig als Grundlage für Potpourris, und ganze Blütenköpfe, wie hier gezeigt, können als Verzierung hinzugefügt werden. Die kleinen Blüten der Traubenhyazinthen sind kräftigblau und hübsche Farbtupfer in einem Potpourri.

Arrangements mit getrockneten Blumen

Der vorgesehene Standort sollte Anhaltspunkte für Form und Größe des Arrangements geben. Hier wurde eine Fensterbank gewählt, auf der die Blumen vom Fenster dekorativ eingerahmt werden. Da man ein Arrangement wie dieses nicht von allen Seiten sieht, wurde als Grundform ein asymmetrisches Dreieck gewählt, das hinten flach ist.

Für das Gesteck wurden blaue, weiße, cremefarbene und gelbe Blüten verwendet sowie Getreide und Fruchtstände, um ihm Fülle und Struktur zu verleihen. Beim Stecken sollte der natürliche Wuchs der Pflanzen berücksichtigt werden. Grazile Gerstenhalme zum Beispiel ranken über die Fensterbank, während für den Umriß der steifere Weizen verwendet wurde.

Geräte und Materialien

Korb

Steckschwamm

Messer

Gartenschere

Blumen-
draht

Getrocknetes Moos

Weizen
Triticum vulgare

Ackerrittersporn
Delphinium consolida

Weißer Meerlavendel
Limonium sinuatum

Gerste
Hordeum vulgare

Sonnenflügel
Helipterum roseum

Blauschleier
Limonium latifolium

Blauer Meerlavendel
Limonium sinuatum

Schleier-kraut
Gypsophila paniculata

Mohnkapseln
Papaver sp.

Großblättriger Frauenmantel
Alchemilla mollis

Mahonie
Mahonia aquifolium

Stranddistel
Eryngium maritimum

Hafer
Avena sp.

Rose
Rosa sp.

Glockenheide
Erica sp.

Gartenstrohblume
Helichrysum bracteatum

Jungfer im Grünen
(Fruchtstand)
Nigella damascena

Gefärbtes Schleierkraut
Gypsophila paniculata

Das fertige Gesteck
Dieses leichte, zarte Arrangement eignet sich ausgezeichnet
für das kleine, unterteilte Fenster. Grundsätzlich sollten Pflanzen
und Gefäße auf ihre Umgebung abgestimmt sein, damit Farben
und Stil harmonieren.

Ein Arrangement stecken

1   Steckschwamm (für Trockengestecke) zurechtschneiden.
Bei einem runden Korb ein größeres Stück für die Korbmitte,
zwei kleinere für die Seiten. Schwamm in den Korb legen
und alle Kanten wegschneiden. Das getrocknete Moos mit in
Haarnadelform gebogenen Drahtschlaufen feststecken. Mit
Weizen den Umriß des Arrangements bilden.

2   Danach wird das Gesteck mit Meerlavendel aufgefüllt.
Der Korb dient als Orientierungshilfe – er sollte etwa ein Drittel
der Gesamthöhe des Gesteckes ausmachen. Beim Zuschneiden
des Steckschwamms darauf achten, daß er zu einem Drittel
über den Korbrand hinaussteht, damit die Pflanzen auch nach
unten gerichtet hineingesteckt werden können.

3 Links mit Ackerrittersporn und blauem Meerlavendel, rechts mit weißem Meerlavendel Farbe in das Gesteck bringen. Darüber hinaus rechts einige blaue Blumen hineinstecken, damit zwischen beiden Seiten eine Verbindung entsteht.

4 Die Komposition mit Gerste und Sonnenflügeln, die büschelweise angedrahtet werden (s. S. 110), verbreitern. Mit Frauenmantel und Schleierkraut ergänzen und als Mittelpunkt die Mohnkapseln und die Stranddisteln einsetzen.

5 Fruchtstände der Jungfer im Grünen quer hineinschieben und die blassere Seite des Gestecks mit Haferähren ergänzen, um ihr Fülle zu verleihen. Schließlich die Lücken mit den dunkelsten Elementen schließen: mit Mahonie, gefärbtem Schleierkraut und Glockenheide. Rose und Strohblumen einfügen, die angedrahtet werden sollten. Das Gesteck an seinen Platz stellen und aus etwas Entfernung schauen, ob der Umriß korrigiert werden muß.

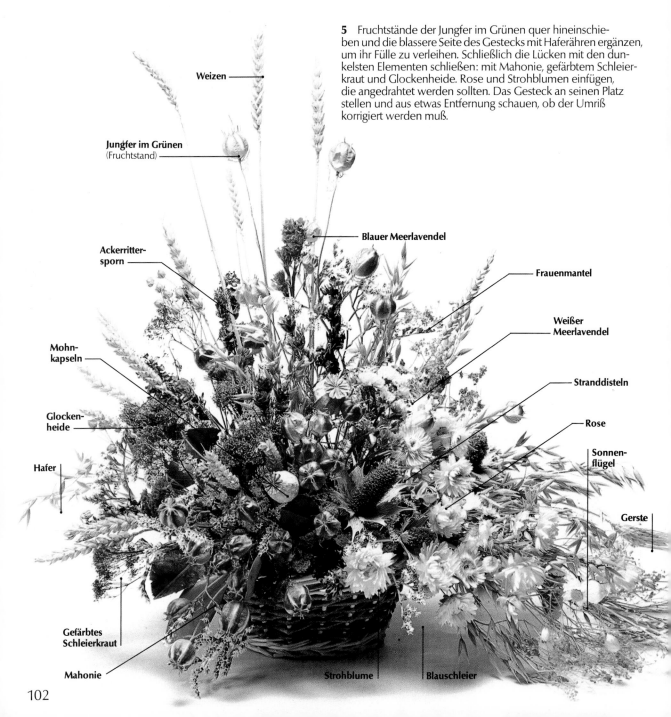

Weizen

Jungfer im Grünen
(Fruchtstand)

Blauer Meerlavendel

Ackerrittersporn

Frauenmantel

Weißer Meerlavendel

Mohnkapseln

Stranddisteln

Glockenheide

Rose

Hafer

Sonnenflügel

Gerste

Gefärbtes Schleierkraut

Mahonie

Strohblume

Blauschleier

Weitere Trockenblumenarrangements

Die Möglichkeiten, Trockenpflanzen zu arrangieren, sind nahezu unbegrenzt. Für zwanglose Sträuße können als Gefäße Körbe aller Art sowie Steingutgefäße dienen. Füllen Sie beispielsweise einen großen Korb mit Gräsern, Fruchtständen und verschiedenem Getreide in cremefarbenen, beigen und blaßgrünen Tönen oder setzen Sie einfache Sträuße in Steingutgefäße.

Neutrale Töne (unten)
Ein hohes Gefäß bringt einen runden Strauß schön zur Geltung, und Mattglas versteckt Stengel und Drähte. Hier drängen die neutralen Farben der Gefäße die zarten Blüten des Blauschleiers (*Limonium latifolium* [rechts]) und des Bärenlauchs (*Allium ursinum* [links]) nicht in den Hintergrund.

Stilleben (oben)
Arrangieren Sie Hortensien (*Hydrangea macrophylla*) in einer schlichten Vase. Allein durch ihre zarten Farben und Strukturen entsteht ein attraktives Arrangement. Feigen, Trauben und Granatäpfel vervollständigen das Stilleben.

Zwanglose Gruppen (links)
Hier harmonieren die neutralen Farben und kräftigen Formen der Jungfer im Grünen (*Nigella damascena*) und der Mohnkapseln (*Papaver sp.*) mit einem groben Korb. Eine Garbe gerippter Fruchtstände im Vordergrund führt die Struktur des Korbes fort.

Bäumchen aus Trockenblumen

Zierbäumchen aus getrocknetem Pflanzenmaterial herzustellen, ist relativ einfach. Beherrscht man erst einmal die Grundtechniken, kann man mit verschiedenen Pflanzenarten und unterschiedlichen Baumformen experimentieren. Hier wurden neben rosa, blauen und weißen Blüten pergamentfarbene Fruchtstände verwendet.

Muschelblume
Moluccella laevis

Blauer Meerlavend
Limonium sinuatum

Geräte und Materialien

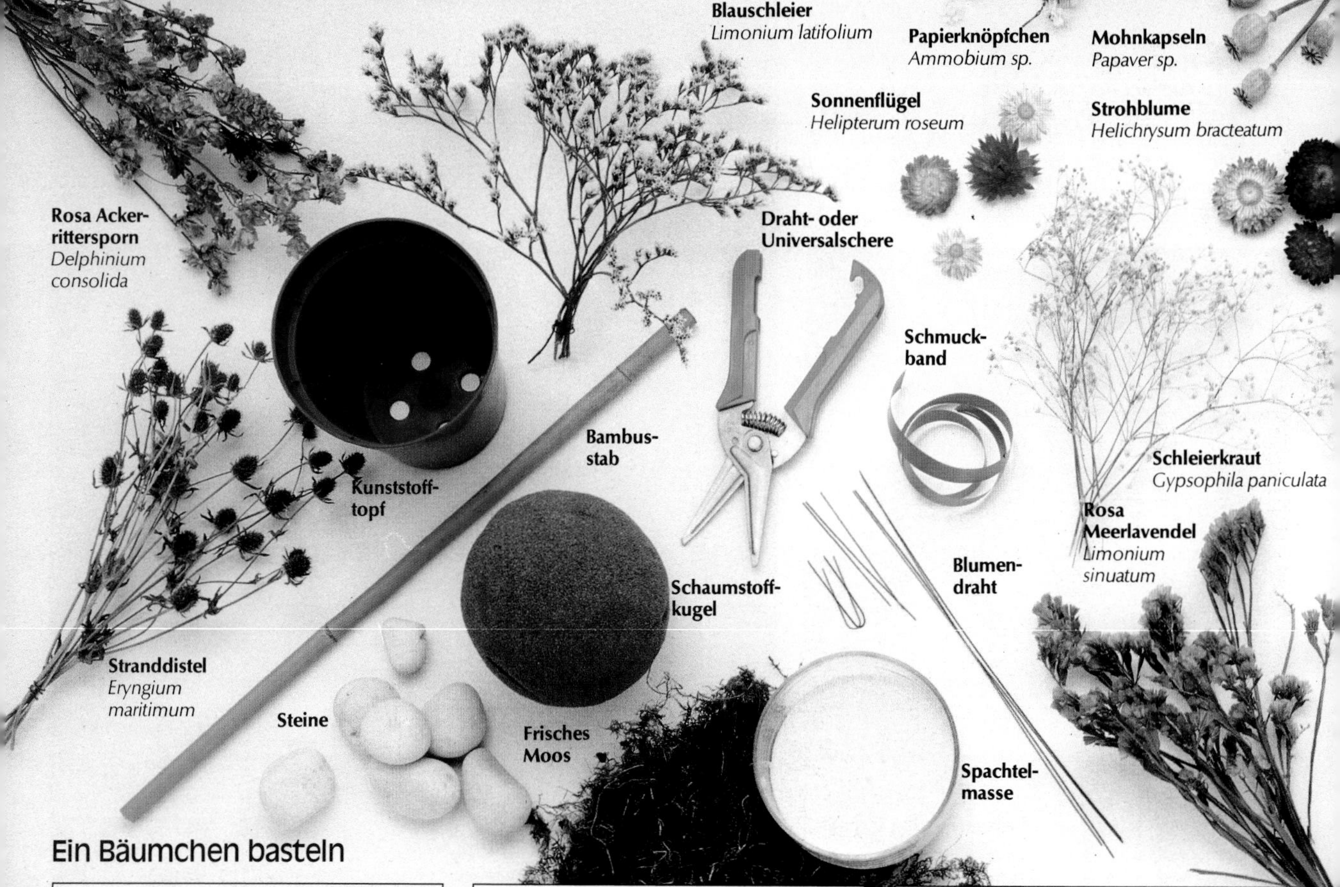

Blauer Ackerrittersporn
Delphinium consolida

Blauschleier
Limonium latifolium

Papierknöpfchen
Ammobium sp.

Mohnkapseln
Papaver sp.

Sonnenflügel
Helipterum roseum

Strohblume
Helichrysum bracteatum

Rosa Ackerrittersporn
Delphinium consolida

Draht- oder Universalschere

Schmuckband

Schleierkraut
Gypsophila paniculata

Rosa Meerlavendel
Limonium sinuatum

Kunststofftopf

Bambusstab

Blumendraht

Stranddistel
Eryngium maritimum

Schaumstoffkugel

Steine

Frisches Moos

Spachtelmasse

Ein Bäumchen basteln

1 Einen Kunststoff-Blumentopf von 12 cm Durchmesser mit Folie auskleiden und mit Steinen füllen. Einen etwa 35 cm langen Bambusstab hineinsetzen. Den Topf mit angerührter Spachtelmasse auffüllen.

2 Die Schaumstoffkugel so auf den Bambusstab stecken, daß der Stab bis zur Mitte der Kugel reicht. Die Kugel außen mit Moos verkleiden.

3 Das Moos mit haarnadelförmig gebogenem Draht befestigen. Beim Feststecken darauf achten, daß man den Draht nicht zu fest in den Schaumstoff drückt.

4 Mit blauem Rittersporn und blauem Meerlavendel den Umriß bilden. Anschließend die kleinen, überstehenden Blütenzweige von den Hauptstengeln abbrechen, damit sich der Umfang nicht verändert.

5 Kleine Blauschleierzweige an gut sichtbaren Stellen feststecken. Einige Papierknöpfchen in Büscheln andrahten und in das Arrangement einfügen. Mit rosa Meerlavendel und Rittersporn ergänzen.

6 Mit den runden Strohblumenblüten und rosa Sonnenflügeln einige der Lücken schließen. Struktur erhält das Bäumchen dann durch Mohnkapseln, Stranddisteln und einige kleine Muschelblumen. Mit kleinen Schleierkrautzweigen anschließend die Konturen auflockern.

Weitere Zierbäumchen

Ein schlichter, rustikaler Baum entsteht, wenn man für die Krone die flachen Blütenstände der Goldgarbe (*Achillea filipendulina*) verwendet und als Gefäß einen einfachen Tontopf. Oder aber man wählt einen schöngewachsenen Zweig aus und schmückt ihn zum Beispiel mit kräftig-strukturierten Blüten, Fruchtständen und Getreiden in cremefarbenen, braunen und grünen Tönen.

7 Den fertigen Baum in einen weißen Übertopf setzen und etwas Moos und einige Blüten auf die Steine legen. Der Bambusstab kann naturbelassen bleiben oder aber mit Schmuckband umwickelt werden. Dazu zwei Bandstücke um den Stab wickeln und unten mit Klebeband befestigen.

Ein »Weihnachts«-Baum
Die Grundform dieses Baumes ist mit der des oben gezeigten Bäumchens identisch. Doch statt mit Blumen wurde die Kugel mit angedrahteten Kiefernzapfen dekoriert und mit künstlichen Früchten ergänzt.

Ein Duftpotpourri

Die Kunst, dufteverströmende Blumenarrangements zusammenzustellen, erfreut sich wachsender Beliebtheit. Der Handel führt nur selten fertige Duftgestecke, aber es ist einfach und macht viel Spaß, sie selbst zusammenzustellen. Arrangements dieser Art duften nicht nur gut, sondern sind auch wegen der schönen Färbungen und Strukturen der getrockneten Blütenblätter, aus denen man sie macht, sehr reizvoll. Essenzen in Form hochkonzentrierter Pflanzenduftstoffe gibt es in allen Indien-Läden als Parfum zu kaufen. Geben Sie einige Tropfen der von Ihnen ausgesuchten Essenz wie nachfolgend beschrieben in einen hübschen Korb, verzieren Sie ihn mit getrockneten Blumen (s. S. 99), und schon ist ein zartes, duftendes Arrangement entstanden.

Geräte und Materialien

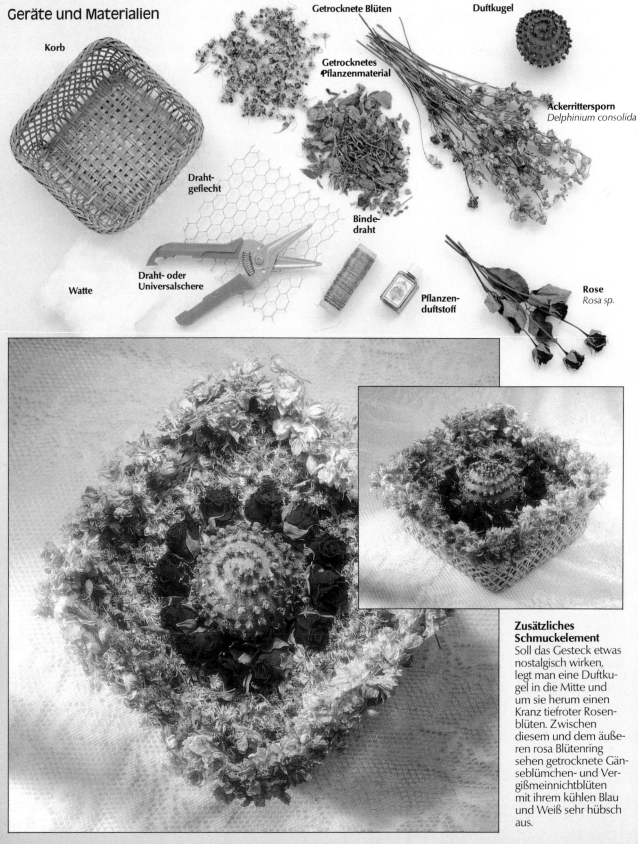

Korb

Getrocknete Blüten

Duftkugel

Getrocknetes Pflanzenmaterial

Ackerrittersporn
Delphinium consolida

Draht-geflecht

Binde-draht

Watte

Draht- oder Universalschere

Pflanzen-duftstoff

Rose
Rosa sp.

Zusätzliches Schmuckelement

Soll das Gesteck etwas nostalgisch wirken, legt man eine Duftkugel in die Mitte und um sie herum einen Kranz tiefroter Rosenblüten. Zwischen diesem und dem äußeren rosa Blütenring sehen getrocknete Gänseblümchen- und Vergißmeinnichtblüten mit ihrem kühlen Blau und Weiß sehr hübsch aus.

Anfertigung eines duftenden Arrangements

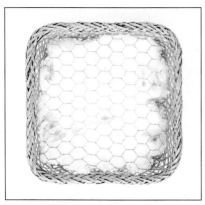 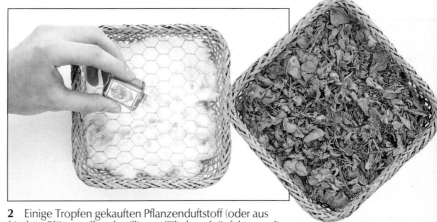

1 Den Korb mit einer dünnen Schicht Watte auskleiden. Passend für den Korb engmaschiges Drahtgeflecht zurechtschneiden und auf die Watte legen. So bleibt das Gesteck trocken und wird nicht modrig, weil die Luft darunter zirkulieren kann.

2 Einige Tropfen gekauften Pflanzenduftstoff (oder aus frischen Blüten selbst destilliertes Öl) daraufträufeln, um die natürlichen Düfte des getrockneten Pflanzenmaterials zu verstärken. Den Korb zu zwei Dritteln mit einer Mischung aus Rosenblütenblättern, duftenden Pelargonienblättern, getrockneter Zitronenschale und Iriswurzel (s. S. 99) füllen.

3 Für eine Blumengirlande drei Stengel Ackerrittersporn nehmen und so zusammenfügen, daß die Blüten gleichmäßig verteilt sind. Dann feinen Bindedraht um die Stengel wickeln und darauf achten, daß die Blüten dabei nicht beschädigt werden.

4 Auf diese Weise fortfahren, bis die Girlandenlänge dem Korbumfang entspricht. Alternativ können auch blauer Rittersporn und tiefrote Strohblumen oder Papier verwendet werden.

5 Da die Girlande biegsam ist, kann sie der Form des Korbes angepaßt und mit Draht befestigt werden. Die Abbildung gegenüber zeigt den fertigen Korb, der mit weißen und blauen Trockenblüten und einer in der Mitte plazierten Duftkugel dekoriert worden ist.

Eine Duftkugel herstellen

Eine Orange (vorzugsweise eine Pomeranze) nehmen und, falls die Duftkugel aufgehängt werden soll, mit Klebeband die Stellen für das Band abdecken. Dann wird die Orange mit Gewürznelken gespickt und in Iriswurzelpulver und Zimt gewälzt. Mehrere Wochen an einen dunklen, gutgelüfteten Platz legen.

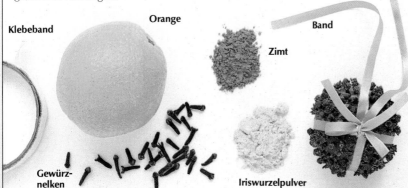

Klebeband

Orange

Band

Zimt

Gewürznelken

Iriswurzelpulver

Eine Orange spicken (oben)
Im Abstand eines Gewürznelkenkopfes Löcher vorstechen und Gewürznelken hineindrücken.

Kränze basteln

Kränze aus getrocknetem Pflanzenmaterial können an Türen, Wänden oder Decken aufgehängt oder als Tischschmuck benutzt werden. Der rechts unten abgebildete Kranz hat kräftige Strukturen und ist aus braunen Fruchtständen und neutralen Gräsern gebunden; gelbe, orangefarbene und rote Blüten beleben den Kranz.

Papierblume
Xeranthemum annuum

Blumendraht

Draht- oder Universal-schere

Schneeflockenstrauchtriebe
Chionanthus virginicus

Geräte und Materialien

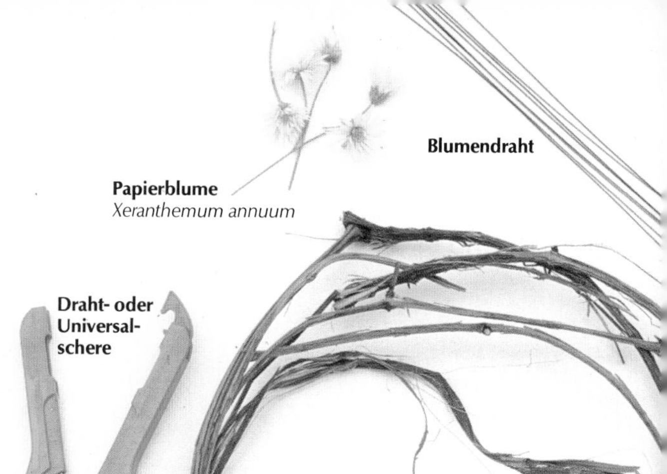

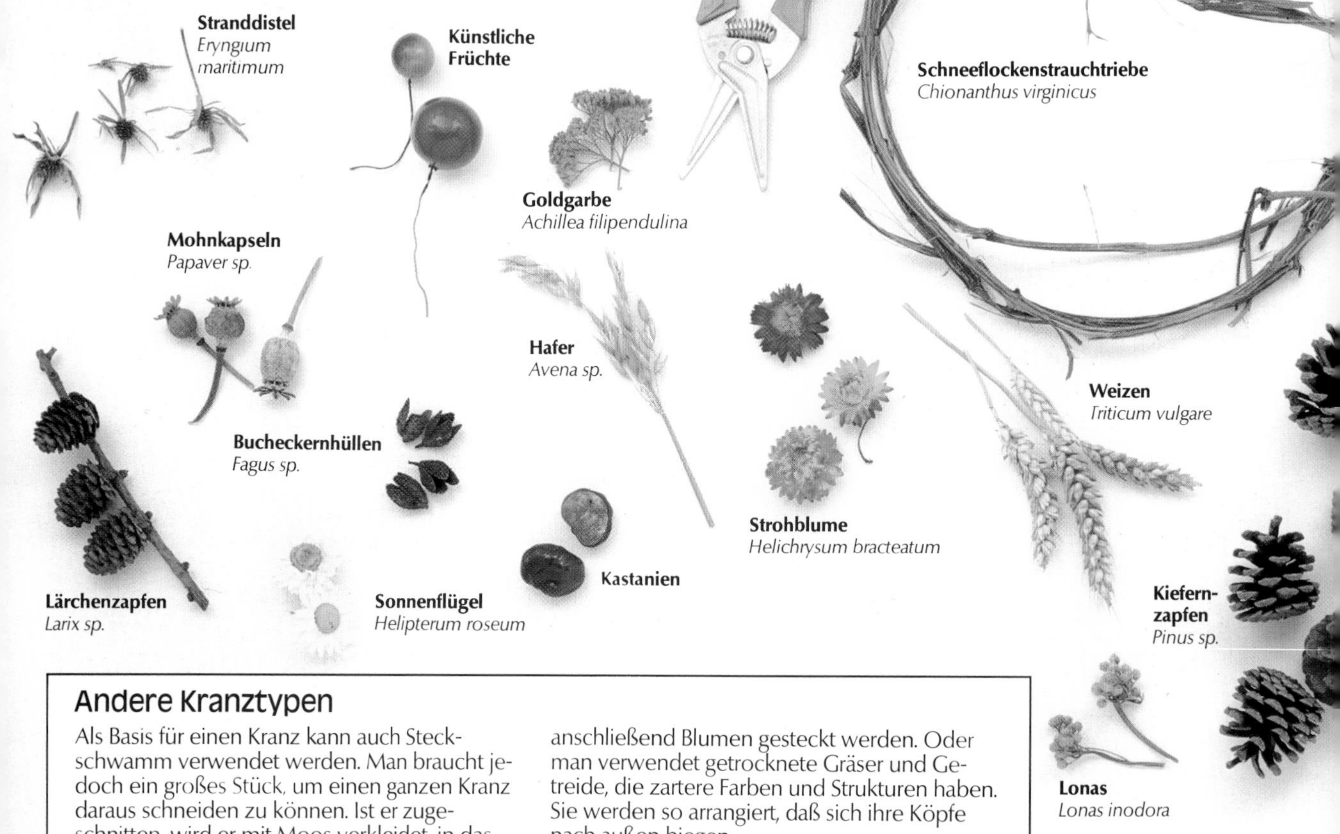

Stranddistel
Eryngium maritimum

Künstliche Früchte

Goldgarbe
Achillea filipendulina

Mohnkapseln
Papaver sp.

Hafer
Avena sp.

Weizen
Triticum vulgare

Bucheckernhüllen
Fagus sp.

Strohblume
Helichrysum bracteatum

Lärchenzapfen
Larix sp.

Sonnenflügel
Helipterum roseum

Kastanien

Kiefernzapfen
Pinus sp.

Lonas
Lonas inodora

Andere Kranztypen

Als Basis für einen Kranz kann auch Steckschwamm verwendet werden. Man braucht jedoch ein großes Stück, um einen ganzen Kranz daraus schneiden zu können. Ist er zugeschnitten, wird er mit Moos verkleidet, in das anschließend Blumen gesteckt werden. Oder man verwendet getrocknete Gräser und Getreide, die zartere Farben und Strukturen haben. Sie werden so arrangiert, daß sich ihre Köpfe nach außen biegen.

Ein rustikaler Kranz
Die vielfältigen Strukturen und gedämpften Farben dieses Kranzes harmonieren wunderbar mit dem Hintergrund aus naturbelassenem Holz. Strahlenförmig gesteckte rosa Sonnenflügelblüten (*Helipterum roseum*) wechseln sich hier mit den tiefroten Tönen des Gartenfuchsschwanzes (*Amaranthus caudatus*) und dem rosarot gefärbten Blauschleier (*Limonium latifolium*) ab. Die gestreiften Fruchtstände der Jungfer im Grünen (*Nigella damascena*) verleihen dem üppigen Kranz Struktur.

Einen Kranz stecken

1 Für die Grundform des Kranzes Triebe des Schneeflockenstrauches verwenden. Die dicksten Triebe etwa viermal umeinanderwickeln, so daß ein Ring entsteht. Diesen mit den dünneren Enden der Triebe umwickeln. Man kann auch Triebe von Kletterpflanzen verwenden.

2 Bucheckernhüllen, Kastanien, Kiefernzapfen und Strohblumen müssen angedrahtet werden. Zum Andrahten eines Kiefernzapfens einen Draht zwischen die Schuppen schieben, nach unten biegen und das kürzere Drahtende um das längere wickeln.

3 Rund um die Außenseite des Kranzes angedrahtete Kiefernzapfen befestigen. Zum Andrahten der Kastanien zunächst mit einer dicken Nadel Löcher durch die Mitten bohren. Bucheckernhüllen werden wie Kiefernzapfen angedrahtet.

4 Die angedrahteten Kastanien jeweils zu mehreren in den Kranz einfügen. Dann die kurzen Stengel der Lärchenzapfen, angedrahtete Bucheckernhüllen, Mohnkapseln, Stranddisteln, Weizen und Hafer hineinstecken, die den eigentlichen Kranz bilden.

5 Alle noch vorhandenen Lücken mit Sonnenflügeln, gelben, orangefarbenen und roten Strohblumen, Papierblumen, Goldgarben und Lonas füllen.

6 Der Kranz kann entweder so belassen werden, wie er ist, oder man verziert ihn, beispielsweise als Weihnachtsschmuck, mit einigen roten, künstlichen Früchten und hängt ihn mit einem breiten roten Band an einer Tür auf.

Kiefernzapfen · Lärchenzapfen · Kastanie · Weizen · Papierblume · Bucheckernhüllen · Mohnkapseln · Stranddistel · Goldgarbe · Strohblume · Lonas · Hafer · Sonnenflügel

Pflanzendekorationen

Aus Trockenpflanzen können auch prächtige Dekorationen für festliche Anlässe gebastelt werden. Blütenbällchen, Strohsterne und schneeweiße Kiefernzapfen eignen sich wunderbar als Baumschmuck. Ebenso reizvoll und festlich wirkt eine Strohblumengirlande an einem Weihnachtsbaum oder über einem Kamin.

Blütenbälle

Strohblumen
Helichrysum bracteatum

Draht- oder Universalschere

Blumendraht

1 Einen Draht durch die Mitte jeder Blüte schieben, das Ende umbiegen und wieder durch den Blütenboden stecken.

2 Fünf Blüten andrahten und zu einem Ball zusammensetzen, indem man einen der Drähte um die anderen herumwickelt.

Strohsterne

Draht- oder Universalschere

Sonnenflügel
Helipterum roseum

Weizen
Triticum vulgare

Schmuckband

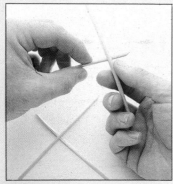

1 Strohhalme zwischen den Knoten in 10 cm lange Stücke schneiden. In einen Halm einen Schlitz schneiden und einen zweiten im Winkel von 90° durchschieben.

2 Auf diese Weise fortfahren, bis ein Stern mit der gewünschten Anzahl von Zacken entstanden ist. Ein Band nehmen und um die einzelnen Halme winden, damit eine Mittelscheibe entsteht.

Schneeweiße Kiefernzapfen

Kiefern-
zapfen

Wasch-
pulver

Blumen-
draht

Tapetenleim

1 Kiefernzapfen (wie auf S. 109 gezeigt) andrahten und nacheinander zur Hälfte in angerührten Tapetenleim tauchen. Herausnehmen und überschüssigen Leim abschütteln.

2 Sobald der Leim zäh wird, die Zapfen in Waschpulver stippen. Darauf achten, daß der weiße Überzug gleichmäßig wird. Überschüssiges Waschpulver abschütteln und die Zapfen trocknen lassen.

Girlande aus Trockenblumen

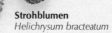

Häkelgarn

Stopfnadel

Strohblumen
Helichrysum bracteatum

Ein Stück Häkelgarn in der gewünschten Länge abschneiden, in eine Stopfnadel fädeln und durch die Mitte jeder Strohblume stechen. Beim Auffädeln darauf achten, daß die Oberseiten der Blüten in die gleiche Richtung weisen. Die Girlande wirkt dadurch gleichmäßiger.

·5·
Pflanzen in verschiedenen Wohnbereichen

Schon seit dem frühen 17. Jahrhundert werden Topfpflanzen und Blumen als Zimmerschmuck verwendet, aber erst mit Beginn des 19. Jahrhunderts kam – mit den ersten Blattbegonien, Bougainvilleen und einer stattlichen Menge tropischer Blattpflanzen – eine riesige Flut atemberaubender neuer Gewächse nach Europa, und wer es sich leisten konnte, schmückte sein Haus oder seinen Wintergarten damit. Dem Durchschnittsbürger aber ist erst seit kurzem eine breite Auswahl an Zimmerpflanzen verfügbar. Auf den folgenden Seiten sind nun die verschiedenen Bereiche von Wohnung oder Haus dargestellt, um zu zeigen, wie Pflanzen in die Gesamtgestaltung eines Raums einbezogen werden können, anstatt nur als zusätzliche Dekoration zu dienen. Jeder Raum im Haus hat eine andere Funktion, und von der jeweiligen Nutzung hängen die Wachstumsbedingungen (das Kleinklima) ab, die die Pflanzen dort vorfinden. Auch hat jeder Raum eine besondere Atmosphäre, die mit Hilfe von Pflanzen noch hervorgehoben werden kann. Der Baustil Ihres Hauses und die Art der Räume sollten ausschlaggebend dafür sein, wie Sie Pflanzen verwenden. Herkömmliche Stilrichtungen beispielsweise können durch Pflanzen wunderbar ergänzt werden, eine moderne Einrichtung dagegen erfordert vielleicht Pflanzen, die Teil architektonischer Gestaltung sind.

Raumgestaltung mit Pflanzen

Diese beiden Euphorbien (*Euphorbia tirucalli*) bilden ein Gegengewicht zu dem großen Bücherregal; sie können es in der Größe mit ihm aufnehmen. Euphorbien mögen die Wärme eines Wohnzimmers und sind leicht zu halten, solange man sie nicht überwässert. Die Vase auf dem Tisch ist Teil einer Gruppierung von Gegenständen.

Das Kleinklima im Haus

In diesem Buch wurde durchgehend der Begriff »Kleinklima« verwendet, um das jeweilige Umweltmilieu eines Standortes innerhalb eines Hauses oder einer Wohnung zu definieren. Bei jedem im Pflanzen-Ratgeber beschriebenen Gewächs ist auch das entsprechende Kleinklima angegeben. Diese Angabe sollte jedoch nur als Richtlinie betrachtet werden, denn im allgemeinen sind Zimmerpflanzen sehr tolerant und vertragen recht unterschiedliche Wachstumsbedingungen.

In manchen Fällen muß das angegebene Kleinklima bestimmten Situationen angepaßt werden. So sind beispielsweise die Lichtverhältnisse im Zentrum einer großen Industriestadt schlechter als auf dem Land, was bedeutet, daß Pflanzen, denen auf dem Land indirekte Sonne genügt, in der Stadt eventuell direktes Sonnenlicht benötigen. Darüber hinaus ist die Länge eines Tages – und bis zu einem gewissen Grad auch die Außentemperatur – vom Breitengrad abhängig. So schadet Wintersonne in nördlichen Breiten wachsenden Pflanzen nicht. Das heißt, eine Pflanze, die im Idealfall nur indirekter Sonne ausgesetzt sein sollte, wenn die Sonne hoch am Himmel steht, benötigt im Winter, wenn die Sonne schwächer ist und die Tage kürzer sind, direkte Sonne.

Nur wenige Pflanzen erleiden Schäden, wenn sie etwas wärmer als angegeben stehen, sofern die Luftfeuchtigkeit erhöht und eventuell etwas mehr gegossen wird. Pflanzen, die in einem kühleren Kleinklima als dem angegebenen wachsen, sollten weniger gegossen werden. Grundsätzlich ist etwas zu wenig Wasser besser als zu viel. Sommerlicher Hitze kann man nur mit Klimaanlagen entgegenwirken, die aber andererseits die Luft austrocknen. Durch ausreichendes Gießen und Besprühen läßt sich die Luftfeuchtigkeit erhöhen, dennoch sollten Sie in der Nähe einer Klimaanlage keine Pflanzen aufstellen.

Wenn Pflanzen in Gruppen arrangiert werden, genügt es nicht, sie allein aufgrund ihrer dekorativen Eigenschaften auszuwählen. Soll das Arrangement auf Dauer schön bleiben, muß darauf geachtet werden, daß alle Pflanzen etwa die gleichen Bedingungen an das Kleinklima stellen.

Kleinklima 1
Warm, sonnig

Als warm bezeichnet wird ein Raum mit 15 bis 21°C, eine Temperatur, die für viele der beliebtesten Zimmerpflanzen ideal ist. In einem normal beheizten Zimmer wird die Temperatur nicht unter 15°C absinken, doch alle Pflanzen können für kurze Zeit auch wärmer oder kälter stehen.

Als sonnig gilt ein Platz dann, wenn er tagsüber während eines bestimmten Zeitraums der prallen Sonne ausgesetzt ist. Eine Pflanze, die an oder nahe bei einem Südfenster steht, hat einen sonnigen Standort. An Ost- und Westfenstern ist die Sonneneinstrahlung geringer.

Weiße Wände reflektieren das Licht und machen den Raum heller.

Eine Ampel, abseits vom Herd, erhält direktes Licht.

Durch zwei große Fenster fällt reichlich Sonnenlicht.

Wasserdampf erhöht in der Küche die Luftfeuchtigkeit.

Holz speichert Wärme und verhindert plötzliche Temperaturschwankungen.

Aufsteigende Warmluft schafft ideale Bedingungen für tropische Pflanzen.

Die Ziegelwand absorbiert Licht und speichert Wärme.

Großflächige Fenster sorgen in diesem Raum für das nötige Licht.

Kleinklima 2
Warm, indirekte Sonne

Als warm bezeichnet wird ein Raum mit 15 bis 21°C, eine Temperatur, die für viele der bekannten Zimmerpflanzen ideal ist. In einem normal beheizten Zimmer wird die Temperatur nicht unter 15°C absinken, doch alle Pflanzen können für kurze Zeit auch wärmer oder kälter stehen.

Ein Raum mit indirekter Sonne liegt nach Süden, Osten oder Westen (bzw. nach Südosten oder Südwesten), aber die Sonne wird durch lichtdurchlässige Rollos oder Vorhänge, ein hohes Gebäude oder einen vor dem Fenster wachsenden Laubbaum gefiltert.

Gute Bedingungen für subtropische Pflanzen.

Dichte Gardinen filtern die Sonne.

Das Weiß der sanitären Anlagen und ein Spiegel reflektieren das Licht.

Von der Badewanne aufsteigender Dampf sorgt für hohe Luftfeuchtigkeit.

Ein Laubbaum vor dem Fenster filtert die Sonne.

In Küstenbereichen oder in südlicheren Breiten ist eine Jalousie notwendig.

Ein Wandspiegel reflektiert die Sonne und macht den Raum heller.

Das Zypergras erhält indirekte Sonne und profitiert von der Luftfeuchtigkeit.

Kleinklima 3
Warm, schattig

Als warm bezeichnet wird ein Raum mit 15 bis 21°C, eine für viele der populären Zimmerpflanzen ideale Temperatur. In einem normal beheizten Zimmer wird die Temperatur nicht unter 15°C absinken, doch alle Pflanzen können für kurze Zeit auch wärmer oder kälter stehen. Ein schattiger Platz erhält nach unserer Definition weder direkte noch indirekte Sonne, dennoch sind die Lichtverhältnisse nicht schlecht. Pflanzen, die etwas Schatten brauchen, können in einem hellen Raum abseits vom Fenster oder in einem dunklen Raum direkt am Fenster stehen.

Ideale Bedingungen für das üppige Fensterblatt.

Das Licht wird durch Bäume und Vorhänge gefiltert.

Eine Raumecke, die wenig Licht bekommt.

Der dunkle Boden absorbiert Licht und macht den Raum dunkler.

Die Vorhänge lassen weniger Licht durch das große Fenster.

Günstiges indirektes Licht für einen Geweihfarn.

Dunkle Möbel absorbieren das von Boden und Wänden reflektierte Licht.

Tropfen beim Wässern werden von einem Topf aufgefangen.

Kleinklima 4
Kühl, sonnig

Als kühl bezeichnet wird ein Raum mit 10 bis 15°C, eine Temperatur, die für viele Pflanzen der gemäßigten Zone günstig ist, aber auch Gewächse aus wärmeren Gegenden gedeihen dabei gut, ebenso Pflanzen, die nur kurzzeitig blühen.
Als sonnig gilt ein Platz dann, wenn er tagsüber während eines bestimmten Zeitraums der prallen Sonne ausgesetzt ist. Eine Pflanze, die an oder nahe bei einem Südfenster steht, hat einen sonnigen Standort. An Ost- und Westfenstern ist die Sonneneinstrahlung pro Tag geringer.

Die Bananenstaude braucht pralle Sonne, erträgt jedoch Temperaturen bis 10°C.

Ein kühler, luftiger Treppenabsatz mit einer hohen Decke ist ideal für große Pflanzen.

Breite Treppen sind meist Teil luftiger und geräumiger Flächen.

Durch große, freie Fenster fällt viel Licht auf die Pflanzengruppe.

Kleinklima 5
Kühl, indirekte Sonne

Als kühl bezeichnet wird ein Raum mit 10 bis 15°C, eine für viele Pflanzen der gemäßigten Zone günstige Temperatur. Aber auch Gewächse aus wärmeren Zonen gedeihen dabei gut, ebenso Pflanzen, die nur kurzzeitig blühen. Ein Raum mit indirekter Sonne liegt nach Süden, Osten oder Westen (bzw. nach Südosten oder Südwesten), aber die Sonne wird durch lichtdurchlässige Rollos oder Vorhänge, ein hohes Gebäude oder einen vor dem Fenster wachsenden Laubbaum abgeschirmt.

Eine Kletterpflanze vor dem Fenster verhindert, daß die weiße Wand das Licht reflektiert.

Werden die Vorhänge halb zugezogen, bleibt der Raum kühl.

Ein üppiger Efeu wächst im Schatten anderer Pflanzen.

Ein geeigneter Standort für eine Zimmeraralie.

Werden die Rollos zugezogen, erhält diese Pflanze den notwendigen Schatten.

Weiße Wände und Bettwäsche reflektieren das Licht und kühlen den Raum.

Große Jalousien filtern das einfallende Licht.

Einfallendes Licht wird durch einen Laubbaum gestreut.

Wohnzimmer 1

Beim Einrichten eines Hauses oder einer Wohnung wird auf das Wohnzimmer oft am meisten Wert gelegt, nicht zuletzt, weil man sich am häufigsten darin aufhält. Deshalb wird für Mobiliar, Textilien und andere Ausstattungsgegenstände eine beträchtliche Menge Geld ausgegeben. Allgemein kann man sagen, sind Wohnzimmer traditionell oder modern eingerichtet, wobei Elemente eines Stils mit denen eines anderen kombiniert oder ihnen angepaßt werden können Pflanzen lassen einen ruhigen Hintergrund entstehen und sorgen für frische Farben. Sie sollten die Einrichtung eines Raumes ergänzen, ohne zu dominieren.
Ein oder zwei große Gewächse sehen meist

besser aus als ein Sammelsurium kleinerer Pflanzen. Für beliebige Gruppen auf Couch-, Beistelltischen oder Borden eignen sich gut Arrangements aus Schnitt- oder Trockenblumen oder kleine Gewächse.
Setzen Sie Pflanzen nicht in die Nähe von Heizkörpern oder offenen Feuern. Sie brauchen einen Platz, an dem sie ausreichend Licht erhalten und leicht gegossen werden können. Darüber hinaus ist es wichtig, daß sie nicht im Weg stehen. Sie müssen, wenn Sie sich für Art und Größe einer Pflanze entschieden haben, ihren Standort in der Raumplanung berücksichtigen, damit Pflanze und Gefäß integraler Bestandteil der Gesamtausstattung werden.

Lineare Formen (unten)
Eine moderne Einrichtung von fernöstlich anmutender Schlichtheit mit linearen Formen und einfarbigen Flächen in gedämpften Tönen. Mittelpunkt des Raumes ist ein Arrangement aus getrockneten Zweigen, das auf dem Tisch steht und durch eine Figur und einen Bonsai ein Gegengewicht erhält. Die Drachenlilien verleihen dem spartanischen Raum eine weiche Note.

Schwarz und Weiß

Die Anordnung des Mobiliars in diesem strengen, modernen Raum wird durch den Kamin und die Aussicht auf die Terrasse bestimmt. Die im Raum aufgestellten Pflanzen sind nicht sehr groß, verbinden aber die beiden Sitzgruppen miteinander. Interessanterweise hat hier der Designer schweren Möbeln die weichen Linien einer Tradeskantie entgegengesetzt. Das ganz in Weiß gehaltene Blumenarrangement fügt sich in die Farbgestaltung des Raumes harmonisch ein und führt in diesem Bereich, in dem Schwarz dominiert, das Weiß des Bodens und der Wände fort.

Muster und Farben

Sehr viel weicher und dekorativer wirkt dieser Raum mit seinen bodenlangen Vorhängen und großen Pflanzen, die die Innenausstattung ergänzen, aber nicht beherrschen. Hinter dem Sofa steht eine Zwergpalme, und vorn sieht man die Blätter einer Fischschwanzpalme. Zentrales Element ist der niedrige Couchtisch mit dem Bücherstapel und der runden Vase, deren Form sich in den kleinen Gefäßen auf dem Tisch in der Ecke wiederholt. Dort hat auch eine in voller Blüte stehende prachtvolle Kahnorchidee einen Platz gefunden.

Wohnzimmer 2

Landhausstil

Bei dieser eher willkürlich zusammengestellten Einrichtung eines Wohnzimmers in einem Landhaus gibt es kein dominierendes Element. Prächtige tropische Pflanzen wären hier fehl am Platz, kleinblättrige Gewächse der gemäßigten Zone hingegen kommen gut zur Geltung, ebenso ein Korb mit einem Duft-Potpourri und das Vogelnest im Vordergrund. Auch die schlichten Holzmöbel, Pflanzenstiche und Blumenmuster harmonieren gut mit der freundlichen Atmosphäre.

Kräftiger Farbkontrast
(links)
Verglichen mit dem oben gezeigten Raum, ist der Gesamteindruck streng, obwohl das Mobiliar außerordentlich dekorativ ist. Der starke Kontrast zwischen Schwarz, Rot und Weiß wiederholt sich sogar im Muster des Teppichs. Eine herrliche Ergänzung dieser Einrichtung ist eine Vase mit großen Amaryllis (*Hippeastrum sp.*).

Entspannendes Ambiente (rechts)
Durch das durch Vorhänge gedämpfte, weiche Licht entsteht in diesem Raum eine ruhige und erholsame Atmosphäre, die weder durch große Muster noch grelle Farben gestört wird. Das grüne filigrane Laub des Bambusgrases (*Arundinaria sp.*), der Schnittblumen und kleinen Topfpflanzen sorgen darüber hinaus für Ausgewogenheit.

Koordination von Größen, Formen und Farben
(rechts)

Die großen Blätter der Zimmerlinde (*Sparmannia africana*) stehen in schönem Einklang mit der geometrisch gemusterten Wand. Das Laub der Kentie (*Howeia belmoreana*) im Vordergrund hat die gleiche Form wie die Blätter auf dem Gemälde, und die weichen Farben des Raumes wiederholen sich in dem Blumenstrauß auf dem Tisch.

Horizontale Linien (unten)

Deckenstrahler betonen die Farben von Einrichtung und Stoffen, die sich in Blumen, Pflanzen und Dekorationsgegenständen widerspiegeln. Das klare, waagrechte Muster der Rollos und des Bodenbelages verleihen den verschiedenen Elementen des Raumes Zusammenhalt.

Wohnzimmer 3

Zu einem wohnlichen Raum gehören eine
oder mehrere attraktive Sitzbereiche,
die zum zwanglosen Beisammensein oder
Ausspannen einladen. Ob sie sich in
Ecken, an einem Ende, in Nischen oder in
Fenstererkern befinden, Pflanzen und
Blumen spielen dabei immer eine wichtige
Rolle. Ebenso können Pflanzen die Wirkung
von Textilien hervorheben, mit deren
Farben und Mustern kontrastieren oder
diese wiederholen. Pflanzen beleben ihre
Umgebung und lockern sie auf. Lassen
Sie beispielsweise ein Gewächs anmutig
über einer Sitzecke herabhängen,
ergänzen Sie ein Bild mit einer Pflanze, oder
schaffen Sie in einer Ecke für eine Sitz-
gruppe aus Rohr oder Geflecht einen einheitlichen Hintergrund.

Ein Blickfang unter der Decke (rechts)
Auffallend in diesem Raum sind die Dachbalken
und die Punktstrahler. Zwei hoch auf einer
Zwischenwand plazierte Hängepflanzen unterstreichen den architektonischen Effekt.

**Sofa in einem
Fenstererker** (oben)
Durch die Wedel einer
hohen Goldfrucht-
palme (*Chrysalidocar-
pus lutescens*), die
sich über dem Sofa aus-
breiten, wirkt die
gesamte Gruppe sehr
einladend. Vor dem
hellen Fenster zeichnen
sich die Konturen der
Pflanze deutlich ab.
Ferner sind auf dem
Foto eine kleine Berg-
palme (*Chamaedorea
elegans* › Bella ‹) und
eine weiße Zimmer-
kalla (*Zantedeschia
aethiopica*) zu sehen.

Moderne Sitzelemente
(rechts)
Die Linien dieser Sitz-
ecke sind streng und
klar, durch die creme-
farbenenen Hortensien
(*Hydrangea sp.*) aber
erhält das Ganze eine
verspielte Komponente.

Pflanzenarrangement für eine Zimmerecke

Ein kleiner antiker Tisch und ein Sessel vor dem Ostfenster eines Wohnzimmers. Der Raum ist in neutralen Farben gehalten. Da er nicht ständig benutzt und daher nicht geheizt wird, mußten die Pflanzen entsprechend ausgewählt werden. Wer ein Ambiente wie dieses schaffen will, findet vielleicht unter seinen Besitztümern einige Stücke, die sich als »Requisiten« eignen.

Mobiliar und Gesamtbild
(unten und rechts)
Diese gemütliche Ecke ist in gedämpften Tönen gehalten, und es ist ein Farbtupfer notwendig, um den Blick auf das große Fenster zu lenken. Ein Blumen- oder Topfpflanzenarrangement kommt auf dem kleinen Tischchen sehr gut zur Geltung. Da der Raum wenig benutzt wird, sind hier Topfpflanzen empfehlenswerter als Schnittblumen. Das Arrangement muß groß sein, darf die Ecke jedoch nicht beherrschen. Passende Accessoires sind die beiden alten Puppen und der kleine Fußschemel. Das Rot des Alpenveilchens wiederholt das des Schemels und des Kissens.

Das Arrangieren der Pflanzen
Für das Arrangement wurden auf einem großen Untersetzer verschiedene Pflanzen zusammengestellt, und zwar in Einzeltöpfen, um sie individuell pflegen zu können. Den Mittelpunkt bilden zwei Alpenveilchen (Cyclamen persicum), zu denen das robuste Laub der Zimmeraralie (Fatsia japonica) einen hübschen Kontrast bildet. Außerdem gehören zu der Gruppe eine Grünlilie (Chlorophytum sp.), die dem Arrangement die hübsche Silhouette verleiht, sowie ein panaschierter Efeu (Hedera helix), der über die Tischkante hängt und die Komposition auflockert. Schließlich wurde die Pflanzung phantasievoll mit blauen Weintrauben ergänzt.

PFLANZENSCHLÜSSEL

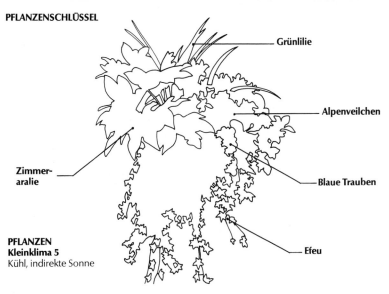

Grünlilie

Alpenveilchen

Zimmer-
aralie

Blaue Trauben

Efeu

PFLANZEN
Kleinklima 5
Kühl, indirekte Sonne

Wohnzimmer 4

Mittelpunkte

Mitunter werden Pflanzen zum beherrschenden Element eines Raumes. Während auffällige Muster und kräftige Farben in einem Zimmer Pflanzen leicht in den Hintergrund drängen, lenken einfarbige Wände und die Linien schlichter, meist niedriger moderner Möbel die Aufmerksamkeit auf Pflanzen und Blumenarrangements.

Dominierendes Laub (unten)
Eine Pflanze mit kleinen Blättern würde man in diesem luftigen, hohen Zimmer übersehen. Der Geigenkasten-Gummibaum (*Ficus lyrata*) dagegen sieht wunderschön aus und bildet den absoluten Mittelpunkt des Raumes.

Eine intime Gruppe (rechts)
Ein Elefantenfuß (*Beaucarnea recurvata*) bildet mit einem Tisch und einer Lampe eine interessante Gruppe. Diverse Steine auf Tisch und Boden schaffen eine harmonische Verbindung zwischen der Pflanze und ihrer Umgebung.

Imponierende Größe (rechts)
Hoch über einer runden Sitzbank breiten sich die Wedel einer Kentie (*Howeia belmoreana*) aus. Die anmutigen Linien der Kentie wiederholen sich in den Blattfahnen (*Spathiphyllum* › Clevelandii ‹) auf dem Wandtisch. Zusammen mit der hohen, getäfelten Tür, der Stuckdecke und der übrigen Raumausstattung wecken die Pflanzen Erinnerungen an die Pracht vergangener Zeiten.

Farbtupfer (links)
Diese strenge, in dunklen Tönen gehaltene Raumausstattung bildet einen schlichten, schönen Hintergrund für einen Ritterspornstrauß in einer Glasvase. So präsentiert, wird der intensivblaue Strauß zum Mittelpunkt.

Kontraste (rechts)
Die strenge Geometrie der dunklen Balken wird durch den weich und üppig herabhängenden Efeu (*Hedera helix*) und das anmutige dichte Büschel Zypergras (*Cyperus alternifolius*) noch hervorgehoben.

Wohnzimmer 5

Tischdekorationen

In fast jedem Wohnzimmer befindet sich ein Couch- oder Beistelltisch, der so geschmückt werden kann, daß er die Aufmerksamkeit auf sich lenkt. Dabei sollte man Pflanzen und Blumen mit anderen Gegenständen kombinieren, die ihrerseits die Wahl bestimmter Pflanzen oder Pflanzengruppen nahelegen.

Die Pflanzengröße (rechts)
Eine kleine Pflanze käme hier nicht zur Geltung. Die prächtige Buntnessel (*Coleus*-Blumei-Hybride) aber ist groß genug, um die Blicke auf sich zu lenken. Die rote Blattzeichnung spiegelt die Farbe des Sofas wider.

Gedämpfte Töne (oben)
Ein Korb mit getrockneten Blumen und Gräsern, deren warme Farben mit denen der ledernen Bucheinbände und des Holzes harmonieren, bringt einen Hauch von Sommer in diese Bibliothek.

Elegante Konturen (oben)
Die Linie des Schwanenhalses findet sich in den Tulpenstielen und den Konturen des Kruges wieder. Ebenso entsprechen die weichen Farben der Dekoration denen des Sofabezugs.

Kontrastierende Formen (oben)
Getrockneter Lavendel und verschiedene Holzobjekte bilden mit einer Lampe ein ansprechendes Arrangement, in dem der Lampenfuß dominiert.

Beherrschendes Element (oben)
Diese Bubiköpfchen (*Soleirolia soleirolii*) dürfen nur von kleinen Objekten umgeben sein, die nicht ablenken.

Kunstvolle Anordnung (links)
Ein Strauß aus dem Laub des Fensterblatts (*Monstera deliciosa*) und Steppenkerzen (*Eremurus* sp.) dient als verbindendes Element zwischen unterschiedlichen Einrichtungsgegenständen.

Wohnzimmer 6

Borde und Kaminsimse bieten Pflanzen auf lange Sicht keinen idealen Standort, da sie dort unter Lichtmangel leiden. Arrangements aus frischen und getrockneten Blumen oder eventuell auch einjährige Blütenpflanzen oder Zwiebelblumen sind hier besser geeignet.

Borde mit Kakteen
(links)
Aufgrund ihrer schlichten, kompakten Formen lassen sich Kakteen gut auf Borden aufreihen. Darüber hinaus herrschen an einem Platz wie in dieser Wandvertiefung mit einem Oberlicht, einer Spiegelrückwand und Glasborden besonders gute Lichtverhältnisse. Durch das Oberlicht kommen die flaumigen Haare und die kräftigen Dornen der Kakteen gut zur Geltung. Beachten Sie, daß das Glas durch die Lichtbrechung grün erscheint und das Pflanzenarrangement in seiner Wirkung verstärkt. Ähnliche Effekte lassen sich auch mit einer Gruppe herabhängender Gewächshauspflanzen oder Farne erreichen.

Getrocknete Blumen
(oben)
Fünf Trockenblumensträuße schmücken diesen Spiegel über einem Kamin. Sie sind Teil einer verspielten Zusammenstellung von Objekten und Dekorationsgegenständen, die auf dem marmornen Sims aufgereiht sind.

Wildblumenschmuck
(rechts)
Wildblumen wirken anmutig und haben im allgemeinen zartere Farben als Gartenblumen. Außerdem wäre in dieser Umgebung ein Pflanzenarrangement mit kräftigeren Farben und Formen fehl am Platz. Die beiden zarten, fiedrigen Blumensträuße hingegen lenken nicht von dem filigranen Muster der Wanddekoration ab. Unter diesem Sims befindet sich ein Heizkörper, der abgedreht werden muß, sobald frische Blumen auf dem Sims stehen. Wildwachsende Blumen welken besonders rasch, wenn sie nicht kühl stehen. Aus Gründen des Naturschutzes sollte man sie im Garten ziehen.

Pflanzendekorationen für einen Kaminsims

Ein offener Kamin ist meist Mittelpunkt eines Raumes. Brennt kein Feuer darin, kann er durch Pflanzenschmuck belebt werden.

Die Umgebung
Der Kranz aus getrockneten Blumen ergänzt den Stil und die natürlichen Farben des Kamins sowie der übrigen Dekorationsgegenstände – der Holzenten und des alten Strohhuts. Der Kranz wurde als Gegengewicht zu den Objekten rechts von der Mitte aufgehängt.

PFLANZENSCHLÜSSEL

Waldreben-
triebe

Adlerfarn

Strohblume

Hafer

Muschel-
blume

Frauen-
mantel

Weizen

Schleier-
kraut

Gelber
Meer-
lavendel

Dekorationen für besondere Gelegenheiten (rechts)
Die Arrangements ergänzen wunderschön die Stuckornamente des Kamins und das Blau der Wände. Die beiden Girlanden bestehen aus weißbemalten Magnolienblättern, Pampasgras und Zitronen. Sie wurden auf zwei mit feuchtem Moos gefüllten Stäben aus Maschendraht befestigt und mit gelben Chrysanthemen vervollständigt.

Wohnzimmer 7

Pflanzen und Bilder

Verschiedene Malstile legen auch die Verwendung verschiedener Pflanzen nahe. Wenn Sie Gewächse oder Blumen mit einem Gemälde in Einklang bringen wollen, können Sie mit frischen Materialien ein Stilleben nachempfinden oder Elemente, Strukturen und Farben eines Bildes fortführen. Jede Komposition kann eine geschlossene Einheit bilden oder aber, wenn es sich um ein großes Bild handelt, den Raum beherrschen.

Alt und neu (oben)
Goldbandlilien (*Lilium auratum*) und Gerbera (*Gerbera jamesonii*) in einer modernen Vase bilden einen originellen Kontrast zu dem traditionellen Stilleben.

Harmonierende Strukturen (oben)
Auf diesem Bild sind die Strukturen des Bildes, der Intarsien des Tisches und der getupften Blätter des Goldkolbens (*Ligularia* sp.) aufeinander abgestimmt.

Wiederholung von Farben (oben)
Diese dreieckig konzipierte Gruppierung auf einem Kaminsims bekommt durch das Gelb der gemalten Sonne und der Blumen Zusammenhalt.

Verwendung dominierender Farben (rechts)
Auch hier wird die Verbindung zwischen den Blumen des Gemäldes und denen in der Vase durch die Farbe hergestellt.

Eßzimmer 1

Es ist schwierig, die heutigen Stilrichtungen der Innenausstattung präzis zu beschreiben, denn sie sind außerordentlich vielfältig und die Grenzen oft fließend. Bei der Einrichtung von Eßzimmern bieten sich daher ebenso zahlreiche Möglichkeiten an wie bei Wohnzimmern. Besonders bevorzugt sind heute bei der Raumgestaltung rustikale Möbel oder aber Textilien, deren Dekore vom 18. und 19. Jahrhundert inspiriert sind. Unter diese Kategorie fallen auch zwanglose amerikanische Kolonial- und verschiedene Folklorestile aus Indien und dem Fernen Osten. Diese Art der Inneneinrichtung kann sehr reizvoll durch Zimmerpflanzen, Garten- oder Trockenblumen ergänzt werden. Der strenge High-Tech-Stil, der in den späten siebziger Jahren aufkam, ist dagegen nach wie vor durch Zweckmäßigkeit bestimmt, doch wurde er von den Herstellern dem anspruchsvollen städtischen Markt angepaßt. Hier sollte man Pflanzen mit klaren Silhouetten und architektonischen Formen verwenden, die mit den strengen Linien dieses Stils harmonieren. Daneben sind heute sehr verspielte Einrichtungen beliebt, die an die zwanziger Jahre erinnern.

Landhausstil (oben)
In diesem Eßzimmer wurde der Landhauscharakter bei Möbeln, Bodenbelag und kleingemusterten Vorhängen konsequent durchgehalten. Auch die großen Körbe mit Trockenblumen passen zu der rustikalen Atmosphäre, und ihre gedämpften Töne harmonieren gut mit den warmen Farben der Möbel.

Auflockern harter Konturen (rechts)
Die linearen Formen von Lampe und Stühlen erinnern etwas an Einrichtungen der fünfziger Jahre. Die Strenge dieses Eßbereichs wird nur durch die Grünpflanzen, vor allem durch die großen Blätter der Avocadopflanze (*Persea americana*) aufgelockert.

Strenge und Zweckmäßigkeit (oben)
Dieser Glastisch hebt die Wirkung des Blumenarrangements stark hervor. Die Form der Stuhllehnen wiederholt sich in den Glasvasen, und die roten Tulpen bilden einen großartigen Kontrast zu dem schwarzen Mobiliar.

Nutzung eines Kaminsimses (oben)
Hinter einem zarten Strauß Schleierkraut (*Gypsophila paniculata*), der herrlich mit dem warme Holz eines alten Tisches harmoniert, sind frischgrüne Bubiköpfchen (*Soleirolia soleirolii*) auf einem Kaminsims aufgereiht.

Eßzimmer 2

Luxus auf kleinem Raum
(rechts)
Dieses Eßzimmer unter dem
Dach ist klein, aber fürstlich.
Die Stuhlbezüge mit der Go-
belinstickerei und das glänzende Silber auf dem Tisch
harmonieren sehr schön
mit den zwei großen, buschigen Wundersträuchern
(*Codiaeum variegatum var.
pictum*). Die in dem Raum vor-
herrschenden Farben Rot
und Grün finden sich auch in
den Blättern der Pflanzen
wieder.

**Eßecke in einem großen
Raum** (unten)
Ein Stockwerk über dieser interessant gestalteten, luftigen
Eßecke befindet sich eine Brük-
ke. Neben dem Tisch stehen
ein großartiger Philodendron
(*Philodendron bipinnatifidum*)
und üppige Farne.

Gelungene Dekoration mit zwei Pflanzen (links)
Die eigenwillige Palme, die eine Ecke dieses Eßzimmers einnimmt, zieht zunächst die ganze Aufmerksamkeit auf sich. Doch die kleinere buschige Blattpflanze wurde etwas tiefer so geschickt plaziert, daß der Blick dann zum Eßtisch, dem eigentlichen Mittelpunkt des Raums, gelenkt wird.

Ein stilvoll gedeckter Tisch (unten)
Bei besonderen Gelegenheiten verwendet man zur Dekoration Schnittblumen oder blühende Topfpflanzen, die zum Geschirr passen. Hier führen gelbe und weiße Blumen die Farben der Tischdecke und der Sets fort.

Eßzimmer 3

Der Mittelpunkt eines Speisezimmers sollte immer der Eßtisch sein. Wenn Sie einen Tischschmuck zusammenstellen, achten Sie darauf, daß er auf seine Umgebung abgestimmt ist und darüber hinaus die Sicht nicht behindert. Sehr schön wirken einige wenige Blüten, die in einer Schale mit Wasser schwimmen und die Speisen farblich ergänzen.

Ein elegantes Stilleben
(links)
Das schlichte Stilleben auf diesem Beistelltisch lenkt die Aufmerksamkeit nicht zu sehr auf sich. Die Gruppe wird durch eine Königslilie *(Lilium regale)* belebt, die in einer enghalsigen Vase steht.

Wiederholung von Pflanzenmotiven
(rechts)
Auch ohne den Tischschmuck würde dieses Eßzimmer mit seinen leuchtenden Farben und dem üppigen Grün sommerlich wirken. Eine Efeutapete, eine blumengemusterte Tischdecke und zwei große Birkenfeigen *(Ficus benjamina)* zu beiden Seiten des Kamins bilden den Hintergrund für einen wirkungsvollen Tischschmuck. Er besteht aus Geißblatt *(Lonicera brownii)* und Efeu *(Hedera helix)*, die in einen Korb gesetzt wurden.

Koordinierung von Farben *(rechts)*
In bestimmten Situationen können künstliche Blumen sehr reizvoll sein, wie beispielsweise auf dem rechts abgebildeten Eßtisch. Hier bilden die leuchtenden Farben einen kräftigen Kontrast zu dem vorwiegend weiß gedeckten Tisch und den weißen Möbeln. Die orangefarbenen, weißen und violetten Blüten wiederholen und unterstreichen das Dekor des Porzellans auf sehr phantasievolle Weise.

Küchen 1

Bei Küchen unterscheidet man zwischen den ausschließlich funktionellen und den sogenannten Wohnküchen. Die Arbeitsflächen bieten sich in keinem Fall für Pflanzen an. Darüber hinaus sind die Wachstumsbedingungen für Pflanzen aufgrund der Küchendämpfe und der ständig schwankenden Temperaturen nicht immer ideal. Es gibt jedoch Pflanzen, die die Wärme und Feuchtigkeit einer Küche mögen. Sehr dekorativ wirken auch Trockenblumen und Schalen mit Kürbissen, Früchten oder Gemüsen, doch dürfen sie nicht im Weg stehen. Ebenso lassen sich Fensterbänke nutzen, doch müssen hier die Pflanzen – sofern die Fenster nur einfach verglast sind – im Winter nachts vor Kälte geschützt werden. Eine weitere Möglichkeit bieten Ampeln.

Kräftige Primärfarben (links)
Leuchtendgelbe Chrysanthemen wurden hier mit Erdbeeren, Zitronen, Paprika und Tomaten zusammengestellt, um die in Primärfarben gehaltene Einbauküche farblich zu ergänzen. Durch die unten an den Hängeschränken angebrachten Leuchtröhren erhält der Strauß Licht.

Stilvolle Atmosphäre (unten)
Hier fallen vor allem Kupfertöpfe, Holzlöffel und Körbe ins Auge, die zu der stilvollen Atmosphäre beitragen, dennoch bilden die weißen Tulpen (*Tulipa* sp.) den Mittelpunkt.

Praktisch und dekorativ (links)
Auf der Fensterbank befinden sich verschiedene Gebrauchsgegenstände, die in eine rustikale Küche gehören. Über dem Fenster hängen aufgereiht trockene Kräuter, die sowohl einen praktischen wie dekorativen Zweck erfüllen. Die Obstschale und das Alpenveilchen (*Cyclamen persicum*) auf der Fensterbank tragen zur warmen, anheimelnden Atmosphäre dieses Raumes bei.

Zwanglose Gemütlichkeit (links)
Diese Frühstücksecke wird durch einen lockeren Strauß aus Gartenblumen, Laub und Gräsern belebt. Ein Philodendron (*Philodendron scandens*) hängt dekorativ über Borde, in denen blauweißes Geschirr steht. Diese Pflanze mag es warm und feucht, da sie aus dem tropischen Regenwald stammt.

Gittermuster (rechts)
In dieser Küche mit High-Tech-Charakter wurden über der Spüle Drahtgitter angebracht, an denen Küchenutensilien aufgehängt werden können. Vor dem Fenster sind Gitter für Kletterpflanzen befestigt, denen hier die Helligkeit zugute kommt, ohne daß sie im Weg stehen. Das Muster der Gitter wiederholt sich auch im Wand- und Fußbodenbelag, allerdings werden die strengen Linien dieses Raumes durch die üppig wuchernden Pflanzen durchbrochen.

Nutzung einer hohen Decke (rechts)
Ist die Decke einer großen, hohen Küche nicht zuviel Küchendampf ausgesetzt, dann ist sie ein idealer Platz, um an ihr Sommerblumen und Kräuter zum Trocknen aufzuhängen. Bei hohen Decken lassen die Sträuße den Raum wohnlicher erscheinen, ohne daß sie beim Arbeiten im Weg sind. In dieser rustikalen Küche komplettieren Körbe, Bambusrollos und ein Vogelkäfig das schlichte Kiefernholzinventar.

Küchen 2

In einer kleinen Küche kann die dringend benötigte
Arbeitsfläche zwar nicht als Stellplatz für Pflanzen benutzt
werden, doch wäre es schade, ganz auf sie zu verzichten.
Hier ein paar Ratschläge, Pflanzen raumsparend, aber
dekorativ zu plazieren.

Nutzung einer freien Wand (rechts)
Man hängt Töpfe und Küchenutensilien auf, warum nicht auch
Pflanzen! Ein an der Wand befestigtes, kunststoffummantel-
tes Gitter eignet sich ausgezeichnet, um daran Töpfe mit einem
Sortiment Küchenkräuter aufzuhängen.

Begrünter Eßplatz (oben)
Dieser Eßbereich wird durch
einen Kanarischen Efeu (Hedera canariensis) belebt. Das
Weiß der Einrichtung läßt das
grüne Laub gut zur Geltung
kommen.

Eine Küchenecke (unten)
Mehrere Zimmerpflanzen,
darunter ein üppiger Schwertfarn (Nephrolepis exaltata
›Bostoniensis‹), schmücken
diese Küche, ohne die Arbeits-
fläche einzuschränken.

Tellerbord mit Pflanzenschmuck

Blauweißes Porzellan auf einem Tellerbord in einer rustikalen Küche ist immer ein attraktiver Anblick, mitunter aber etwas nüchtern. Für häufig benutzte Küchenutensilien sind die Borde etwas zu schmal, doch für dekorative Gegenstände eignen sie sich gut. Auch Pflanzen finden hier einen idealen Platz, sofern sie genügend Licht bekommen und richtig gegossen werden.

Die Umgebung (unten)
Die weiße Wand hinter der Anrichte wirkt nüchtern und gewinnt durch platzfüllende Elemente. Eine willkürliche Auswahl von Pflanzen würde in dieser Küche jedoch eher störend wirken.

PFLANZENSCHLÜSSEL

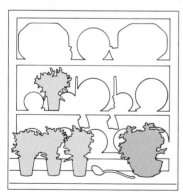

PFLANZEN   **Korallensträucher**
Kleinklima 4
Kühl, sonnig

Das Arrangieren der Pflanzen
Die orangefarbenen Früchte dieser Korallensträucher (*Solanum capsicastrum*) sorgen für einen farblichen Kontrast, ohne von der Porzellansammlung abzulenken.

Die Küchengestaltung
(oben)
Üppige Korallenkirschen mit roten Beeren und kräftigem grünen Laub wirken in dieser bäuerlichen Küche warm und belebend.

Plazierung und Pflege (links)
Diese kleine Pflanze entwickelt zunächst unscheinbare Blüten, denen später auffällige Früchte folgen. An einem kühlen Platz bleibt sie bis zu zwei Monate schön. Da sie feuchte Luft benötigt, sollte man sie täglich besprühen und außerdem jeden Tag mehrere Stunden an einen sonnigen Platz stellen.

Schlafzimmer 1

Das Schlafzimmer ist der persönlichste Bereich, bei dessen Gestaltung Sie Ihrer Phantasie freien Lauf lassen können. Eine liebevolle Note erhält auch ein Gäste-zimmer, wenn der Besucher darin mit einem Arrangement frischer oder getrockneter Blumen empfangen wird. Auch dabei stehen praktische Überlegungen im Vordergrund.

Ausgewogene, kräftige Farben (unten)
Dieses extravagante Schlaf-zimmer ist in kräftigen Farben gehalten. Eine Kombination aus künstlichen Tulpen und einer hohen *Euphorbia pseudocactus* unterstreicht die Gesamtwirkung.

Schlafzimmer im Stil der Art deco (rechts)
Auf einem Keramikständer, der sowohl mit der Art deco wie mit dem Blumenorna-ment der Gardine harmoniert, steht eine große Blattpflanze. Sockel wie dieser dürfen nicht im Weg stehen.

Nostalgisches Ambiente (links)
In einem mit Trockenblumen geschmück-
ten Spiegel ist ein behaglich eingerich-
tetes Schlafzimmer zu sehen. Um die
Messingpfosten des Bettes ranken sich
Girlanden aus künstlichen Rosen.

Ein Zimmer ganz in Weiß (unten)
In einer sonnigen Ecke dieses luftigen
Schlafzimmers befindet sich eine herrli-
che, große Birkenfeige (*Ficus benjamina*).
Das üppige Grün bringt das helle, geräu-
mige Zimmer erst voll zur Geltung.

Schlafzimmer 2

Ergänzung eines Bildes (oben)
Die antike Kommode ist ein herrlicher Platz für diese Cinerarie (*Senecio*-Cruentus-Hybride). Auf subtile Weise ergänzt die Pflanze das Motiv des darüberhängenden Bildes.

Eine begrünte Zimmerecke (oben)
Die Lichtverhältnisse in dieser »grünen« Ecke sind durch das hereinflutende Sonnenlicht ideal. Die Gruppierung erinnert an einen kleinen Wintergarten.

Ein Platz für künstliche Blumen (links)
Manche Menschen reagieren auf Pflanzen oder frische Blumen im Schlafzimmer allergisch. In diesem Fall kann man auch künstliche Blumen verwenden, wie diese lose arrangierten Vergißmeinnicht. Bemalte Körbe wie der auf dem Foto eignen sich besonders für ländlich eingerichtete Schlafzimmer.

Harmonische Farbgestaltung (rechts)
In diesem mit großer Sorgfalt ausgestatteten Zimmer steht eine Vase mit getrockneten Lampionblumen (*Physalis franchetii* › Gigantea ‹) auf dem Sims eines Kamins. Sie trägt mit dazu bei, daß der Kamin der Mittelpunkt des Raumes ist. Die grünen und roten Lampionblumen harmonieren vollkommen mit den sehr auffälligen Mustern der Wände und Textilien.

Ein romantisches Schlafzimmer (rechts)
In einer Vase arrangierter Flieder (*Syringa sp.*), dessen weißgerahmtes Spiegelbild hier zu sehen ist, erfüllt mit seinem Duft ein in zarten Farben gehaltenes Schlafzimmer. Eine besonders gelungene Ergänzung zu den blütenweißen Kissen und der rosa-weiß gemusterten Tapete. Je nach Saison verwendet man anstelle von Flieder andere Blumen.

Badezimmer 1

Die entspannende Atmosphäre eines Badezimmers kann durch einzelne Pflanzen oder
Arrangements ganz individuell gefördert
werden, wenn man die Pflanzgefäße passend
zu den sanitären Anlagen des Badezimmers
auswählt. Vorausgesetzt, der Raum ist hell
genug, bietet ein Badezimmer einer ganzen
Reihe von Pflanzen fast ideale Wachstumsbedingungen, denn im allgemeinen ist es dort
warm, und es herrscht eine hohe Luftfeuchtigkeit. Nach Benutzung des Bades oder
der Dusche hält die hohe Luftfeuchtigkeit
durch trocknende Handtücher und verdun-
stendes Spritzwasser noch längere Zeit an.
Die Helligkeit wird durch Mattglasfenster
kaum beeinträchtigt; sie verwandeln pralle
Sonne in helles, indirektes Licht.

Ein kleiner Dschungel (oben)
Dieses originelle Badezimmer bietet
einem großen Fensterblatt (*Monstera deliciosa*) einen schönen Standort. Farblich
bildet die Pflanze einen hübschen Kontrast zu der Oldtimer-Badewanne.

Fernöstlicher Stil (links)
Die klaren weißen und schwarzen Linien
und Flächen erinnern an japanisches
Design. Das zarte Laub des Zypergrases
(*Cyperus alternifolius*) kommt auf der
Fensterbank optimal zur Geltung.

Ein Badezimmer voller Düfte (rechts)
Ein elegantes Badezimmer, in dem
zwei herrlich duftende Gardenien (*Gar-
denia sp.*) den Rand der Badewanne
schmücken.

Begrenzt haltbarer Pflanzenschmuck
(unten)
Eine Pflanze wie die Schmucklilie
(*Agapanthus campanulatus*) in diesem
Badezimmer, in dem es kein natürliches
Licht gibt, muß zwar alle drei Wochen
etwa ausgewechselt werden, aber
sie ist eine wundervolle Ergänzung des
Interieurs.

Schnittblumen im Badezimmer (links)
Das frische Rosa, Grün und Weiß dieses Badezimmers wird von den Schnittblumen auf dem Badewannenrand und am Fenster fortgeführt.

Ein kleines Badezimmer (rechts)
Spiegel sind hervorragende Mittel, um kleine Badezimmer größer erscheinen zu lassen, vor allem aber kommen Grünpflanzen doppelt gut zur Geltung.

Badezimmer 2

Obwohl in Badezimmern im allgemeinen wenig Platz ist, gibt es dennoch verschiedene Möglichkeiten, sie mit Pflanzen zu verschönern. So entstehen hübsche Stilleben, wenn mehrere kleine Pflanzen zwischen Seife und Zahnpasta gestellt werden. Aufregendere Effekte jedoch lassen sich nur mit großen Pflanzen erzielen.

Borde (rechts)
Farne lieben die Feuchtigkeit eines Badezimmers, und kleine, die Wanne oder das Becken flankierende Borde sind ein idealer Platz für sie.

Einfacher, ländlicher Stil (oben)
In diesem Badezimmer befindet sich hinter der Wanne ein Wandvorsprung, auf dem zu beiden Seiten Pflanzen aufgestellt wurden. Dieser eher nüchterne Raum wird dadurch sehr belebt.

Natur und Kunst (links)
Diese zwei exquisit gefärbten Tulpen stehen in einer eleganten Vase vor der bemalten Wand eines Badezimmers.

Ein Bad voller Blumen (oben)
Neben Blumenmustern auf Vorhang und Wänden wurde das Bad mit vielen kleinen Blumen und Topfpflanzen geschmückt.

Luftpflanzen in der Nische eines Badezimmerfensters

Luftpflanzen in einem Badezimmer bieten einen faszinierenden Anblick. Zu dieser Gruppe gehören vor allem Bromelien, die in den tropischen Gegenden Amerikas heimisch sind, wo sie auf Felsen und Bäumen wachsen. Ihre Wurzeln bieten nur Halt, Wasser nehmen sie aus der Luft auf. Sie müssen täglich besprüht werden.

Das Arrangieren der Pflanzen
Einzelne Luftpflanzen schön zu plazieren ist schwierig, deshalb setzt man am besten mehrere Exemplare zusammen. Eine Sammlung von Muscheln und Korallen bietet den Pflanzen dekorativen Halt und läßt den Eindruck einer Unterwasserwelt entstehen.

Die Umgebung (unten)
Luftpflanzen mögen die feuchte Luft von Badezimmern und sind trotz ihres zarten Aussehens sehr anspruchslos.

PFLANZENSCHLÜSSEL

Tillandsia butzii

Tillandsia bulbosa
Tillandsia ionantha

Tillandsia ionantha

Tillandsia argentea

Tillandsia bulbosa

**PFLANZEN
Kleinklima 1**
Warm, sonnig

Tillandsia juncea

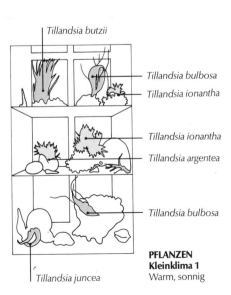

Einzelheiten des Arrangements (links und oben)
Auf Korallen, Muscheln, Holzstücken, Kork oder Mineralien wachsende Pflanzen wie die hier abgebildeten haben etwas Magisches. Neben den klaren Formen der Muscheln und Korallen kommen die zarten, graugrünen Blätter gut zur Geltung. Die Gewächse in die Muscheln setzen oder vorsichtig auf ihnen festbinden. Man kann zunächst auch einen in Fachgeschäften erhältlichen Spezialkleber verwenden, nach einiger Zeit finden die Wurzeln selbst Halt.

Dielen und Eingänge 1

Dielen und Eingänge vermitteln die ersten Eindrücke, wenn man ein Haus betritt. Dekorativ ausgestattet, können sie wohnlich und für den Besucher einladend wirken. Ihre Gestaltung ist deshalb sehr wichtig. Leider sind in diesem Wohnbereich die Lichtverhältnisse häufig schlecht und die Temperaturen schwanken. In diesem Fall sollte man für solche Standorte sehr anspruchslose Gewächse wählen. Geeignet sind dann beispielsweise

Schusterpalmen (*Aspidistra elatior*) und Bogenhanf (*Sansevieria trifasciata*). Man sollte die Pflanzen aber so aufstellen, daß sie beim Vorübergehen nicht ständig gestreift werden, denn das verträgt keine Pflanze.
Wo nur wenig Platz ist, kann durch gut plazierte Spiegel eine geräumigere Wirkung erzielt werden. In dunklen Fluren und Eingangsbereichen sind vor allem getrocknete Blumen und Laub empfehlenswert.

Dekoration einer großen Eingangshalle (oben)
Die schmucklosen Ziegelwände dieser Eingangshalle werden reizvoll belebt durch einen großen Strauß Rotbuchenlaub, dessen warme Farben mit den gedämpften Tönen der Ziegel herrlich harmonieren. Eine Schale mit Kürbissen läßt einen prächtigen alten Tisch erst richtig zur Geltung kommen.

Grüner Rahmen für eine Tür (links)
Zwei kräftige Riesenpalmlilien flankieren die Tür, die in einen Wintergarten führt. Herabrankendes Laub sorgt für einen einladenden Übergang zwischen den Räumen.

Ein aufregender Mittelpunkt (rechts)
Ein großartiger Geweihfarn (*Platycerium bifurcatum*) beherrscht das Zentrum dieser Eingangshalle. Der darunterstehende große Topf fängt Tropfwasser auf.

Dielen und Eingänge 2

Ist ein Flur groß genug für eine einladende Gestaltung,
dürfen Pflanzen und Blumenarrangements nicht fehlen.
Aber selbst da, wo der Flur nur ein Verbindungsgang
ist, gibt es allerlei Möglichkeiten, mit Pflanzenschmuck die
Aufmerksamkeit eines Vorbeigehenden zu wecken.
Wo tatsächlich kein Platz ist, kann man eine Girlande
aufhängen. Dazu werden in ein vorgeformtes Drahtgeflecht getrocknete Blüten gewunden. Auch Kränze
wirken hübsch und festlich, vor allem in der Oster- oder
Weihnachtszeit.

Spiegeleffekte (oben)
Der große Spiegel über dem
Wandtisch verdoppelt die
Wirkung der Pflanzen – ein
Drachenbaum (*Dracaena
marginata*) und ein Königswein
(*Cissus rhombifolia*) –
und läßt den Flur größer und
heller erscheinen.

Eine Spiegelkonsole (rechts)
Eine hübsche Marmorkonsole
ist ein idealer Platz für ein
Trockenarrangement aus Rosen und Gräsern. Auch hier
bringt der hohe Spiegel mit
dem Arrangement den win-
zigen Flur optimal zur
Geltung.

Kahle Flächen (links)
Da es in einem Flur
meist kühler ist als in
einem Wohnzimmer,
halten Schnittblumen in
der Regel dort länger.
In diesem Flur eines
Landhauses dient ein
großer, schlichter Strauß
aus Taglilien (*Hemero-
callis sp.*) und Fenchel
(*Foeniculum sp.*) dazu,
den Raum mit der kah-
len, weißgetünchten
Wand freundlich zu ge-
stalten. Die Blumen
stehen auf einem wun-
derschönen Intarsien-
schränkchen und führen
die warmen Farben des
Polsterstoffes fort. Da-
durch wirkt der Flur ge-
mütlich und einladend.

Winterarrangement für einen Flur

In der recht reizlosen Ecke dieses
Flurs steht vor einem selten benutz-
ten Schrank aus Kiefernholz ein fas-
zinierendes winterliches Blumen-
gesteck. Neben roten und gelben
Chrysanthemen, gelben Freesien,
Narzissen und Jasmin wurden auch
Beeren und immergrüne Pflanzen
verwendet, die das Gesamtbild auflockern. Als Gefäß dient eine Rührschüssel, in die ein großes Stück
Steckschwamm eingepaßt wurde.

Die Umgebung (oben)
Diese Ecke des Flurs erhält seitlich viel Licht. Auch kann das Wasser
im Pflanzgefäß problemlos aufgefüllt
werden. Das honigfarbene Kiefernholz bildet einen hübschen Hintergrund für das Arrangement, dessen
dreieckige Silhouette die vielen
senkrechten Linien dieses Bereiches
durchbricht.

Das Arrangieren des Gestecks

Für den dreieckigen
Umriß wurden kräftige
Mahonienzweige ge-
wählt und dann große
Chrysanthemen hinzu-
gefügt. Außen befinden
sich gelbe, im Zentrum
bronzefarbene Chry-
santhemen. Jasmin-
zweige, Freesien und
immergrünes Laub
geben dem Arrange-
ment Fülle.

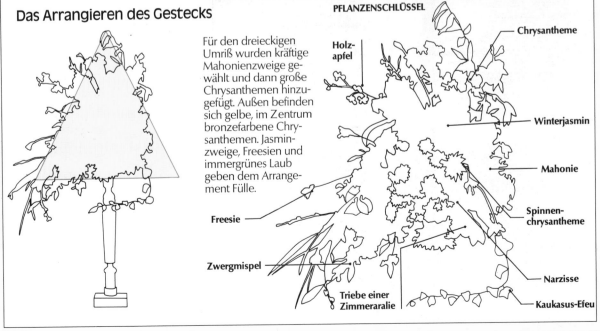

PFLANZENSCHLÜSSEL

- Holz-apfel
- Chrysantheme
- Winterjasmin
- Mahonie
- Spinnen-chrysantheme
- Freesie
- Narzisse
- Zwergmispel
- Kaukasus-Efeu
- Triebe einer Zimmeraralie

151

Treppen und Treppenhäuser

Treppenaufgänge wie Treppenhäuser lassen sich wundervoll mit Pflanzen gestalten. Da sie jedoch kalt und zugig sein können, müssen hier besonders widerstandsfähige Pflanzen gewählt werden.

Die Stufen selbst sollten in der Regel frei bleiben, doch vielleicht ist ein Absatz vorhanden, auf dem eine große Solitärpflanze oder eine Gruppe kleinerer Pflanzen Platz hat. Wenn sich in der Mitte des Treppenhauses ein Schacht befindet, durch den sogar etwas Tageslicht fällt, kann dieser im allgemeinen ungenutzte Raum durch eine große aufrechtwachsende Pflanze oder ein kletterndes Gewächs begrünt werden. Fensterbänke an Treppenabsätzen und Oberlichte sind Lichtquellen, an denen Pflanzen gut gedeihen. So kann zum Beispiel am Rahmen eines Oberlichtes eine große Ampel angebracht werden, in der Pflanzen wie Tradeskantien (*Tradescantia sp.*), Grünlilien (*Chlorophytum sp.*) und Harfensträucher (*Plectranthus parviflorus*) wachsen. Und bald werden die dekorativen Triebe dieser Pflanzen mehrere Meter herabhängen.

Einen Treppenabsatz gestalten (links)
Der helle und breite Treppenabsatz ist wie ein kleines Zimmer eingerichtet, und zwar im viktorianischen Stil, der durch zwei identische Vasen mit hohem Pampasgras (*Cortaderia sp.*) besonders hervorgehoben wird. Unterstrichen wird das Ambiente noch durch die Grünpflanzen, die den unteren Teil des Fensters umranken.

Großzügige Gestaltung eines Treppenabsatzes (rechts)
Diese prachtvolle Treppe führt auf einen breiten Absatz, der vor einem großen Erkerfenster einer riesigen Bananenstaude (*Musa sp.*) und mehreren großen Grünpflanzen Platz bietet. Sehr effektvoll ist vor allem das durch die unterschiedlich geformten Blätter entstehende Schattenspiel.

Ein dekoriertes Oberlicht
Aufgehängte Pflanzen beherrschen diesen im edwardianischen Stil ausgestatteten Treppenabsatz, der durch ein großes Oberlicht erhellt wird. Die diesem Stil entsprechende Üppigkeit der Pflanzen, zu denen Grünlilien (*Chlorophytum sp.*) und Farne (*Nephrolepis sp.*) gehören, wird von einem Wandspiegel verdoppelt.

Grüne Kaskaden
Auf dieser schlichten Steintreppe wachsen zahlreiche Grünpflanzen, dennoch wirkt sie offen und geräumig. Den unteren Treppenabsatz beherrscht ein großartiger Schwertfarn (*Nephrolepis cordifolia*), während von der oberen Etage Königswein (*Cissus rhombifolia*) herabrankt, dessen Konturen durch das Oberlicht betont werden.

Blumen auf einer Treppe
Eine unauffällige Ecke auf der Treppe wird durch einen schlichten Strauß Gartenblumen zum Blickfang. Die Blumen werden von der Seite her beleuchtet und bilden ein Gegengewicht zu dem darüberhängenden Bild. Farblich passen sie sich den Tönen der Umgebung an.

Sonnige Räume und Wintergärten 1

Eine moderne Glasveranda ist ein Ort, an dem man sich entspannt und dessen Wärme man genießt und der gleichzeitig ideale Bedingungen für Pflanzen bietet. Pflanzenliebhaber können einen solchen Raum in einen kleinen Dschungel verwandeln, aber auch mit wenigen, gut plazierten Pflanzen lassen sich wirkungsvolle Effekte erzielen.

Räume wie dieser bieten Pflanzen die notwendige Helligkeit, Belüftung und Feuchtigkeit sowie ausreichend Platz, um sich auszubreiten. Sofern im Winter vorsichtig gewässert wird, kann man auch in einem Raum mit nur 10°C viele Pflanzen halten. Da Wintergärten viel Sonne bekommen, sind meist Rollos oder Jalousien zur Temperaturregelung erforderlich.

Eine Eßecke mit Pflanzen (rechts)
Dieser verandaähnliche Anbau wirkt hoch und luftig, einen Anschein, den die verhältnismäßig wenigen Pflanzen erwecken, die die strengen Linien dieses Wohnbereichs auflockern. Die Mehrzahl der Pflanzen steht auf an Wänden befestigten taillenhohen Borden, und in einer der Ecken befindet sich ein Gummibaum (*Ficus elastica*).

Eine Sonnenveranda (unten)
Dieser grandiose Raum muß auch im Winter verhältnismäßig warm sein, damit die tropischen Pflanzen nicht eingehen. Für die Fenster ist eine Doppelverglasung erforderlich, damit über die großen Glasflächen nicht zu viel Wärme verlorengeht. In Töpfen, Körben und speziell angefertigten Ziegeltrögen wachsen riesige Pflanzen. Ein an der Decke aufgehängter Lattenrost für Pflanzen kann zur Pflege heruntergelassen werden.

Ein eleganter Wintergarten (unten)
Dieser Raum mit den geschmackvoll verglasten Wänden bietet neben einer Reihe von Blütenpflanzen auch einem Zitrusbaum ideale Bedingungen. Farbakzente setzen eine Poinsettie und ein Weihnachtskaktus.

Begrünter, sonniger Raum (oben)
Durch die gläserne Schiebetür tritt man aus dem Wohnzimmer in einen Raum mit einem weißen Holzfußboden. Unter den Pflanzen befinden sich eine Dieffenbachie und ein üppiger Kastanienwein.

Sonnige Räume und Wintergärten 2

Fensterbank in einem Wintergarten (oben)
Hier kommt eine Gruppe von Fleißigen Lieschen (*Impatiens sp.*)
durch bunte Glasvasen zur Geltung.

Eine sonnige Fensterbank (links)
Diese Fensterbank erhält den ganzen Tag über sehr viel Licht,
deshalb wurden Fächer aufgestellt, um das Alpenveilchen und die
Clivie vor zu starker Sonne zu schützen. Die kleinen Kakteen
fühlen sich dagegen in der Sonne sehr wohl.

Dekoration einer Zimmerecke (rechts)
Ein buntes Allerlei an Pflanzen schafft in dieser hellen Ecke
die Atmosphäre eines Wintergartens. Auf dem Tisch stehen Lilien,
Blattfahnen und Efeu. Eine Bodenvase mit Riesenlauch
und ein Korb mit weißen Chrysanthemen vervollständigen das
Arrangement.

Pflanzenvielfalt in einem rustikalen Raum (unten)
Mindestens zehn verschiedene Arten von Grünpflanzen
schmücken dieses verandaähnliche Zimmer. Das grüne Laub
bildet einen lebhaften Kontrast zum Ockerbraun der Wände.

Ein Platz für Kräuter (links)
Ein heller, kühler Wintergarten eignet sich gut für Kräuterkulturen. Hier bilden Wilder Fenchel (*Foeniculum vulgare*), Schnittlauch (*Allium schoenoprasum*), Mutterkraut (*Chrysanthemum parthenium*), Petersilie (*Petroselinum crispum*) und Frauenmantel (*Alchemilla vulgaris*) eine dekorative Pflanzengruppe mit unterschiedlichen Blattfärbungen.

Grüner Hintergrund (rechts)
Der Pflanzenvorhang hinter diesem Torbogen bildet einen sehr reizvollen und einladenden Übergang vom Innern des Hauses zum Wintergarten.

·6·
Pflanzen-Ratgeber

Mit dem Pflanzen-Ratgeber soll Ihnen ein Verzeichnis an die Hand gegeben werden, in dem Sie die vielen verschiedenen Pflanzen finden, die sich für das Haus eignen. Neben Schnittblumen, Laub und allen Arten von Trockenblumen beinhaltet es etwa 150 der beliebtesten Zimmerpflanzen. Alle sind auf Farbfotos abgebildet, und die Beschreibungen umfassen Tips zur Verwendung sowie Pflegeanleitungen. Letztere werden durch leicht verständliche, einprägsame Symbole ergänzt.

Für Zimmerpflanzen geben die Symbole Licht-, Temperatur-, Wasser- und Luftfeuchtigkeitsbedarf sowie den Schwierigkeitsgrad der Pflege an. Die einzelnen Kapitel wurden nach Wuchsformen unterteilt, um die dekorativen Möglichkeiten überschaubarer zeigen zu können. Darüber hinaus enthält dieses Verzeichnis Angaben über die voraussichtliche Größe einer jeweils vollentwickelten Pflanze. Wo es sinnvoll erschien, wurden außerdem andere Arten der gleichen Gattung mit ähnlicher Wuchsform aufgenommen und kurz beschrieben. Die von jeder Pflanze benötigte Lichtmenge und Wärme ist unter dem Stichwort »Kleinklima« angegeben. Mit Hilfe dieses Systems können Sie auf einen Blick feststellen, welche Pflanzen die gleichen Wachstumsbedingungen stellen, das heißt, welche Spezies mit aufrechtem Wuchs sich beispielsweise für einen warmen, sonnigen Platz oder einen warmen, schattigen Standort eignet. Auf diese Weise wird es Ihnen leichtgemacht, unter verschiedenen Pflanzen die richtige für einen bestimmten Standort auszuwählen.

Die Wahl der Pflanzen und Blumen

Pflanzen werden in einer unüberschaubaren Vielfalt von Formen, Größen und Farben angeboten, und je nach Herkunft erfordern sie sehr unterschiedliche Wachstumsbedingungen. Um die richtigen Pflanzen auswählen zu können, müssen Sie sich mit ihren dekorativen Eigenschaften und Pflegeansprüchen vertraut machen.

Benutzung des Pflanzen-Ratgebers

Um das Nachschlagen zu erleichtern, wurde der Pflanzen-Ratgeber in drei Teile gegliedert: in einen für Zimmerpflanzen, einen für Schnittblumen und einen für Trockenpflanzen.

Der Zimmerpflanzen-Ratgeber umfaßt 150 Farbfotos der populärsten Zimmerpflanzen mit jeweils detaillierter Beschreibung. Diese Beschreibungen wurden im großen und ganzen acht Gruppen zugeordnet, die auf den unterschiedlichen Wuchsformen beruhen. Diese einzelnen Gruppen wiederum wurden nach Form und Größe der Blätter gegliedert. Als großblättrig gelten Pflanzen, deren Blätter 15 cm Länge und mehr haben, bei kleinblättrigen Pflanzen liegt die Länge darunter. Zusammengesetzte Blätter bestehen aus zwei oder mehr Einzelsegmenten. Darüber hinaus enthält der Ratgeber Abschnitte, die Zwiebelblumen, Kakteen und Sukkulenten behandeln, die ebenfalls nach Wuchsformen geordnet wurden. Am Ende des Zimmerpflanzenteils befindet sich ein Farbführer mit einer Auswahl blühender Zimmerpflanzen, der das gesamte Farbspektrum von Weiß bis Violett umfaßt, sowie, in tabellarischer Übersicht, ein Jahreszeitenführer, der die ungefähren Blüte- und Fruchtzeiten der Zimmerpflanzen angibt. Dabei muß berücksichtigt werden, daß Blüte- und Fruchtzeiten regional sehr verschieden sein können.

Im Schnittblumen-Ratgeber wurden Angaben nach Jahreszeiten, beim Laub nach Farben geordnet.

Sie informieren über das jeweilige Pflanzenmaterial sowie über dessen Verwendung und Behandlung. 85 der 100 Eintragungen sind farbig illustriert. Der Trockenpflanzen-Ratgeber wiederum ist unterteilt in nach Farben geordnete Blumen und in Typengruppen zusammengefaßter Trockenmaterialien. Insgesamt sind 65 Arten abgebildet und hinsichtlich Art, Verwendung und Präparierung erläutert.

Alle drei Ratgeber werden zusätzlich durch informative Symbole ergänzt.

Musterseiten

Zimmerpflanzen-Ratgeber

Die Pflanzen sind nach Wuchsform und Eigenschaften des Laubes gegliedert. Eine Einleitung informiert jeweils über die wichtigsten Charakteristiken der Pflanzengruppe. Jede Pflanze ist farbig illustriert, die Symbole werden durch einen Schlüssel erklärt.

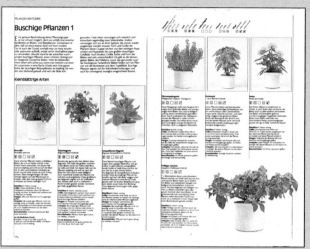

Deutscher oder allgemein üblicher Name ist **fettgedruckt**; botanische Bezeichnungen (Gattung und Art) *kursiv*.

Beschreibung dekorativer Eigenschaften und Verwendungsmöglichkeiten.

Angaben beziehen sich auf im Handel erhältliche Größen sowie Größe jeder ausgewachsenen Pflanze.

Unter **Düngen** steht, wie oft und mit was gedüngt werden soll.

Für das **Umtopfen** sind Zeitpunkt und geeignetes Pflanzsubstrat angegeben.

Symbole stehen für die Wachstumsbedingungen jeder Pflanze wie Temperatur, Licht, Luftfeuchtigkeit, Wässern und besondere Pflege.

Unter **Kleinklima** ist mit einem Blick die Pflanzenkategorie zu erkennen, das heißt, welche Pflanzen passen zu der hier beschriebenen.

Der Punkt **Besonderheiten** informiert über besonders zu beachtende Eigenschaften.

Soweit geeignet, werden hier Arten der gleichen Gattung und ihre spezifischen Eigenschaften genannt.

Bedeutung der Symbole

Zimmerpflanzen-Ratgeber

Temperatur

Kühl mit Winterruhe: Die Pflanzen sollten von Frühjahr bis Herbst bei 10 bis 15°C und im Winter bei 7 bis 10°C gehalten werden.

Kühl: Die Pflanzen sind in einem kühlen Klima heimisch und sollten bei 10 bis 15°C gehalten werden.

Warm: Die Pflanzen sind in einem warmen Klima heimisch und sollten bei einer Temperatur zwischen 15 und 21°C gehalten werden.

Licht

Sonnig: Standorte nahe einem Süd-, Ost- oder Westfenster mit direkter Sonne.

Indirekte Sonne: Die Sonne wird durch einen transparenten Vorhang, eine Jalousie oder einen Laubbaum vor dem Fenster gefiltert.

Schattig: Standorte nahe einem Nordfenster oder neben Ost- und Westfenstern ohne direkte oder indirekte Sonne.

Luftfeuchtigkeit

Niedrig: Der Wassergehalt der Luft sollte durchschnittlich 30 bis 40% betragen.

Nur wenige Pflanzen kommen mit geringerer Luftfeuchtigkeit aus.

Mittel: Der Wassergehalt der Luft sollte durchschnittlich bei 60% liegen.

Hoch: Der Wassergehalt der Luft sollte durchschnittlich bei 80% liegen.

Wässern

Wenig: Das gesamte Pflanzsubstrat wird kaum befeuchtet und sollte vor dem nächsten Gießen vollkommen trocken sein.

Mäßig: Das gesamte Pflanzsubstrat wird durchfeuchtet, doch vor dem nächsten Gießen sollten die oberen 2 cm trocken sein.

Schnittblumen-Ratgeber

Schnittblumen und Fruchtstände wurden nach Jahreszeiten gegliedert, Schnittgrün nach Blattfärbung. In einem Kasten sind weitere geeignete Pflanzen aufgezählt. Ein Schlüssel erklärt die im Ratgeber verwendeten Symbole.

Trockenpflanzen-Ratgeber

Die Trockenpflanzen wurden nach Farbe oder Typ geordnet. Eine Einleitung zu jedem Abschnitt beschreibt die Fülle des verfügbaren Materials und macht Vorschläge für die Verwendung mit zahlreichen Farbabbildungen. Ein Schlüssel erklärt die verwendeten Symbole.

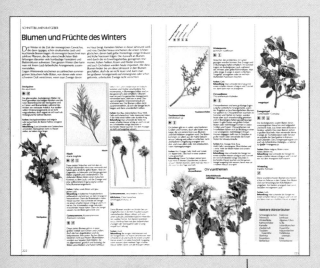

Deutscher oder allgemein üblicher Name ist **fettgedruckt**; botanische Bezeichnungen (Gattung und Art) *kursiv.*

Die Symbole zeigen besondere Eigenschaften an, ob die Blumen duften, haltbar und vielseitig verwendbar sind oder sich zum Trocknen eignen.

Beispiele, wie man Blumen und Laubarten verwendet und mit welchen Pflanzen sie harmonieren.

Farbenangebot (nur bei Blumen)

Anleitung für die Behandlung von Blumen und Laub.

Deutscher oder allgemein üblicher Name ist **fettgedruckt**; botanische Bezeichnungen (Gattung und Art) *kursiv.*

Hinweise auf dekorative Eigenschaften und verfügbare Farben.

Symbole für geeignete Trockenmethoden.

Reichlich: Das Pflanzsubstrat muß einschließlich der Oberfläche ständig feucht gehalten werden und darf nie austrocknen.

Pflege

Problemlos: Als problemlos bezeichnete Pflanzen gedeihen schon bei einem Minimum an Pflege.

Relativ einfach: Pflanzen dieser Kategorie erfordern die üblichen Pflegemaßnahmen sowie Beachtung individueller Wachstumsbedingungen.

Anspruchsvoll: Diese Pflanzen erfordern Fingerspitzengefühl und genaue Beachtung ihrer Umwelt- und Pflegeansprüche.

Schnittblumen-Ratgeber

Haltbar: Blumen oder Blätter, die nach dem Schneiden besonders lang schön bleiben.

Vielseitig verwendbar: Blumen und deren Laub, die sowohl getrennt wie zusammen für alle Arten von Arrangements verwendet werden können.

Duftend: Blumen mit angenehmem Duft.

Zum Trocknen geeignet: Blumen, Fruchtstände oder Laub, die getrocknet und für Arrangements verwendet werden können.

Trockenpflanzen-Ratgeber

Lufttrocknen: Das Pflanzenmaterial wird auf natürlichem Weg getrocknet.

Haltbarmachung mit Glyzerin: Die Glyzerinlösung wird von den Pflanzenzellen aufgenommen und macht Zweige und Blätter haltbar.

Konservierung mit Trockenmitteln: Trockenmittel wie Borax entziehen dem Pflanzenmaterial die Feuchtigkeit. Es wirkt auch im getrockneten Zustand wie frisch.

Pressen: Mechanische Methode, um Blätter oder Blumen durch Druck zu konservieren. Sie verändern dabei ihre ursprüngliche Form.

Aufrechtwachsende Pflanzen 1

Diese Pflanzen haben eine sehr ausgeprägte Wuchsform. Größenmäßig variieren sie von den baumartigen Crotons und großblättrigen Gummibäumen bis hin zu relativ kleinwüchsigen Arten wie Kanonierblumen und Maranten. Manche Pflanzen in dieser Gruppe, die baumartig wachsen, wie beispielsweise die Drachenlilie, haben einen unverzweigten Stamm, auf dem oben ein Blattschopf sitzt. Andere, wie etwa Fingeraralie und Zimmertanne, bilden aufrechte, sich in Abständen verzweigende Stämme aus. Nicht alle aufrechtwachsenden Pflanzen entwickeln Stengel oder Stämme. So hat der Bogenhanf keinen Stamm, sondern schiebt seine Blätter direkt aus der Erde. Viele aufrechtwachsende Pflanzen, die normalerweise für Zimmer zu groß wären, können kleiner und buschiger gezogen werden, indem man die Triebspitzen ausknipst und Seitentriebe ungehindert wachsen läßt. Hier bietet der Gummibaum ein schönes Beispiel. Die Blattformen innerhalb dieser Gruppe sind sehr unterschiedlich, und die Blattgröße reicht von 1,5 bis über 60 cm. Darüber hinaus gibt es einige wunderschön blühende Pflanzen darunter, wie zum Beispiel die großartige Paradiesvogelblume und die zarte Schönmalve. Bei dieser Vielfalt an Formen und Größen gibt es für jede Situation eine geeignete Pflanze. Imposante Solitärpflanzen sollten stets alleine stehen. Kleinere Arten bilden hübsche Kontraste zu Kriech- oder Hängepflanzen, und Pflanzen mit spitzen Blättern harmonieren gut mit den runden Formen verschiedener Kakteenarten.

Kleinblättrige Arten

Calamondin-Orange
Citrus mitis

Diese Zierorangenbäume tragen gleichzeitig duftende Blüten, unreife, grüne Früchte und reife Orangen. Die Orangen sind klein und bitter, eignen sich jedoch ausgezeichnet für Marmelade. Die Bäumchen fruchten sehr jung und können entweder als Solitärpflanzen verwendet oder symmetrisch gruppiert werden.

Kleinklima 4: Kühl, sonnig.
Größe: Es dauert mehrere Jahre, bis die Pflanzen die maximale Breite und Höhe von 1,2 m erreichen. Der Handel bietet kleine fruchttragende Exemplare an.
Düngen: Außer im Winter alle zwei Wochen mit Flüssigdünger gießen.
Umtopfen: Im Frühjahr, sofern die Wurzeln den alten Topf vollkommen ausfüllen. Ein Lehmsubstrat verwenden. Bei älteren Pflanzen nur die obere Erdschicht erneuern.
Besonderheiten: Eventuell auftretende Schildläuse vernichten. Im Winter sparsamer gießen.

Arten mit ähnlichem Wuchs:
Citrus limon bildet Zitronen aus, die bis zu 7 cm Durchmesser haben.
Citrus sinensis ist die einzige Art mit süßen Früchten.

Kanonierblume
Pilea cadierei

Durch Lufteinschlüsse und die hervortretende silbrige Blattzeichnung wirkt das Laub dieser hübschen Pflanzen wie gesteppt. Man gruppiert sie entweder mit anderen dekorativ gezeichneten Pflanzen oder setzt mehrere zwergwüchsige Exemplare dieser Art zusammen in eine flache Schale, einen Flaschengarten oder ein Terrarium.

Kleinklima 2: Warm, indirekte Sonne.
Größe: Kanonierblumen werden in einem Jahr etwa 30 cm hoch. Darüber hinaus ist eine etwa 15 cm hohe Zwergform im Handel erhältlich.
Düngen: Im Frühjahr und im Sommer alle zwei Wochen mit Flüssigdünger gießen.
Umtopfen: Jedes Frühjahr. Eine Mischung aus $2/3$ Torfmull und $1/3$ grobem Sand oder Perlite verwenden. Ab 7 cm Topfdurchmesser nur die obere Erdschicht erneuern.

Art mit ähnlichem Wuchs:
Pilea spruceana hat dreieckige, gesteppte, bronzegrüne Blätter mit einem silbernen Mittelband.

Schönmalve
Abutilon-Hybride › Canary Bird ‹

Schönmalven sind hübsche verholzte Pflanzen, die jung gezogen werden können. Sie haben ahornähnliche Blätter, in deren Blattachseln sich glockenförmige Blüten entwickeln. Die Hybriden blühen rot, rosa, gelb oder weiß. Es sind langlebige Pflanzen, die sich gut als Dekorationspflanzen vor Fenstern eignen.

Kleinklima 1: Warm, sonnig.
Größe: In drei Jahren werden die Pflanzen bis 1 m hoch und breit. Triebspitzen ausknipsen, damit die Pflanzen buschig wachsen.
Düngen: Im Sommer alle zwei Wochen mit Flüssigdünger gießen.
Umtopfen: Jedes Frühjahr. Ein Lehmsubstrat verwenden. Ab 24 cm Topfdurchmesser nur die obere Erdschicht erneuern.
Besonderheiten: Im Winter sparsamer gießen und im Frühjahr unerwünschte Triebe zurückschneiden.

Art mit ähnlichem Wuchs
Abutilon pictum ›Thompsonii‹ hat grün und gelb panaschierte Blätter, die Blüten sind einfarbig oder zweifarbig oder haben zwei Schattierungen einer Farbe.

Temperatur
Frühjahr bis Herbst 10–15°C
Winter 7–10°C
10–15°C
15–21°C

Licht
sonnig
indirekte Sonne
schattig

Luftfeuchtigkeit
niedrig
mittel
hoch

Wässern
wenig
mäßig
reichlich

Pflege
problemlos
relativ einfach
anspruchsvoll

Großblättrige Arten

Keulenlilie
Cordyline terminalis

Diese Pflanzen haben lange rot-grün gemusterte Blätter. Die Blattzeichnung ist von Pflanze zu Pflanze verschieden, deshalb ergibt die Zusammenstellung von mehreren Pflanzen einen besonders reizvollen Effekt.

Kleinklima 2: Warm, indirekte Sonne.
Größe: Keulenlilien erreichen eine Höhe von 1,2 m und eine Breite von 45 cm. Der Handel bietet kleine Exemplare an.
Düngen: Von April bis September alle zwei Wochen mit Flüssigdünger gießen.
Umtopfen: Alle zwei Jahre im Frühling. Ein Lehmsubstrat verwenden. Bei älteren Pflanzen nur die obere Erdschicht erneuern.
Besonderheiten: Im Winter sparsamer gießen. Blätter mit feuchtem Schwamm säubern.

Gummibaum
Ficus elastica

Die glänzenden, dunkelgrünen Blätter des Gummibaums sind oval und laufen spitz zu. Neue Blätter werden zunächst von einem rötlichen Nebenblatt eingehüllt. Gummibäume haben eine robuste Wuchsform und kommen am besten als Solitärpflanzen in moderner Umgebung zur Geltung.

Kleinklima 3: Warm, schattig.
Größe: Gummibäume werden bis zu 2 m hoch. Der Handel bietet Pflanzen aller Größen an.
Düngen: Im Frühjahr und Sommer alle zwei Wochen mit Flüssigdünger gießen.
Umtopfen: Im Frühjahr, sofern die Wurzeln den alten Topf vollkommen ausfüllen. Ein Lehmsubstrat verwenden. Bei älteren Pflanzen nur die obere Erdschicht erneuern.
Besonderheiten: Ältere Blätter regelmäßig mit einem feuchten Schwamm abwischen, junge Blätter jedoch nicht säubern.

Art mit ähnlichem Wuchs
Ficus lyrata hat riesige, gerunzelte Blätter in Form eines Geigenkastens.

Drachenbaum
Dracaena sanderana

Er ist der zarteste unter den Drachenbäumen. Die Pflanzen wachsen aufrecht, sind schlank und haben schmale, cremefarben gestreifte Blätter. Da sie sich selten verzweigen, setzt man am besten drei oder vier Exemplare zusammen in den Topf.

Kleinklima 2: Warm, indirekte Sonne.
Größe: Die Pflanzen sind schwachwüchsig, erreichen aber im Lauf der Jahre 90 cm Höhe. Der Handel bietet kleine Pflanzen an, meist drei in einem Topf.
Düngen: Von Frühjahrsmitte bis Frühherbst alle zwei Wochen mit Flüssigdünger gießen.
Umtopfen: Jedes zweite oder dritte Frühjahr. Ein Lehmsubstrat verwenden. Ab 12 cm Topfdurchmesser nur die obere Erdschicht erneuern.
Besonderheiten: Im Winter sparsamer gießen.

Dieffenbachie
Dieffenbachia-Hybride › Exotica ‹

Eine ausgefallene Dekorationspflanze mit panaschiertem Laub. Ältere Exemplare verlieren häufig ihre unteren Blätter, so daß sie als Solitärpflanzen ein bizarres Aussehen bekommen. Mehrere Exemplare zusammengesetzt bilden jedoch in moderner Umgebung einen reizvollen Blickfang.

Kleinklima 3: Warm, schattig.
Größe: Höhe bis zu 1,5 m, Breite 60 cm. Im Handel sind Pflanzen aller Größen erhältlich.
Düngen: Von Frühjahrsbeginn bis Herbstmitte alle zwei Wochen mit Flüssigdünger gießen.
Umtopfen: Im Frühjahr. Tontöpfe und ein Lehmsubstrat verwenden. Ab 20 cm Topfdurchmesser nur die obere Erdschicht erneuern.
Besonderheiten: Der Pflanzensaft ist giftig und kann im Mund schwere Entzündungen hervorrufen.

Arten mit ähnlichem Wuchs
Dieffenbachia amoena hat 45 cm lange dunkelgrüne Blätter mit cremefarbenem Fischgrätmuster.
Dieffenbachia maculata hat 25 cm lange dunkelgrüne Blätter, die weiß und blaßgrün gesprenkelt sind.

Aufrechtwachsende Pflanzen 2

Großblättrige Arten (Fortsetzung)

Croton, Wunderstrauch
Codiaeum variegatum var. pictum

Crotons sind großartige, leuchtendbunte tropische Sträucher mit sehr unterschiedlichen Blattformen, -farben und -größen. Junge Blätter sind zunächst grün, färben sich später jedoch rot, orange und violett. Ältere Pflanzen werfen Blätter ab, was aber durch hohe Luftfeuchtigkeit verzögert werden kann. Besonders schön wirkt ein Arrangement von mehreren Pflanzen mit unterschiedlichen Färbungen.

Kleinklima 1: Warm, sonnig.
Größe: Crotons werden selten höher als 90 cm und etwa ebenso breit. Der Handel führt kleine und mittelgroße Pflanzen.
Düngen: Von Frühjahr bis Herbst alle zwei Wochen mit Flüssigdünger gießen.
Umtopfen: Im Frühjahr. Ein Lehmsubstrat verwenden. Ab 25 cm Topfdurchmesser nur die obere Erdschicht erneuern.
Besonderheiten: Um die Luftfeuchtigkeit zu erhöhen, Töpfe auf mit nassem Kies gefüllte Untersetzer stellen.

Zimmerlinde
Sparmannia africana

Diese Pflanzen haben große, apfelgrüne Blätter, die mit feinen weißen Härchen besetzt sind. In kühlen Räumen können sie fast das ganze Jahr über ihre weißen Blüten entwickeln, die in Büscheln wachsen. Zimmerlinden ergänzen sowohl moderne wie traditionelle Einrichtungen.

Kleinklima 4: Kühl, sonnig.
Größe: In zwei Jahren werden Zimmerlinden etwa 1,5 m hoch und 1 m breit. Der Handel führt kleine Pflanzen.
Düngen: Alle zwei Wochen mit Flüssigdünger gießen.
Umtopfen: Im Frühjahr, sofern die Wurzeln den alten Topf ganz ausfüllen. Ein Lehmsubstrat verwenden. Ab 30 cm Topfdurchmesser nur noch die obere Erdschicht erneuern.
Besonderheiten: Im Winter sparsamer gießen.

Kolbenfaden
Aglaonema crispum › Silver Queen ‹

Das wunderschöne Laub dieser Pflanzen ist nur entlang der Ränder und Blattnerven grün und sonst silbrigweiß und cremefarben. Ältere Pflanzen verlieren einige der unteren Blätter und bilden einen kurzen Stamm aus. Sie eignen sich hervorragend für Laubkombinationen, insbesondere als Kontrast zu dunkelgrünen Blattpflanzen.

Kleinklima 2: Warm, indirekte Sonne.
Größe: Kolbenfäden werden bis zu 1 m hoch und 60 cm breit.
Düngen: Von Frühjahr bis Herbst einmal monatlich mit Flüssigdünger gießen.
Umtopfen: Im Frühjahr. Ein Lehmsubstrat verwenden. Ab 15 cm Topfdurchmesser nur noch die obere Erdschicht erneuern.

Paradiesvogelblume, Strelitzie
Strelitzia reginae

Diese Pflanzen tragen großartige Blüten in Orange und Blau, die während einer mehrere Wochen dauernden Periode aus einer schnabelförmigen Knospe hervorbrechen. Paradiesblumen sind ausgefallene Solitärpflanzen für große, moderne Räume.

Kleinklima 1: Warm, sonnig.
Größe: Die Pflanzen werden bis 1 m hoch und 60 cm breit. Im Handel sind Jungpflanzen erhältlich, die aber erst mit etwa fünf Jahren zu blühen beginnen.
Düngen: Im Frühjahr und Sommer alle zwei Wochen mit Flüssigdünger gießen, im Herbst und Winter einmal monatlich.
Umtopfen: Im Frühjahr. Ein Lehmsubstrat verwenden. Ab 30 cm Topfdurchmesser nur die obere Erdschicht erneuern.
Besonderheiten: Blätter mit einem feuchten Schwamm säubern.

| **Temperatur** | | | **Licht** | | | **Luftfeuchtigkeit** | | | **Wässern** | | | **Pflege** | | |
| Frühjahr bis Herbst 10–15°C | Winter 7–10°C | 10–15°C | 15–21°C | sonnig | indirekte Sonne | schattig | niedrig | mittel | hoch | wenig | mäßig | reichlich | problemlos | relativ einfach | anspruchsvoll |

Schusterpalme
Aspidistra elatior

Die Schusterpalme ist relativ unempfindlich. Früher fand sie meist als Solitärpflanze Verwendung, doch auch zu mehreren gruppiert oder mit kleineren Pflanzenarten zusammengesetzt, kommt sie sehr gut zur Geltung. Schusterpalmen eignen sich selbst für dunkle Ecken.

Kleinklima 5: Kühl, indirekte Sonne.
Größe: Maximale Höhe und Breite der Pflanzen 1 m. Der Handel führt kleine Exemplare.
Düngen: Im Frühjahr und Sommer alle zwei Wochen mit Flüssigdünger gießen.
Umtopfen: Jedes dritte Jahr, sofern die Wurzeln den alten Topf vollkommen ausfüllen. Ein Lehmsubstrat verwenden. Bei älteren Pflanzen nur die obere Erdschicht erneuern.
Besonderheiten: Im Winter sparsamer gießen.

Efeuaralie
Fatshedera lizei

Diese Pflanzen mit ihren handförmigen, glänzendgrünen Blättern können als Dekorationspflanzen allein plaziert oder aber mit kleineren Gewächsen gruppiert werden, um einem Arrangement Höhe zu geben. Efeuaralien klettern auch und können, an Stützen gezogen, Treppen, Balkone und Fensterrahmen bewachsen.

Kleinklima 1: Kühl, indirekte Sonne.
Größe: Aufrechtwachsend werden Efeuaralien etwa 1 m hoch und breit. An Stützen wachsen sie unbegrenzt weiter.
Düngen: Alle zwei Wochen mit einem Flüssigdünger gießen.
Umtopfen: Im Frühjahr. Eine Mischung aus 2/3 Lehmsubstrat und 1/3 Torfmull verwenden. Bei älteren Pflanzen nur die obere Erdschicht erneuern.

Marante
Calathea makoyana

Das Muster auf den Blättern der Maranten scheint wie von Hand gemalt. Am besten kommt es in gemischten Blattpflanzenarrangements zur Geltung. Kleinere Pflanzenexemplare eignen sich für Flaschengärten.

Kleinklima 3: Warm, schattig.
Größe: Maranten werden bis 1 m hoch und 60 cm breit.
Düngen: Im Frühjahr und Sommer alle zwei Wochen mit Flüssigdünger gießen, im Winter einmal monatlich.
Umtopfen: Im Frühjahr. Eine Mischung aus 2/3 Lauberde und 1/3 Torf verwenden. Ab 15 cm Topfdurchmesser nur die obere Erdschicht erneuern.
Besonderheiten: Um die Luftfeuchtigkeit zu erhöhen, Töpfe auf mit nassem Kies gefüllte Untersetzer stellen.

Arten mit zusammengesetzten Blättern

Fingeraralie
Dizygotheca elegantissima

Fingeraralien sind elegante, offene Sträucher, deren bronzefarbene Blätter aus vielen schmalen »Fingern« bestehen. Mit zunehmendem Alter werden sie dunkelgrün und rauher. Das dunkle, filigrane Laub bildet einen zarten Hintergrund, vor dem sich kräftigere Blätter gut abheben. Man kann aber auch mehrere Fingeraralien zusammensetzen.

Kleinklima 2: Warm, indirekte Sonne.
Größe: Fingeraralien werden bis zu 2 m hoch und 60 cm breit. Triebspitzen ausknipsen, damit die Pflanzen buschig wachsen. Der Handel bietet Pflanzen in allen Größen an.
Düngen: Im Frühjahr und Sommer alle zwei Wochen mit Flüssigdünger gießen.
Umtopfen: Jedes zweite Frühjahr. Ein Lehmsubstrat verwenden. Bei älteren Pflanzen nur die obere Erdschicht erneuern.
Besonderheiten: Um die Luftfeuchtigkeit zu erhöhen, Töpfe auf mit nassem Kies gefüllte Untersetzer stellen.

Aufrechtwachsende Pflanzen 3

Arten mit zusammengesetzten Blättern (Fortsetzung)

Zimmertanne
Araucaria heterophylla

Am schönsten sind diese Tannen im Alter von vier bis fünf Jahren. Aufgrund ihrer steifen Wuchsform kommen sie in Mischpflanzungen selten gut zur Geltung, mehrere dieser Tannen zusammengestellt wirken dagegen großartig.

Kleinklima 5: Kühl, indirekte Sonne.
Größe: Zimmertannen sind schwachwüchsig. Ein zehnjähriges Exemplar ist selten höher als 1,8 m und breiter als 1,2 m.
Düngen: Im Frühjahr und Sommer alle zwei Wochen mit Flüssigdünger gießen.
Umtopfen: Jedes zweite oder dritte Frühjahr. Ein Lehmsubstrat verwenden. Ab 24 cm Topfdurchmesser nur die obere Erdschicht erneuern.
Besonderheiten: Im Winter sparsamer gießen.

Australische Silbereiche
Grevillea robusta

Silbereichen sind baumartige, immergrüne Sträucher mit feingeteilten, farnartigen Blättern. Zunächst sind diese bronzefarben, später werden sie grün. Silbereichen sehen, mit anderen Pflanzen gruppiert, hübsch aus, große Exemplare eignen sich gut als Solitärpflanzen.

Kleinklima 4: Kühl, sonnig.
Größe: Silbereichen wachsen rasch und werden in zwei bis drei Jahren 1,5 m hoch. Den Mitteltrieb jung ausbrechen, damit die Pflanzen buschig wachsen.
Düngen: Im Frühjahr und Sommer alle zwei Wochen mit Flüssigdünger gießen.
Umtopfen: Im Frühjahr. Ein kalkfreies Lehmsubstrat verwenden. Bei größeren Pflanzen nur die obere Erdschicht erneuern.
Besonderheiten: Im Winter sparsamer gießen.

Zypergras
Cyperus alternifolius › Gracilis ‹

Die strahlenförmigen, grasartigen Blätter dieser Pflanzen erinnern an die Schienen eines geöffneten Regenschirms. Da die hohen Halme, an denen sie stehen, leicht umknicken, muß man sehr vorsichtig mit ihnen hantieren. Zypergras wirkt exotisch und eignet sich gut für strenge moderne Einrichtungen.

Kleinklima 2: Warm, indirekte Sonne.
Größe: Pflanzen, die naß genug stehen, werden 1,2 m hoch.
Düngen: Einmal monatlich mit Flüssigdünger gießen.
Umtopfen: Im Frühjahr, sofern die Wurzeln den alten Topf vollkommen ausfüllen. Ein Lehmsubstrat verwenden und Holzkohlenstücke zugeben, damit die Erde nicht sauer wird. Pflanzen in der gleichen Höhe wie zuvor einsetzen. Bei älteren Exemplaren nur die obere Erdschicht erneuern.
Besonderheiten: Topf muß stets in einem wassergefüllten Gefäß stehen.

Spitzblättrige Arten

Rhoeo
Rhoeo spathacea ›Variegata ‹

Diese Pflanzen haben lange, ausschwingende Blätter in schönen Färbungen. Die Oberseiten sind gelb und cremefarben gestreift, die Unterseiten purpurfarben. Die dreiblättrigen weißen Blütchen sitzen in bootförmigen Hochblättern. Die Pflanze sollte allein stehen und so plaziert werden, daß die ungewöhnlichen Blüten gut sichtbar sind.

Kleinklima 2: Warm, indirekte Sonne.
Größe: Die Höhe beträgt maximal 30 cm, die Breite 45 cm. Bodentriebe ausbrechen, damit der Wuchs aufrecht bleibt. Im Handel sind Pflanzen aller Größen erhältlich.
Düngen: Im Frühjahr und Herbst alle zwei Wochen mit Flüssigdünger gießen.
Umtopfen: Jedes zweite Frühjahr. Ein Lehmsubstrat verwenden. Bei älteren Pflanzen nur die obere Erdschicht erneuern.
Besonderheiten: Um die Luftfeuchtigkeit zu erhöhen, Töpfe auf mit nassem Kies gefüllte Untersetzer stellen.

Temperatur Frühjahr bis Herbst 10–15°C · Winter 7–10°C · 10–15°C · 15–21°C **Licht** sonnig · indirekte Sonne · schattig **Luftfeuchtigkeit** niedrig · mittel · hoch **Wässern** wenig · mäßig · reichlich **Pflege** problemlos · relativ einfach · anspruchsvoll

Zwergpalme
Chamaerops humilis

Besonders attraktive Palmen mit breiten Fächerwedeln aus steifen, schwertförmigen Strahlen, die sich an den Spitzen spalten. Nur ältere Pflanzen haben Stämme. Die Wedel stehen aufrecht an langen Stielen. Diese orientalisch wirkenden Pflanzen können, entsprechend ihrer Größe, als Solitärpflanzen oder für Pflanzengruppen verwendet werden.

Kleinklima 2: Warm, indirekte Sonne.
Größe: Zwergpalmen sind schwachwüchsig, erreichen im Alter aber bis zu 1,5 m Höhe. Der Handel führt sie in allen Größen.
Düngen: Von Frühjahr bis Herbst einmal monatlich mit Flüssigdünger gießen.
Umtopfen: Jedes zweite Frühjahr. Ein Lehmsubstrat verwenden. Ab 30 cm Topfdurchmesser nur die obere Erdschicht erneuern.
Besonderheiten: An einem geschützten Platz im Freien übersommern. Im Winter sparsamer gießen.

Bogenhanf, Schwiegermutterzunge
Sansevieria trifasciata ›Laurentii‹

Die aufrechten Blätter dieser Pflanze treiben büschelig aus einem unterirdischen Sproß aus. Sie sind dick und ledrig und haben am Rand goldene Bänder. Große Exemplare eignen sich am besten als Solitärpflanzen, oder man stellt sie mit anderen spitzblättrigen Gewächsen zusammen.

Kleinklima 2: Warm, indirekte Sonne.
Größe: Die Blätter werden bis 1 m lang. Im Handel sind Pflanzen aller Größen erhältlich.
Düngen: Einmal monatlich mit der Hälfte der üblicherweise empfohlenen Menge eines Flüssigdüngers gießen.
Umtopfen: Im Frühjahr oder Frühsommer, sofern Wurzeln über der Erde liegen. Eine Mischung aus ⅔ Lehmsubstrat und ⅓ grobem Sand oder Perlite verwenden. Bei älteren Pflanzen nur die obere Erdschicht erneuern.

Drachenbaum
Dracaena marginata ›Tricolor‹

Die anmutig nach außen gebogenen Blätter dieser Art sind grün, cremefarben und rosa gestreift. Da sie an einem kahlen, holzigen Stamm in einem Schopf wachsen, erinnern sie etwas an Palmen. Am besten setzt man drei oder vier Pflanzen in einen Topf. Sie eignen sich gut für moderne Räume.

Kleinklima 2: Warm, indirekte Sonne.
Größe: Höhe bis zu 1,5 m, Breite bis 45 cm. Angeboten werden meist 30 cm hohe Pflanzen, obwohl die Nachfrage nach älteren Exemplaren mit glatten Stämmen stärker ist.
Düngen: Im Frühjahr und Sommer alle zwei Wochen mit Flüssigdünger gießen, im Herbst und Winter einmal monatlich.
Umtopfen: Im Frühjahr. Ein Lehmsubstrat verwenden. Bei älteren Pflanzen nur die obere Erdschicht erneuern.
Besonderheiten: Während der Winterruhe sparsamer gießen.

Riesenpalmlilie
Yucca elephantipes

Riesenpalmlilien werden aus Stammstücken gezogen, die Wurzeln und Blätter entwickeln, wenn man sie einpflanzt. Die in Schöpfen wachsenden Blätter sind schmal und lang und können sich überall am Stamm bilden. Yuccas haben eine sehr dominante Form und sollten allein stehen oder mit anderen spitzblättrigen Pflanzen arrangiert werden.

Kleinklima 1: Warm, sonnig.
Größe: Der Handel führt Pflanzen bis 2 m Höhe und 45 cm Breite. Höher werden Yuccas nicht.
Düngen: Einmal monatlich mit Flüssigdünger.
Umtopfen: Im Frühjahr. Ein Lehmsubstrat verwenden. Bei älteren Pflanzen nur die obere Erdschicht erneuern.
Besonderheiten: Im Winter sparsamer gießen.

Art mit ähnlichem Wuchs
Die Palmlilie *Yucca aloifolia* ist kleiner und hat steifere, spitzere Blätter, die sich nur ganz oben am Stamm entwickeln.

Pflanzen mit ausschwingendem Wuchs 1

Die Wuchsform dieser Pflanzengruppe kommt dadurch zustande, daß Blattstiele und Wedel von der Basis der Pflanze nach außen »ausschwingen«. Vollentwickelte Exemplare benötigen daher auch sehr viel Platz und sehen im allgemeinen als Solitärpflanzen am wirkungsvollsten aus. Vor allem die großen Exemplare sind aufgrund ihrer raumgestaltenden Eigenschaften für jede moderne Einrichtung eine ausgezeichnete Ergänzung. Zu dieser Pflanzengruppe gehören auch Arten mit hängenden Blättern, wie Birkenfeige und Elefantenfuß. Hier existiert eine große Vielfalt an Blattformen und Blattstrukturen; sie reicht von den glatten, lanzettlichen Blättern der Blattfahnen über die tiefeingeschnittenen Blätter einiger Philodendren bis zu den zarten Fiederblättern vieler Farne und Palmen. Der Formenreichtum gleicht denn auch den Mangel an farbenfrohem Laub innerhalb dieser Gruppe aus. Einige Arten wie Fuchsienbegonie und Blattfahne entwickeln jedoch sehr schöne Blüten. Der durch die ausschwingenden Wedel bedingte anmutige Wuchs von Nieren- und Tüpfelfarnen kommt in Augenhöhe am besten zu Geltung; das gleiche gilt auch für den Pellefarn. Diese Pflanzen sehen besonders schön in hohen Terrakottagefäßen oder Ampeln aus. Pflanzen wie Steckenpalmen, Kentien und Kokospalmen werden unter Umständen sehr groß. Ältere Pflanzen können so dominieren, daß sie den Mittelpunkt eines Raumes bilden. Pflanzen mit ausschwingendem Wuchs gehören zu den elegantesten Gewächsen und sollten an einen Platz gestellt werden, wo man sie von allen Seiten bewundern kann.

Kleinblättrige Arten

Fuchsienbegonie
Begonia fuchsioides

Diese zarten Begonien haben kleine, ovale, glänzende Blätter. Sie stehen an langen, dünnen Trieben, die sich, sobald sie älter werden, graziös nach unten neigen. Zwischen Herbst und Frühjahr erscheinen in Büscheln zartrosa Blüten, die sukkulent wirken. Um gut zur Geltung zu kommen, brauchen die Pflanzen eine Stütze. Gruppieren Sie die Fuchsienbegonie ganz leger mit anderen grünen Blattpflanzen. Sie kann jedoch auch aus einer Ampel ranken.

Kleinklima 1: Warm, sonnig.
Größe: Fuchsienbegonien werden bis zu 1m hoch und 50cm breit. Triebspitzen ausknipsen, damit die Pflanzen buschig wachsen. Im Handel bekommt man kleine Pflanzen.
Düngen: Während der Blüte alle zwei Wochen mit Flüssigdünger gießen.
Umtopfen: Im Frühjahr. Eine Mischung aus ½ Lehm- und ½ Torfsubstrat verwenden. Bei älteren Pflanzen nur die obere Erdschicht erneuern.
Besonderheiten: Während der winterlichen Ruheperiode sparsamer wässern.

Pellefarn
Pellaea rotundifolia

Die außergewöhnlichen Pellefarne haben niedrige, ausschwingende Wedel und gehören zu den wenigen Farnen mit einer beinahe waagrechten Wuchsform. Auch die Fieder der Wedel haben wenig mit Farnen gemein. Sie sind ledrig und knopfförmig, sitzen aufgereiht an einer steifen Mittelrippe und ziehen die Wedel hinunter. Pellefarne eignen sich ausgezeichnet, um in Pflanzengruppierungen vorstehende Töpfe zu verdecken. Sie kommen in moderner Umgebung mit Pflanzen unterschiedlicher Blattstrukturen sehr gut zur Geltung. Man kann sie auch für Flaschengärten und Terrarien verwenden.

Kleinklima 1: Warm, schattig.
Größe: Die einzelnen Wedel werden bis zu 30cm lang und geben der Pflanze eine breite, aber sehr flache Form.
Düngen: Alle zwei Wochen mit Flüssigdünger gießen.
Umtopfen: Im Frühjahr, sofern die Wurzeln den alten Topf ausfüllen. Flache Töpfe und ein torfhaltiges Substrat verwenden. Bei älteren Pflanzen kann durch Schneiden der Wurzeln das Wachstum eingedämmt werden.
Besonderheiten: Pellefarne können an einem schattigen Platz im Freien übersommern. Um die Luftfeuchtigkeit zu erhöhen, Töpfe auf mit nassem Kies gefüllte Untersetzer stellen.

Großblättrige Arten

Philodendron, Baumfreund
Philodendron bipinnatifidum

Diese Philodendren haben herzförmige, fiederteilige Blätter mit kräftigen Stielen, die strahlenförmig an einem Mittelstamm sitzen. Im Gegensatz zu den meisten anderen Philodendronarten klettern sie nicht. Es sind optisch dominierende Pflanzen für große Räume.

Kleinklima 1: Warm, schattig.
Größe: Die Pflanzen können bis zu 1,2 m hoch und breit werden. Im Handel sind Pflanzen aller Größen erhältlich.
Düngen: Im Frühjahr und Sommer alle zwei Wochen mit Flüssigdünger gießen.
Umtopfen: Im Frühjahr, sofern die Wurzeln den alten Topf vollkommen ausfüllen. Eine Mischung aus ½ Lehmsubstrat und ½ Lauberde verwenden. Ab 30 cm Topfdurchmesser nur die obere Erdschicht erneuern.

Blattfahne
Spathiphyllum › Clevelandii ‹

Die auffallenden aronstabähnlichen Blüten der Blattfahnen mit ihren weißen Hochblättern kommen zwischen Mai und August. Jede Blüte hält sechs Wochen und länger. Mit der Zeit färbt sie sich blaßgrün. Ein elegantes Gewächs, das sich ausgezeichnet als Solitärpflanze eignet.

Kleinklima 1: Warm, schattig.
Größe: Vollentwickelte Pflanzen werden bis 90 cm hoch und breit.
Düngen: Von Frühjahrsbeginn bis Spätsommer alle zwei Wochen mit Flüssigdünger gießen.
Umtopfen: Jedes zweite Frühjahr. Ein Torfsubstrat verwenden. Ab 15 bis 20 cm Topfdurchmesser eventuell Wurzeln beschneiden.
Besonderheiten: Um die Luftfeuchtigkeit zu erhöhen, Töpfe auf mit nassem Kies gefüllte Untersetzer stellen.

Kokospalme
Cocos nucifera

Diese eindrucksvollen Pflanzen entwickeln sich aus der auf der Erde liegenden Nuß. An den aufrechten Stielen sitzen einmal geteilte, überhängende Wedel mit ausgeprägten Rippen. Die Kokospalme ist wunderschön als Einzelpflanze in offenen, modernen Räumen.

Kleinklima 2: Warm, indirekte Sonne.
Größe: Kokospalmen können über 1,5 m hoch werden. Im Handel sind auch große Pflanzen erhältlich.
Düngen: Im Frühjahr und Sommer alle zwei Wochen die Hälfte der empfohlenen Menge eines Flüssigdüngers gießen.
Umtopfen: Nicht ratsam. Die Wurzeln vertragen keine Störung.
Besonderheiten: Kokospalmen werden im Haus etwa zwei Jahre alt.

Arten mit zusammengesetzten Blättern

Tüpfelfarn
Phlebodium aureum ›Mandaianum‹

Diese Pflanzen haben ein pelziges Rhizom, aus dem sich die Wedel entwickeln. Sie stehen an langen, ausschwingenden Stielen und setzen sich aus bis zu zehn silbrigen, blaugrünen Fiedern zusammen, die gewellte Ränder haben. Aufgrund ihrer attraktiven Färbung sind große Exemplare einzeln besonders reizvoll. Kleinere Pflanzen dagegen harmonieren gut mit anderen Farnen.

Kleinklima 3: Warm, schattig.
Größe: Die Wedel werden bis zu 60 cm lang und geben der Pflanze eine ausladende Form. Der Handel führt Exemplare in allen Größen.
Düngen: Von Frühjahr bis Herbst einmal wöchentlich die Hälfte der empfohlenen Menge eines Flüssigdüngers gießen.
Umtopfen: Im Frühjahr, sofern die Rhizome den alten Topf vollkommen ausfüllen. Flache Gefäße und eine Mischung aus ½ Lehmsubstrat und ½ Lauberde verwenden. Ab 20 cm Topfdurchmesser Wurzeln schneiden.
Besonderheiten: Um die Luftfeuchtigkeit zu erhöhen, Töpfe auf mit nassem Kies gefüllte Untersetzer stellen.

Pflanzen mit ausschwingendem Wuchs 2

Arten mit zusammengesetzten Blättern (Fortsetzung)

Kentie, Lord-Howe-Palme
Howeia belmoreana

Diese schlanken Palmen waren im 19. Jahrhundert sehr beliebt, als sie großen Räumen sanfte Anmut verliehen. Ihre eleganten ausschwingenden Wedel stehen an aufrechten Stielen. Kentien sind reine Solitärpflanzen und für Zimmerbedingungen gut geeignet. Aufgrund ihrer Größe lassen sie sich mitunter aber nur schwer plazieren.

Kleinklima 2: Warm, indirekte Sonne.
Größe: Kentien werden bis 2,5 m hoch und 2 m breit. Der Handel führt mittlere und große Pflanzen.
Düngen: Von Frühjahr bis Herbst einmal monatlich mit Flüssigdünger gießen.
Umtopfen: Jedes zweite Frühjahr. Ein Lehmsubstrat verwenden. Ab 30 cm Topfdurchmesser nur die obere Erdschicht erneuern.
Besonderheiten: Blätter mit einem feuchten Schwamm reinigen.

»Cocospälmchen«
Microcoelum weddelianum

Eine beliebte, wenn auch nicht einfach zu pflegende Zimmerpalme mit filigran gefiederten grazilen Wedeln. Die *Microcoelum* zählte früher fälschlicherweise zur *Cocos*-Gattung – daher ihr Name –, hat aber mit Kokospalmen nichts zu tun. »Cocospälmchen« bilden keinen Stamm. Die Wedel kommen aus einer kurzen, verdickten Basis und schwingen weniger aus als bei größeren Palmen.

Kleinklima 2: Warm, indirekte Sonne.
Größe: »Cocospälmchen« werden maximal 90 cm hoch und breit. Der Handel bietet ganzjährig kleine Pflanzen an.
Düngen: Im Sommer einmal monatlich mit Flüssigdünger gießen.
Umtopfen: Jedes zweite Frühjahr. Ein Lehmsubstrat verwenden. Bei älteren Pflanzen nur die obere Erdschicht erneuern.

Steckenpalme
Rhapis excelsa

Die *R. excelsa* bildet viele Triebe und mehrere Stämme. Die fächerartigen Blätter dieser buschigen Pflanze bestehen aus fünf bis neun tiefgeteilten Segmenten, die oft stumpfe Spitzen haben. Sehr schön kommen Steckenpalmen zusammen mit anderen dunkelgrünen Blattpflanzen zur Geltung. Ältere Pflanzen verlieren die unteren Blätter und können allein stehen.

Kleinklima 2: Warm, indirekte Sonne.
Größe: Steckenpalmen wachsen langsam und benötigen mehrere Jahre, um ihre maximale Höhe und Breite von 1,5 m zu erreichen. Der Handel führt mittlere und große Pflanzen.
Düngen: Während der Wachstumsperiode einmal monatlich mit Flüssigdünger gießen.
Umtopfen: Jedes zweite Frühjahr. Ein Lehmsubstrat verwenden. Ab 30 cm Topfdurchmesser nur die obere Erdschicht erneuern.

Schwertfarn
Nephrolepis exaltata › Bostoniensis ‹

Diese üppigen, aber anmutigen Farne haben schwertförmige Wedel unterschiedlicher Art. Manche sind gekraust, andere dagegen feingeteilt. Der Schwert- oder auch Nierenschuppenfarn eignet sich als Einzelpflanze auf einem Sockel oder in einer Ampel. Er paßt in fast jede Umgebung.

Kleinklima 3: Warm, schattig.
Größe: Die Wedel werden oft 90 cm lang und erreichen mitunter sogar 1,8 m Länge. Der Handel führt Pflanzen aller Größen.
Düngen: In der Wachstumsperiode alle zwei Wochen mit Flüssigdünger gießen, sonst einmal monatlich.
Umtopfen: Im Frühjahr, sofern die Wurzeln den alten Topf vollkommen ausfüllen. Ein Farnsubstrat verwenden. Bei älteren Pflanzen nur die obere Erdschicht erneuern.
Besonderheiten: Um die Luftfeuchtigkeit zu erhöhen, Töpfe auf mit nassem Kies gefüllte Untersetzer stellen.

Art mit ähnlichem Wuchs
Nephrolepis cordifolia ist kleiner; die Wedel werden bis 60 cm lang.

Temperatur Frühjahr bis Herbst 10–15°C Winter 7–10°C 10–15°C 15–21°C **Licht** sonnig indirekte Sonne schattig **Luftfeuchtigkeit** niedrig mittel hoch **Wässern** wenig mäßig reichlich **Pflege** problemlos relativ einfach anspruchsvoll

Bergpalme
Chamaedorea elegans › Bella ‹

Diese Palmen haben zarte, stark gefiederte Wedel, die von einem Mittelstamm ausschwingen. Junge Wedel sind frischgrün, später dunkeln sie nach. Vollentwickelte Pflanzen bilden kleine, verzweigte Blütenstände mit gelben, perlenartigen Blütchen aus. Bergpalmen gedeihen in Badezimmern besonders gut, kleine Exemplare beleben Flaschengärten und Terrarien.

Kleinklima 2: Warm, indirekte Sonne.
Größe: Bergpalmen erreichen erst nach mehreren Jahren etwa 90 cm Höhe und 45 cm Breite. Der Handel führt Jungpflanzen.
Düngen: Von Frühjahr bis Herbst einmal monatlich mit Flüssigdünger gießen.
Umtopfen: Im Frühjahr, sofern die Wurzeln den alten Topf vollkommen ausfüllen. Ein Lehmsubstrat verwenden. Ab 15 bis 20 cm Topfdurchmesser nur die obere Erdschicht erneuern.
Besonderheiten: Im Winter sparsamer gießen.

Art mit ähnlichem Wuchs
Chamaedorea erumpens bildet ein Büschel schlanker, bambusartiger Stämme aus und wird etwa 2 bis 2,5 m hoch.

Arten mit hängenden Blättern

Leea
Leea coccinea

Pflanzen mit tiefgrünen, stechpalmenartigen, oft kupfrigrot getönten Blättern. Sie haben einen offenen Wuchs und eignen sich gut als Solitärpflanzen oder als Hintergrund für niedrige Blattpflanzen.

Kleinklima 2: Warm, indirekte Sonne.
Größe: Die Pflanzen werden maximal etwa 1,5 m hoch und breit. Der Handel bietet meistens Exemplare von ca. 30 cm Höhe und Breite an.
Düngen: Von Frühjahr bis Herbst alle zwei Wochen mit Flüssigdünger gießen.
Umtopfen: Im Frühjahr. Ein Lehmsubstrat verwenden. Bei älteren Pflanzen nur die obere Erdschicht erneuern.
Besonderheiten: Im Winter sparsamer gießen.

Birkenfeige
Ficus benjamina

Unter den Zierfeigen sind die Birkenfeigen mit ihren zarten ausschwingenden Trieben und den lanzettlichen Blättern die elegantesten. Ihr Wuchs ist offen. Sie eignen sich sowohl für moderne als auch für mit Stilmöbeln eingerichtete Räume.

Kleinklima 3: Warm, schattig.
Größe: Birkenfeigen erreichen maximal 1,5 m Höhe und etwa 1,2 m Breite, sofern sie genügend Platz haben.
Düngen: Während Frühjahr und Sommer alle zwei Wochen mit Flüssigdünger gießen.
Umtopfen: Im Frühjahr, sofern die Wurzeln den alten Topf vollkommen ausfüllen. Ein Lehmsubstrat verwenden. Bei älteren Pflanzen nur die obere Erdschicht erneuern.
Besonderheiten: Im Winter sparsamer gießen.

Elefantenfuß
Beaucarnea recurvata

Diese bizarr wirkenden Pflanzen haben einen Schopf aus schmalen, grünen Blättern, die sich an einem dicken oder langen, holzigen Stamm entwickeln. Die *B. recurvata* sieht vor allem in strengen, modernen Räumen sehr reizvoll aus. Darüber hinaus gedeiht sie in zentralgeheizten Zimmern.

Kleinklima 2: Warm, indirekte Sonne.
Größe: Die Pflanzen werden maximal 1,5 m hoch und 60 cm breit.
Düngen: Im Sommer einmal monatlich mit Flüssigdünger gießen.
Umtopfen: Jedes dritte und vierte Frühjahr. Ein Lehmsubstrat verwenden. Die Pflanzen bevorzugen kleine Töpfe.
Besonderheiten: Durch Überwässerung gehen sie leicht ein.

Pflanzen mit Rosettenwuchs 1

Zu dieser Gruppe gehören Pflanzen, deren Blätter sich von der Mitte aus entwickeln und gegenseitig überlappen. Ihre Blattbasen stehen – meist in Bodenhöhe – kreisförmig zusammen. Manche dieser Pflanzen sind klein und niedrig, andere hoch und großblättrig. Einige bilden flache Rosetten, wie Usambaraveilchen und Versteckblumen, andere hohe ausschwingende Rosetten, wie Nestfarn und Tillandsie. Weitere Variationen sind die spitzblättrigen Rosetten von Ananas und Guzmanie. Diese Pflanzen stehen mit ihren robusten Formen am schönsten allein. Bei Pflanzen mit flachen Rosetten sollte man mehrere Exemplare zusammensetzen und sie so aufstellen, daß sie von oben betrachtet werden. Viele Pflanzen in dieser Gruppe gehören zur Familie der Bromeliengewächse und stammen aus dem tropischen Afrika. Es sind prächtige, exotisch aussehende Pflanzen, die oft auffällige, außergewöhnliche Blüten entwickeln oder deren Blätter sich vor oder während der Blütezeit intensiv verfärben. Viele Bromelien, wie etwa die Lanzenrosette und Nestbromelie, haben in der Mitte einen Blatttrichter, in dem stets frisches Wasser stehen muß, wenn die Pflanzen gedeihen sollen. Viele Bromelien sind Epiphyten, das heißt, sie wachsen in ihrer tropischen Heimat auf Bäumen, die sie aber gewöhnlich nur als Stützen benutzen, ihnen also keine Nährstoffe entziehen. Will man sie entsprechend zur Geltung bringen, befestigt man sie daher an einer natürlich wirkenden Stütze, wie an einem mit feuchtem Moos bedeckten Ast, einem großen Stück Kork oder Borke.

Ausschwingender Rosettenwuchs

Lanzenrosette
Aechmea fasciata

Im Alter von drei oder vier Jahren entwickeln diese Pflanzen in der Mitte der Blattrosette einen niedrigen Blütenstand. Er besteht aus stacheligen rosa Deckblättern, aus denen kurzlebige blaßblaue Blüten herausschauen. Der Blütenstand bleibt etwa sechs Monate dekorativ. Die ledrigen Blätter haben weiße Querbänder auf einem graugrünen Untergrund. Große Exemplare als Solitärpflanzen verwenden, kleine auf einen moosbedeckten Ast setzen.

Kleinklima 1: Warm, sonnig.
Größe: Die Blätter erreichen 60 cm Länge; die Blütenstände ragen 15 cm über die Blätter hinaus. Der Handel führt kleine, aus Kindeln gezogene Pflanzen und vollentwickelte Exemplare.
Düngen: Im Frühjahr und Sommer einmal monatlich die Hälfte der empfohlenen Menge eines Flüssigdüngers gießen, und zwar sowohl in den Trichter wie auf die Wurzeln.
Umtopfen: Im Frühjahr, sofern die Wurzeln den alten Topf ausfüllen. Ein torfhaltiges Substrat verwenden. Ab 15 cm Topfdurchmesser nur die obere Erdschicht erneuern.
Besonderheiten: Der Trichter muß stets mit frischem Wasser gefüllt sein. Wasser einmal monatlich wechseln.

Flammendes Schwert
Vriesea splendens

Diese Bromelien haben exotisch gezeichnete Blätter. Sie sind glänzendgrün und tiefviolett quergestreift und bilden einen aufrechten Trichter, in dessen Mitte sich bei mehrere Jahre alten Pflanzen ein Blütenstand mit leuchtendroten Deckblättern (Brakteen) und kleinen gelben Blüten entwickelt. Mehrere dieser Pflanzen zusammengesetzt, bilden einen aufregenden Blickfang. Man kann das Flammende Schwert auch mit robusten Blattpflanzen kombinieren oder kleine Exemplare an einem mit Moos bedeckten Ast befestigen.

Kleinklima 2: Warm, indirekte Sonne.
Größe: Die Pflanzen werden bis zu 45 cm hoch und breit, der Blütenstand kann 60 cm Höhe erreichen. Der Handel bietet Pflanzen in allen Größen an.
Düngen: Einmal monatlich die Hälfte der empfohlenen Menge eines Flüssigdüngers gießen. Die Düngelösung sowohl auf Blätter und Wurzeln wie in den Mitteltrichter geben.
Umtopfen: Jedes Frühjahr, sofern die Wurzeln den alten Topf ausfüllen. Ein torfhaltiges Substrat verwenden. Ab 15 cm Topfdurchmesser nur die obere Erdschicht erneuern.
Besonderheiten: Der Trichter sollte stets mit Wasser gefüllt sein, außer es erscheint eine Knospe. Das Wasser einmal monatlich wechseln.

Arten mit ähnlichem Wuchs
Vriesea fenestralis ist etwas größer und hat blassere Blätter mit brauner Zeichnung.
V. psittacina hat kürzere grüne Blätter, die zur Rosettenmitte hin rötlich schimmern.
V. saundersii bildet eine Rosette graugrüner Blätter, die unterseits mattrosa sind, und einen gelben Blütenstand aus.

Zimmerhafer
Billbergia nutans

Diese Pflanzen haben feste, gezähnte Blätter. Da sie schnell Kindel ausbilden, können bald viele Pflanzen im gleichen Topf wachsen. Während der kurzen Blütezeit im Mai und Juni erscheinen sehr dekorative, herabhängende, rosa Deckblätter. Wenn sie sich öffnen, werden kleine gelbe, grüne und violette Blüten sichtbar. Am besten stellt man den Zimmerhafer in Augenhöhe auf.

Kleinklima 1: Warm, sonnig.
Größe: Die Blätter des Zimmerhafers werden etwa 60 cm lang. Die Breite der Pflanze hängt von der Zahl der Kindel ab. Im Handel sind kleine Pflanzen erhältlich.
Düngen: Im Frühjahr und Sommer alle zwei Wochen mit Flüssigdünger gießen.
Umtopfen: Im Frühjahr. Ein torfhaltiges Substrat verwenden. Ab 15 cm Topfdurchmesser nur die obere Erdschicht erneuern.
Besonderheiten: Die Blattrosette sollte nach der Blüte an der Basis abgeschnitten werden, damit sich die Kindel entwickeln können.

Tillandsie
Tillandsia cyanea

Bei diesen mittelgroßen Bromelien stehen die ausschwingenden, grasartigen Blätter in einer lockeren Rosette. Vollentwickelte Pflanzen bilden einen fleischigen, speerförmigen Blütenstand aus, der aus schuppenartig ineinandergeschobenen rosagrünen Deckblättern besteht. Diese außergewöhnliche Blüte ist breit und flach und bleibt mehrere Monate dekorativ.

Kleinklima 1: Warm, sonnig.
Größe: Die Blätter werden etwa 30 cm lang, die Breite der Pflanze ist wegen der Kindelentwicklung beachtlich. Der Handel führt kleine Pflanzen.
Düngen: Einmal monatlich die Hälfte der empfohlenen Menge eines Flüssigdüngers gießen.
Umtopfen: Im Frühjahr. Ein torfhaltiges Substrat verwenden. Ab 10 cm Topfdurchmesser nur die obere Erdschicht erneuern.
Besonderheiten: Im Sommer an einen geschützten Platz ins Freie stellen, um die Blütenentwicklung zu fördern.

Nestfarn
Asplenium nidus

Der Nestfarn hat glänzende, apfelgrüne Wedel, die in einer Rosette stehen und weit nach oben ausschwingen. An ihrer Basis sitzt ein Ring junger Wedel, die sich aus einem filzigen Wurzelballen langsam aufrollen. Große Nestfarne sind zu dominierend, um mit anderen Farnen gruppiert zu werden, und sehen allein oder mit anderen großblättrigen Blattpflanzen am schönsten aus.

Kleinklima 3: Warm, schattig.
Größe: Die Wedel des Nestfarns werden 45 cm lang. Im Handel sind kleine Pflanzen erhältlich.
Düngen: Einmal monatlich mit Flüssigdünger gießen.
Umtopfen: Im Frühjahr, sofern viele Wurzeln über der Erde liegen. Ein torfhaltiges Substrat verwenden. Bei älteren Pflanzen können die Wurzeln beschnitten werden.
Besonderheiten: Um die Luftfeuchtigkeit zu erhöhen, Pflanzen auf mit nassem Kies gefüllte Untersetzer stellen.

Rosettenpflanzen mit spitzen Blättern

Schraubenbaum
Pandanus veitchii

Den Namen haben diese Pflanzen wegen ihrer Blätter, die wie ein Schraubengewinde um den Stamm wachsen. Die langen, ausschwingenden Blätter sind dunkelgrün und haben einen cremeweißen, feinezähnten Rand. Besonders wirkungsvoll kommen die anmutigen Pflanzen in einer modernen Umgebung zur Geltung.

Kleinklima 1: Warm, sonnig.
Größe: Die Pflanzen werden bis zu 90 cm hoch und breit. Der Handel führt Exemplare aller Größen.
Düngen: Im Frühjahr und Sommer alle zwei Wochen mit einem Flüssigdünger gießen, im Herbst und Winter einmal monatlich.
Umtopfen: Im Frühjahr. Ein Lehmsubstrat verwenden. Bei älteren Pflanzen in größeren Töpfen nur die obere Erdschicht erneuern.
Besonderheiten: Nach zwei Jahren entwickeln sich dicke Stelz- oder Luftwurzeln, die die Pflanze aus dem Boden heben. Diese Wurzeln sollte man in das Substrat wachsen lassen, um der Pflanze einen besseren Halt zu geben.

Pflanzen mit Rosetten-wuchs 2

Spitzblättrige Arten (Fortsetzung)

Ananas
Ananas comosus variegatus

Diese Pflanzen sind sehr beliebt wegen ihrer kräftigen, dornenbesetzten Blätter, die sich anmutig nach außen biegen und eine symmetrische Wuchsform entstehen lassen. Fünf bis sechs Jahre alte Pflanzen bilden auffällige rosafarbene Blütenköpfe aus, denen rosa Früchte folgen. Die Früchte reifen selten. Große Exemplare harmonieren gut mit anspruchsvollen Möbeln klassischen Stils.

Kleinklima 1: Warm, sonnig.
Größe: Die Pflanzen werden maximal 1 m hoch und 2 m breit. Der Handel bietet fruchttragende Exemplare an.
Düngen: Im Frühjahr und Sommer alle zwei Wochen mit Flüssigdünger gießen.
Umtopfen: Jedes zweite Frühjahr. Ein torfhaltiges Substrat verwenden. Ab 15 bis 20 cm Topfdurchmesser nur die obere Erdschicht erneuern.
Besonderheiten: In praller Sonne nimmt die Blattzeichnung eine tiefrosa Tönung an.

Arten mit ähnlichem Wuchs
Ananas bracteatus striatus ist eine bunte Varietät der wilden Ananas und hat auffällig gestreifte Blätter, die sich an sehr hellen Standorten rosa färben.

Flachblättrige Arten

Guzmanie
Guzmania lingulata

Wenn diese Bromelien im Winter blühen, färben sich die Hochblätter in der Mitte leuchtendorange oder scharlachrot. Die ausschwingenden, hellgrünen Blätter sind weich und glänzen. Mehrere dieser farbenprächtigen Pflanzen in eine flache Schale setzen oder paarweise symmetrisch gruppieren.

Kleinklima 2: Warm, indirekte Sonne.
Größe: Guzmanien werden etwa 25 cm hoch und bis zu 30 cm breit.
Düngen: Einmal monatlich mit der Hälfte der empfohlenen Menge eines Flüssigdüngers gießen. Darauf achten, daß sowohl Blätter wie Wurzeln und Mitteltrichter Dünger bekommen.
Umtopfen: Im Frühjahr, sofern die Wurzeln den alten Topf vollkommen ausfüllen. Ein torfhaltiges Substrat verwenden.
Besonderheiten: Den Trichter monatlich leeren und mit frischem Wasser füllen.

Versteckblume
Cryptanthus bivittatus

Unter den Bromelien gehört diese Art zu den am schönsten gefärbten. Ihre spitzen Blätter haben zwei auffällige cremefarbene Längsstreifen, die sich in praller Sonne rosa oder sogar rot färben. In der Mitte der Blätter verstecken sich kleine weiße Blüten.

Kleinklima 1: Warm, sonnig.
Größe: Versteckblumen wachsen langsam und erreichen zum Zeitpunkt ihrer Blüte 15 bis 20 cm Durchmesser.
Düngen: Einmal monatlich mit der Hälfte der empfohlenen Menge eines Flüssigdüngers besprühen.
Umtopfen: Nur erforderlich, wenn die Pflanzen zu dicht stehen.
Besonderheiten: Mutterpflanze einige Zeit nach der Blüte wegschneiden, damit sich die an ihrer Basis entstandenen Kindel entwickeln können.

Neoregelie
Neoregelia carolinae ›Tricolor‹

Diese flachen Bromelien haben eindrucksvoll gefärbtes Laub. Junge Blätter sind zartgrün und elfenbeinfarben gestreift. Später bekommen sie eine rosa Tönung, und kurz vor der Blüte wird die Pflanzenmitte leuchtendrot. Mit auffälligen Blattpflanzen zusammensetzen.

Kleinklima 2: Warm, indirekte Sonne.
Größe: Vollentwickelte Pflanzen sind bis zu 20 m hoch und 45 cm breit.
Düngen: Einmal monatlich mit der Hälfte der empfohlenen Menge eines Flüssigdüngers gießen. Die Lösung auf Blätter, Erde und Trichter geben.
Umtopfen: Im Frühjahr, sofern die Wurzeln den alten Topf vollkommen ausfüllen. Ein torfhaltiges Substrat verwenden. Ab 12 cm Topfdurchmesser nur die obere Erdschicht erneuern.

Temperatur
Frühjahr bis Herbst 10–15°C
Winter 7–10°C
10–15°C
15–21°C
Licht sonnig indirekte Sonne schattig
Luftfeuchtigkeit niedrig mittel hoch
Wässern wenig mäßig reichlich
Pflege problemlos relativ einfach anspruchsvoll

Usambaraveilchen
Saintpaulia-Ionantha-Hybride

Das beeindruckende Spektrum an Blütenfarben reicht bei diesen Pflanzen von Weiß
und Rosa über Purpur bis Magentarot und
Violett. Die Blüten stehen in Büscheln über
den pelzigen Blattrosetten. Aufgrund
dieser reichen Farbpalette eignen sich Usambaraveilchen sowohl für moderne als auch
für mit Stilmöbeln eingerichtete Räume.
Sehr schön kommen mehrere Pflanzen in
einer flachen Schale zur Geltung.
Zwergformen können in Terrarien gepflanzt
werden.

Kleinklima 2: Warm, indirekte Sonne.
Größe: Usambaraveilchen bilden flache Blatt-
rosetten von etwa 20 cm Durchmesser.
Der Handel bietet ganzjährig blühende Pflanzen
an. Die Sorten gehen in die Tausende.
Düngen: Das ganze Jahr hindurch mit
¼ der empfohlenen Menge eines Flüssigdün-
gers gießen.
Umtopfen: Wenn die Wurzeln den alten Topf
vollkommen ausfüllen. Flache Töpfe oder
Schalen und humose Erde mit Torfzusatz und
Perlite verwenden.
Besonderheiten: Es darf weder Dünger noch
Wasser auf die behaarten Blätter kommen, da
sie fleckig werden.

Nestbromelie
Nidularium innocentii

Die *N. innocentii* bildet niedrige, ausladende Rosetten aus riemenartigen, dunkelgrünen Blättern. Zur Blütezeit färbt sich
die Rosettenmitte dunkelrot, mitunter fast
schwarz. In ihr entwickeln sich in Büscheln
weiße Blütchen, die nur kurze Zeit halten.
Die farbigen Herzblätter dagegen bleiben
mehrere Monate schön.

Kleinklima 2: Warm, indirekte Sonne.
Größe: Die Pflanzen werden bis zu
20 cm hoch und 40 cm breit. Der Handel führt
kurz vor der Blüte stehende, drei- bis vierjährige
Exemplare.
Düngen: Einmal monatlich mit der Hälfte der
empfohlenen Menge eines Flüssigdüngers
gießen, und zwar auf Blätter, Erde sowie in den
Trichter.
Umtopfen: Im Frühjahr, sofern die Wurzeln den
alten Topf vollkommen ausfüllen. Ein torfhaltiges Substrat verwenden. Ab 10 cm Topfdurchmesser nur die obere Erdschicht erneuern.
Besonderheiten: Einige Zeit nach der Blüte
die Mutterpflanze wegschneiden, damit sich die
Kindel entwickeln können.

Art mit ähnlichem Wuchs
Nidularium fulgens ist ebenso groß und hat
dunkelgetupfte, dornenbesetzte Blätter.

Drehfrucht
Streptocarpus-‹John Innes ‹-Hybride

Kleine Pflanzen mit primelähnlichen Blättern
und großen Trichterblüten, die an langen
Stielen stehen und weiß, rosa, rot, malvenfarben oder blau sind. Darüber hinaus entwickelt die Pflanze dekorativ gedrehte
Samenkapseln, die man aber besser entfernt,
damit sich weitere Blüten bilden können.
Die Pflanzen sollten einjährig behandelt und
nach der Blüte fortgeworfen werden. Wie
bei Primeln und Usambaraveilchen sehen
mehrere Pflanzen in einer flachen Schale
zusammen sehr dekorativ aus.

Kleinklima 5: Kühl, indirekte Sonne.
Größe: Die Drehfrucht wird bis zu
30 cm hoch und 45 cm breit. Der Handel führt
kleine, knospige Exemplare.
Düngen: Von Frühjahrsbeginn bis Spätherbst
alle zwei Wochen die Hälfte der empfohlenen
Menge eines phosphatreichen Flüssigdüngers
gießen.
Umtopfen: Im Frühjahr. Humose Erde mit
Torfzusatz und Perlite verwenden. Pro Tasse dieser Mischung einen ½ Eßlöffel Kalkstein-
splitt zugeben. Ab 15 cm Topfdurchmesser
Wurzeln schneiden.

Gloxinie
Sinningia speciosa

Die großen, zart behaarten Blätter dieser
Pflanzen haben eine auffällige Aderung,
die wegen der großen, prächtigen Glockenblüten meist unbeachtet bleiben. Die Blüten
stehen in Büscheln über den Blattrosetten,
haben gekräuselte, häufig auch weiße
Ränder und sind weiß, rosa, rot oder purpur.
Gloxinien werden meist einjährig behandelt, aber ihre Knollen kann man im Herbst
auch abtrocknen lassen und im Frühjahr
erneut eintopfen. Sie harmonieren sehr gut
mit Stilmöbeln und können einzeln oder
für Gruppenpflanzungen verwendet
werden.

Kleinklima 2: Warm, indirekte Sonne.
Größe: Gloxinien werden bis zu
30 cm hoch und breit. Der Handel führt
knospige Pflanzen.
Düngen: Während der Blütezeit einmal monat-
lich einen phosphatreichen Dünger geben.
Umtopfen: Knollen im Frühjahr in eine
Mischung aus je ⅓ humoser Erde, Torf und
Perlite setzen. Blühende Pflanzen brauchen
nicht umgetopft zu werden.

Buschige Pflanzen 1

Eine genaue Beschreibung dieser Pflanzengruppe ist nur schwer möglich, denn sie umfaßt eine enorme Bandbreite an Blüten- und Blattpflanzen. Gemeinsam ist allen, daß sie etwa ebenso breit wie hoch werden. Das ist auch der Grund, weshalb man sie meist einzeln oder paarweise aufstellt, anstatt sie für Mischpflanzungen zu verwenden, obwohl manche der aufrechter wachsenden buschigen Pflanzen einen schönen Hintergrund für hängende Gewächse bilden. Viele der blühenden Arten sehen sehr schön aus, wenn man mehrere von einer Art zusammen in eine flache Schale setzt. Eine ganze Reihe der buschigen Blütenpflanzen ist einjährig. Sie werden also blühend gekauft und nach der Blüte fort-

geworfen. Viele Arten verzweigen sich natürlich und entwickeln regelmäßig neue Seitentriebe. Andere verzweigen sich nur an ihren Spitzen, die immer wieder ausgeknipst werden müssen. Form und Größe der Pflanzen dieser Gruppe reichen von den niedrigen Peperomien und Hypoestes bis zum großen strauchigen Goldblatt. Auch Struktur, Größe, Farbe und Form der Blätter sind sehr unterschiedlich. Da gibt es die kleinen, glatten Blätter des Pellefarns sowie das gerunzelte Laub der Rexbegonie. Farbenfrohe Blätter finden sich bei Pflanzen wie der Buntnessel und dem Tüpfelblatt. Buschige Pflanzen eignen sich für Stilmöbeleinrichtungen und auch für vorwiegend zwanglos eingerichtete Räume.

Kleinblättrige Arten

Browallia
Browallia speciosa

Diese schönen Pflanzen haben violettblaue Blüten, die sich im Herbst und bis in den Winter hinein entwickeln. Am besten hält man sie einjährig und wirft sie nach der Blüte fort. Zu den verschiedenen Varietäten gehören sowohl hohe Sorten als auch Zwergformen. Ältere Stengel hängen oft über. Deshalb eignen sich die Pflanzen gut für Ampeln, oder aber man gruppiert mehrere Exemplare auf einem niedrigen Tisch.

Kleinklima 1: Warm, sonnig.
Größe: Höhe und Breite ca. 90 cm. Triebspitzen ausknipsen, damit die Pflanzen buschig wachsen. Im Herbst sind vollentwickelte Pflanzen im Handel.
Düngen: Alle zwei Wochen mit Flüssigdünger gießen.
Umtopfen: Bei einjährigen Pflanzen nicht notwendig; sonst im Frühjahr, sofern die Wurzeln den Topf ausfüllen. Ein Lehmsubstrat verwenden. Ab 12 cm Topfdurchmesser nur die obere Erdschicht erneuern.
Besonderheiten: Eventuell auftretende Blattläuse vernichten.

Art mit ähnlichem Wuchs
Browallia viscosa ist nur halb so groß wie *B. speciosa* und hat kleinere Blätter und Blüten. Das Laub ist leicht klebrig.

Elatiorbegonie
Begonia-Elatior-Hybride

Beinahe das ganze Jahr über blühen diese Begonien. Die Farbe der großen, rosenähnlichen Blüten reicht von Tiefrot über Rosa bis Gelb und Weiß. Am besten hält man die Pflanzen einjährig und wirft sie nach der Blüte fort. Das Laub ist meist blaßgrün, doch manchmal werden die Pflanzen mit tiefrotem Laub angeboten. Diese großblumigen Begonien eignen sich als Solitärpflanzen, können aber auch zu mehreren in flache Schalen gesetzt werden. Sie benötigen helle, gutgelüftete Räume.

Kleinklima 4: Warm, indirekte Sonne.
Größe: Elatiorbegonien wachsen meist aufrecht und werden 35 bis 40 cm hoch und breit. Von Frühjahrsmitte bis Frühherbst sind im Handel kleine buschige Pflanzen erhältlich.
Düngen: Im Frühjahr und Sommer alle zwei Wochen mit einem Flüssigdünger gießen.
Umtopfen: Bei einjährigen Pflanzen nicht notwendig; sonst im Sommer oder Herbst. Eine Mischung aus ½ Lehmsubstrat und ½ Lauberde (oder grobem Torfmull) verwenden.
Besonderheiten: Pflanzen durch gute Lüftung vor Mehltau schützen.

Art mit ähnlichem Wuchs
Begonia tuberhybrida hat große, gefüllte Blüten in Rot, Rosa, Weiß oder Gelb.

Semperflorens-Begonie
Begonia-Semperflorens-Hybride

Diese kleinen buschigen Pflanzen sind wegen ihres üppigen Blütenflors sehr geschätzt. Es gibt einfache und gefülltblühende Sorten in Weiß, Rosa und Rot, die von Mai bis in den Winter blühen. Die Begonien (*B.*-Semperflorens-Hybriden) werden meist als einjährige Pflanzen behandelt und nach der Blüte weggeworfen. Mehrere Pflanzen in eine flache Schale gesetzt oder mit bunten Blattpflanzen gruppiert, bilden einen hübschen Blickfang. Diese Begonien bevorzugen helle, gutgelüftete Räume.

Kleinklima 4: Warm, sonnig.
Größe: Sie erreichen eine Höhe von 30 cm. Die Pflanzen werden im Frühjahr als Sämlinge, sonst als vollentwickelte Pflanzen angeboten.
Düngen: Im Frühjahr und Sommer alle zwei Wochen mit Flüssigdünger gießen.
Umtopfen: Bei einjährigen Pflanzen nicht notwendig; sonst im Sommer oder Herbst. Eine Mischung aus ½ Lehmsubstrat und ½ Lauberde (oder grobem Torfmull) verwenden. Bei älteren Pflanzen nur die obere Erdschicht erneuern.
Besonderheiten: Pflanzen durch gute Lüftung vor Mehltau schützen.

| **Temperatur** Frühjahr bis Herbst 10–15°C / Winter 7–10°C / 10–15°C / 15–21°C | **Licht** sonnig / indirekte Sonne / schattig | **Luftfeuchtigkeit** niedrig / mittel / hoch | **Wässern** wenig / mäßig / reichlich | **Pflege** problemlos / relativ einfach / anspruchsvoll |

Zitronenpelargonie
Pelargonium crispum ›Variegatum‹

Diese Pelargonien zieht man hauptsächlich wegen ihrer duftenden Blätter und weniger wegen ihrer Blüten. Das Laub ist blaßgrün und hat einen cremefarbenen, gewellten Rand. Durch Ausknipsen der Triebspitzen können die Pflanzen in vielen Formen gezogen werden. Sie wirken etwas nostalgisch und eignen sich gut für Räume mit schlichten, nicht zu eleganten Stilmöbeln.

Kleinklima 4: Kühl, sonnig.
Größe: Die Pflanzen werden 60 bis 90 cm hoch, können aber auch klein und buschig erzogen werden. Im Handel sind Jungpflanzen erhältlich.
Düngen: Zweimal während des Sommers mit der Hälfte der empfohlenen Menge eines Flüssigdüngers gießen.
Umtopfen: Im Frühjahr, sofern die Wurzeln den alten Topf ausfüllen. Ein Lehmsubstrat verwenden. Zuvor den Topfboden mit einer dünnen Drainageschicht auslegen.
Besonderheiten: Im Winter sparsamer gießen; die Stengel sind fäulnisanfällig.

Buntnessel
Coleus-Blumei-Hybride

Diese Pflanzen haben weichstrukturierte Blätter, deren lebendiges Farbspektrum von Rot und Rostbraun über Cremeweiß bis Purpur reicht. Manche sind drei- und mehrfarbig. Obgleich die gezähnten Blätter denen der Brennessel sehr ähnlich sind, sind die beiden Pflanzen nicht verwandt. Buntnesseln werden einjährig gezogen und dann fortgeworfen.

Kleinklima 1: Warm, sonnig.
Größe: Buntnesseln werden in einem Jahr bis zu 45 cm hoch und ebenso breit. Triebspitzen ausknipsen, damit sich die Pflanze buschig entwickelt.
Düngen: Im Frühjahr und Sommer alle zwei Wochen mit Flüssigdünger gießen, im Herbst und Winter einmal monatlich.
Umtopfen: Alle zwei Monate. Ein Lehmsubstrat verwenden. Bei älteren Pflanzen nur die obere Erdschicht erneuern.
Besonderheiten: Sonnige Standorte vertiefen die Blattfärbung.

Pentas
Pentas lanceolata

Die Pentas blühen normalerweise im Winter, je nach Kultur aber erscheinen die Blüten auch zu allen anderen Jahreszeiten. Die Blätter sind lanzettlich geformt, und die in kugeligen Trugdolden stehenden Blüten sind violett, weiß oder rosa. Verschiedene Pentas zusammengesetzt passen sehr gut in helle, wohnliche Räume.

Kleinklima 1: Warm, sonnig.
Größe: Sie erreichen eine Höhe von 30 bis 45 cm. Triebe müssen ausgeknipst werden, damit die Pflanze buschig wächst. Im Handel sind kleine Pflanzen erhältlich.
Düngen: Während der Blütezeit alle zwei Wochen mit Flüssigdünger gießen.
Umtopfen: Jedes Frühjahr. Ein Erdsubstrat verwenden. Bei älteren Pflanzen nur die obere Erdschicht erneuern.
Besonderheiten: Im Winter sparsamer gießen.

Fleißiges Lieschen
Impatiens walleriana

Die Blütenfarben dieser weitverbreiteten Pflanze reichen von Weiß über Rosa bis Rot, und manche Blüten haben auch Streifen. Die Blätter und sukkulenten Stengel sind blaßgrün bis bronzefarben. Schon mit sechs Wochen beginnen die Fleißigen Lieschen zu blühen und bilden dann den ganzen Sommer über neue Blüten. Im allgemeinen hält man sie einjährig. Diese Pflanzen sehen besonders hübsch aus, wenn sie zu mehreren in eine Ampel oder einen Blumenkasten gesetzt werden.

Kleinklima 1: Warm, sonnig.
Größe: Fleißige Lieschen wachsen rasch; die modernen Hybriden werden bis zu 35 cm hoch. Triebspitzen ausknipsen, damit sich die Pflanze buschig entwickelt.
Düngen: Im Frühjahr und Sommer alle zwei Wochen mit Flüssigdünger gießen.
Umtopfen: Jedes Frühjahr, aber nur, wenn die Wurzeln den Topf ausfüllen. Ein Lehmsubstrat verwenden. Ab 12 cm Topfdurchmesser nur die obere Erdschicht erneuern.

Buschige Pflanzen 2

Kleinblättrige Arten (Fortsetzung)

Chinesischer Roseneibisch
Hibiscus rosa-sinensis

Große einfache oder gefüllte Blüten und glänzende, dunkelgrüne Blätter machen den Roseneibisch zu einer allseits beliebten Pflanze. Die Blüten können rot, rosa, weiß, gelb oder orange sein und erscheinen im allgemeinen einzeln, und zwar meist im Frühjahr und Sommer.

Kleinklima 1: Warm, sonnig.
Größe: Die Pflanzen werden bis zu 1,5 m hoch. Der Handel bietet im Sommer knospige Pflanzen an.
Düngen: Im Frühjahr und Sommer alle zwei Wochen mit einem kaliumreichen Flüssigdünger gießen, im Herbst und Winter einmal monatlich. Entwickeln sich nur wenige Blüten, muß öfter (keinesfalls aber stärker dosiert) gedüngt werden.
Umtopfen: Jedes Frühjahr. Ein Lehmsubstrat verwenden. Bei älteren Pflanzen nur die obere Erdschicht erneuern.
Besonderheiten: Im Winter sparsamer gießen.

Blaues Lieschen, Bitterblatt
Exacum affine

Im Sommer überzieht sich diese buschige, kleine Pflanze mit einem Meer von leuchtendblauen Blüten mit gelben Augen. Die Blüten halten bis zu zwei Monate. Man behandelt die Pflanzen am besten einjährig und wirft sie nach der Blüte fort. Mehrere Exemplare in eine große Schale zusammengesetzt, bilden in allen Räumen einen hübschen Blickfang.

Kleinklima 2: Warm, indirekte Sonne.
Größe: Die Stengel werden rasch bis zu 30 cm lang. Der Handel bietet zu Frühjahrsbeginn knospige Jungpflanzen an.
Düngen: Während der Blüte alle zwei Wochen mit Flüssigdünger gießen.
Umtopfen: Nur notwendig, wenn die Pflanze in einem sehr kleinen Topf gekauft wurde. Ein Lehmsubstrat verwenden.
Besonderheiten: Um die Luftfeuchtigkeit zu erhöhen, Töpfe auf mit nassem Kies gefüllte Untersetzer stellen.

Edelpelargonie
Pelargonium-Grandiflorum-Hybride

Diese Pelargonien haben schlichtes Laub, aber große Blütenköpfe in allen Schattierungen von Weiß bis Rot, mitunter sind sie auch zwei- oder dreifarbig. Die Blütezeit ist kurz; sie dauert nur von Frühjahr bis Mitte Sommer. Pelargonien eignen sich besonders für Blumenkästen.

Kleinklima 4: Kühl, sonnig.
Größe: Edelpelargonien können, einstämmig kultiviert, bis 60 cm hoch werden oder auch klein und buschig wachsen.
Düngen: Im Frühjahr und Sommer gelegentlich mit Flüssigdünger gießen.
Umtopfen: Im Frühjahr. Ein Lehmsubstrat verwenden. Ab 12 cm Topfdurchmesser nur die obere Erdschicht erneuern.
Besonderheiten: Welke Blüten entfernen, damit sich neue Triebe entwickeln können.

Art mit ähnlichem Wuchs
Pelargonium-Zonale-Hybride entwickelt fast ganzjährig kugelige Blütenbüschel.

Pfeilwurz
Maranta leuconeura › Erythroneura ‹

Die auch als Gebetspflanze bekannte Pfeilwurz (die Blattpaare falten sich bei Nacht zusammen) ist mit ihren olivgrünen Blättern eine faszinierende Pflanze. Die rote Mittelrippe wird durch einen blaßgrünen Streifen besonders hervorgehoben. Die Pflanze, die sehr lange Triebe entwickelt, kann auch an einem kurzen Moosstab gezogen werden. Sie sollte an einem exponierten Platz stehen.

Kleinklima 3: Warm, schattig.
Größe: Pfeilwurze werden maximal 15 bis 30 cm hoch und 40 cm breit. Der Handel bietet kleine Pflanzen an.
Düngen: Von Frühjahr bis Herbst alle zwei Wochen mit Flüssigdünger gießen.
Umtopfen: Jedes Frühjahr. Ein Lehmsubstrat und flache Töpfe oder Gefäße verwenden. Bei älteren Pflanzen nur die obere Erdschicht erneuern.

Temperatur Frühjahr bis Herbst 10–15°C · Winter 7–10°C · 10–15°C · 15–21°C
Licht sonnig · indirekte Sonne · schattig
Luftfeuchtigkeit niedrig · mittel · hoch
Wässern wenig · mäßig · reichlich
Pflege problemlos · relativ einfach · anspruchsvoll

Cinerarie, Aschenblume
Senecio-Cruentus-Hybride

Cinerarien haben große Korbblüten, die in der Mitte der fleischigeren Blätter stehen. Die Blüten, deren Augen häufig von einem weißen Ring umgeben sind, sind orange, rot, rosa, blau oder purpurn. Das Laub fühlt sich pelzig an und ist auf der Unterseite oft bläulich. Im allgemeinen werden die Pflanzen einjährig behandelt; man wirft sie nach der Blüte fort. Einen auffälligen Blickfang bilden mehrere Cinerarien der gleichen Farbe in einem Porzellangefäß oder Korb.

Kleinklima 4: Kühl, sonnig.
Größe: Im Frühjahr und Sommer bietet der Handel knospige Pflanzen bis zu 30 cm Höhe und Breite an.
Düngen: Nicht notwendig.
Umtopfen: Nicht notwendig.
Besonderheiten: Damit die Pflanzen möglichst lang dekorativ bleiben, darauf achten, daß die Erde nie ganz austrocknet. Über die großen Blätter verdunstet das Wasser rasch, und wenn die Wurzeln austrocknen, geht die Pflanze ein. Eventuell auftretende Blattläuse vernichten.

Weihnachtsstern, Poinsettie
Euphorbia pulcherrima

Poinsettien sind ein willkommener Zimmerschmuck zur Weihnachtszeit. Die Hochblätter bleiben zwei Monate dekorativ. Danach sollte man die Pflanzen zurückschneiden und als Blattpflanzen halten. Es ist nicht einfach, sie ein zweites Jahr zum Blühen zu bringen. Poinsettien, hauptsächlich die rotblühenden, sind schöne Solitärpflanzen; sie können aber auch mit dunkelgrünen Blattpflanzen zusammengestellt werden.

Kleinklima 1: Warm, sonnig.
Größe: Poinsettien werden selten höher als 30 bis 35 cm.
Düngen: Einmal monatlich mit Flüssigdünger gießen.
Umtopfen: Im ersten Jahr nicht notwendig; im zweiten die Pflanze mit frischem Lehmsubstrat wieder in den alten Topf setzen.
Besonderheiten: Der Saft der Poinsettien kann Hautreizungen hervorrufen.

Tüpfelblatt
Hypoestes phyllostachya

Eine sehr schöne Pflanze mit rosagetupftem Laub. Am besten einjährig behandeln und dann wegwerfen. Das Tüpfelblatt ist sehr klein, deshalb kommen mehrere Exemplare, entweder in Einzeltöpfen gruppiert oder in einem Gefäß zusammengesetzt, besser zur Geltung.

Kleinklima 2: Warm, indirekte Sonne.
Größe: Die Pflanzen werden recht hoch. Ab 30 cm sollte man durch Ausknipsen der Spitzen die Triebe auf diese Höhe beschränken; der Wuchs wird sonst spärlich.
Düngen: Von Frühsommer bis Herbstmitte alle zwei Wochen mit Flüssigdünger gießen.
Umtopfen: Im Frühjahr, sofern die Wurzeln den alten Topf ausfüllen. Ab 12 cm Topfdurchmesser nur die obere Erdschicht erneuern.
Besonderheiten: Gelegentlich mit lauwarmem Wasser besprühen, um einem Befall durch die Rote Spinne vorzubeugen.

Azalee
Rhododendron simsii

Azaleen entwickeln leuchtendgefärbte Blütenbüschel, die über einem Meer glänzender, grüner Blätter stehen. Das Farbspektrum reicht von Weiß über Rosa bis zu sämtlichen Rotschattierungen. Manche Blüten sind auch zweifarbig. Mehrere Azaleen zusammen in eine flache Schale setzen und an einen gut sichtbaren Platz in einen Flur oder anderen kühlen Raum stellen.

Kleinklima 5: Kühl, indirekte Sonne.
Größe: Azaleen werden nicht viel höher und breiter als 30 cm. Im Winter werden knospige Pflanzen angeboten.
Düngen: Von Frühjahr bis Herbst alle zwei Wochen mit Flüssigdünger gießen.
Umtopfen: Nicht notwendig.
Besonderheiten: Damit die Pflanzen lange dekorativ bleiben, darauf achten, daß sie kühl stehen. Erde stets feucht halten.

Buschige Pflanzen 3

Kleinblättrige Arten (Fortsetzung)

Alpenveilchen
Cyclamen persicum

Alpenveilchen blühen vom Spätherbst bis Frühjahrsbeginn, und die Farben ihrer federballartigen Blüten reichen von Weiß über Rot bis Purpur. Einige Sorten haben gefranste und auch duftende Blüten. Wenngleich Alpenveilchen meist einjährig gehalten werden, kann man ihre Knollen gegen Frühjahrsende abtrocknen und über die Sommermonate ruhen lassen.

Kleinklima 5: Warm, indirekte Sonne.
Größe: Alpenveilchen werden etwa 20 bis 25 cm hoch. Von September bis Weihnachten sind knospige Pflanzen im Handel.
Düngen: Während der Blüte alle zwei Wochen mit Flüssigdünger gießen.
Umtopfen: Im ersten Jahr nicht notwendig. Ruhende Knollen im September wieder in Lehmsubstrat pflanzen. Knolle muß ⅓ bis ⅔ herausragen. Stets den gleichen Topf verwenden.
Besonderheiten: Wasser nie direkt auf die Knollen geben, sondern den Topf für zehn Minuten ins Wasserbad stellen, danach überschüssiges Wasser ablaufen lassen.

Korallenkirsche
Solanum capsicastrum

Murmelgroße, korallenrote Beeren lassen diese kleinen Sträucher zu Favoriten des Herbstes werden. An einem kühlen, sonnigen Platz halten sie mehrere Monate; warme, trockene Luft vertragen sie nicht. Für einen niedrigen Tisch oder als Ergänzung eines Blattpflanzenarrangements in einem Blumenkasten eignet sich die Korallenkirsche besonders gut.

Kleinklima 4: Kühl, sonnig.
Größe: Maximal 45 cm. Im Handel sind fruchttragende Pflanzen erhältlich.
Düngen: Alle zwei Wochen mit einem Flüssigdünger gießen.
Umtopfen: Im Frühjahr. Ein Lehmsubstrat verwenden. Um die Pflanzen ein zweites Jahr zu halten, schneidet man ihre Triebe um die Hälfte zurück.
Besonderheiten: Täglich besprühen und stets feucht halten. Im Winter sparsamer gießen. Die Früchte sind ungenießbar.

Steppdeckenpeperomie
Peperomia caperata

Diese kleinen Stauden haben charakteristische, stark gerunzelte, herzförmige Blätter. Ihr niedriger Wuchs wird durch senkrechtstehende, weiße Blütenähren ausgeglichen, die sich in den Blattrosetten entwickeln. Peperomien eignen sich gut für Blattpflanzenarrangements mit kontrastierenden Blattgrößen und -strukturen.

Kleinklima 2: Warm, indirekte Sonne.
Größe: Steppdeckenpeperomien sind kompakt und selten höher als 15 cm. Der Handel bietet Jungpflanzen und Zwergformen an, die sich für Flaschengärten eignen.
Düngen: Von Frühjahrsmitte bis Herbst einmal monatlich mit ½ der empfohlenen Menge eines Flüssigdüngers gießen.
Umtopfen: Im Frühjahr, sofern die Wurzeln den alten Topf ausfüllen. Ein Torfsubstrat verwenden.
Besonderheiten: Nicht überwässern, da Peperomien fäulnisanfällig sind.

Zierpaprika
Capsicum annuum

Eine beliebte Pflanze mit leuchtendfarbigen Schoten, die sich im Herbst entwickeln und bis nach Weihnachten schön bleiben. Meist sind die Früchte orangerot; es gibt jedoch auch Sorten, die weiß, gelb, grün oder violett fruchten. Am besten hält man die Pflanzen einjährig und wirft sie dann fort. Sie eignen sich gut für bunte Weihnachtsarrangements oder, zu mehreren zusammengesetzt, als Tischdekoration.

Kleinklima 1: Warm, sonnig.
Größe: Am schönsten sind die Pflanzen mit 30 bis 35 cm Höhe und Breite. Der Handel führt fruchttragende Exemplare dieser Größe.
Düngen: Wenn die Pflanzen Früchte tragen, alle zwei Wochen mit Flüssigdünger gießen.
Umtopfen: Nicht notwendig.
Besonderheiten: Um die Luftfeuchtigkeit zu erhöhen, Töpfe auf mit nassem Kies gefüllte Untersetzer stellen.

Temperatur
Frühjahr bis Herbst 10–15°C
Winter 7–10°C
10–15°C
15–21°C

Licht
sonnig
indirekte Sonne
schattig

Luftfeuchtigkeit
niedrig
mittel
hoch

Wässern
wenig
mäßig
reichlich

Pflege
problemlos
relativ einfach
anspruchsvoll

Topfchrysantheme
Chrysanthemum-Morifolium-Hybride

Eine weitverbreitete Pflanze, die – außer in Blau – in allen Blütenfarben angeboten wird. Blüten und Blätter verströmen einen ganz typischen Duft. Die Topfchrysantheme, deren Blütezeit sechs Wochen dauert, wird meist einjährig behandelt und nach der Blüte weggeworfen. Mehrere Exemplare in einem Korb oder auf einem niedrigen Tisch zusammengesetzt, sehen sehr dekorativ aus.

Kleinklima 5: Kühl, indirekte Sonne.
Größe: Topfchrysanthemen sind Züchtungen, die nicht höher als 30 cm werden. Sie sind ganzjährig als blühende Pflanzen erhältlich.
Düngen: Nicht notwendig.
Umtopfen: Nicht notwendig.
Besonderheiten: Beim Kauf darauf achten, daß die Knospen Farbe zeigen, weil sich grüne Knospen oft nicht öffnen.

Becherprimel
Primula obconica

Eine der reizvollsten Blütenpflanzen, die zwischen Weihnachten und Sommer blühen. Die an langen Schäften stehenden Blütendolden sind weiß, rosa, lachs- oder lavendelfarben und haben ein charakteristisches grünes Auge. Primeln hält man am besten einjährig.

Kleinklima 5: Kühl, indirekte Sonne.
Größe: Primeln werden selten höher als 30 cm und breiter als 25 cm. Der Handel führt blühende Pflanzen.
Düngen: Alle zwei Wochen mit Flüssigdünger gießen.
Umtopfen: Nicht notwendig.

Art mit ähnlichem Wuchs
Die *Primula malacoides* (Fliederprimel) ist eine zarte Pflanze mit weißen, rosaroten oder fliederfarbenen Blüten.

Schiefteller
Achimenes grandiflora

Diese Pflanzen haben behaarte, aufrechtwachsende grüne oder rote Stengel und große, ebenfalls behaarte Blätter. Die Blüten sind rosa, purpurn oder gelb und haben einen weißen Schlund. Ihre Blütezeit dauert von Juni bis Oktober.

Kleinklima 1: Warm, sonnig.
Größe: Schiefteller werden bis zu 45 cm hoch. Im Frühjahr sind Jungpflanzen im Handel.
Düngen: Während der Blüte mit 1/8 der empfohlenen Menge eines phosphatreichen Flüssigdüngers gießen.
Umtopfen: Im Frühjahr. Eine Mischung aus je 1/3 Torf, grobem Sand und Perlite verwenden. Ältere Pflanzen jedes Frühjahr teilen.
Besonderheiten: Während der Winterruhe nicht gießen.

Großblättrige Arten

Zimmeraralie
Fatsia japonica

Ein immergrüner Strauch, der schon seit einem Jahrhundert als Zimmer- und Gartenpflanze Verwendung findet. Er hat hübsche, glänzende, tiefeingeschnittene Blätter, die in Farbe und Struktur mit dem Stamm kontrastieren. Der Stamm wird mit der Zeit knorrig und holzig. Im Sommer können die Pflanzen draußen stehen, wo sich die grüne Blattfärbung noch vertieft. Zimmeraralien sehen in architektonisch gestalteten Räumen besonders dekorativ aus.

Kleinklima 5: Kühl, indirekte Sonne.
Größe: Aralien wachsen rasch und werden in zwei Jahren 1,5 m hoch und breit. Der Handel bietet kleine Pflanzen an.
Düngen: Im Frühjahr und Sommer alle zwei Wochen mit einem Flüssigdünger gießen.
Umtopfen: Im Frühjahr. In Tontöpfe pflanzen, da Zimmeraralien oft kopflastig sind. Ein Lehmsubstrat verwenden. Bei älteren Pflanzen nur die obere Erdschicht erneuern.

Buschige Pflanzen 4

Großblättrige Arten (Fortsetzung)

Aukube, Goldblatt
Aucuba japonica ›Variegata‹

Die Blätter dieser Hybride haben eine kräftige gelbe Zeichnung und können in kühlen Räumen in Blumenkästen gesetzt oder für Blattpflanzenarrangements verwendet werden, da sie recht robust sind und bedingt auch schlechtes Licht und Zug tolerieren.

Kleinklima 5: Kühl, indirekte Sonne.
Größe: Die Pflanzen werden bis 90 cm hoch. Der Handel führt etwa 20 cm große Exemplare.
Düngen: Den Sommer über einmal monatlich mit Flüssigdünger gießen.
Umtopfen: Im Frühjahr. Ein Lehmsubstrat verwenden. Ab 20 cm Topfdurchmesser nur die obere Erdschicht erneuern.
Besonderheiten: Blätter regelmäßig mit einem feuchten Schwamm säubern. Die Pflanzen können im Freien übersommern.

Buntwurz, Kaladie
Caladium-Bicolor-Hybride

Die Vielfalt an Färbungen und Blattzeichnungen bei Kaladien ist enorm. Neben grünen Blättern mit roten Nerven gibt es auch zartweiße und cremefarbene mit rosa und grünen Adern.

Kleinklima 3: Warm, schattig.
Größe: Grünblättrige Kaladien werden 20 bis 25 cm hoch, bunte 40 bis 45 cm.
Düngen: Während des Wachstums wöchentlich, dann alle zwei Wochen mit 50% der empfohlenen Menge eines Flüssigdüngers.
Umtopfen: Überwinterte Knollen im Frühjahr in Torfsubstrat setzen. Für guten Abfluß sorgen. Töpfe mit 12 cm Durchmesser verwenden und Knollen mit 2 bis 3 cm Erde bedecken.
Besonderheiten: Während der Winterruhe nicht wässern.

Glanzkölbchen, Aphelandre
Aphelandra squarrosa ›Louisae‹

Aphelandren sind sowohl Blüten- wie Blattpflanzen. Etwa sechs Wochen lang halten die ungewöhnlichen Blütenstände mit ihren sich überlappenden gelben Hochblättern. Sind sie verwelkt, knipst man sie ab und verwendet die Aphelandre als Blattpflanze. Die großen, glänzenden Blätter sind mit dicken, weißen Adern durchzogen. Die Pflanzen wirken am besten zusammen mit einfarbigen Blattpflanzen in modernen Räumen.

Kleinklima 2: Warm, indirekte Sonne.
Größe: Aphelandren werden etwa 30 cm hoch und breit.
Düngen: Von Frühjahr bis Frühherbst wöchentlich mit Flüssigdünger gießen.
Umtopfen: Jedes Frühjahr. Ein Lehmsubstrat verwenden. Ab 15 cm Topfdurchmesser nur die obere Erdschicht erneuern.

Art mit ähnlichem Wuchs
Aphelandra aurantiaca hat leichtgebänderte Blätter und auffällige, scharlachrote Blüten.

Flamingoblume
Anthurium-Scherzerianum-Hybride

Die exotischen Blüten dieser Pflanzen bestehen aus scharlachroten Blütenscheiden, die schwanzförmige Blütenkolben umgeben. Sie erscheinen zwischen Februar und Juli und halten mehrere Wochen. Einige blühende Pflanzen zusammengesetzt, bilden einen dekorativen Blickfang. Blütenlose Pflanzen harmonieren gut mit anderen tropischen Schattenpflanzen.

Kleinklima 3: Warm, schattig.
Größe: Flamingoblumen werden etwa 60 cm hoch. Im Handel sind kleine Pflanzen erhältlich.
Düngen: Alle zwei Wochen mit Flüssigdünger gießen.
Umtopfen: Im Frühjahr. Eine Mischung aus je 1/3 Lehmsubstrat, grobem Torfmull und grobem Sand verwenden. Ab 18 cm Topfdurchmesser nur die obere Erdschicht erneuern. Freiliegende Wurzeln mit Torfmull bedecken.
Besonderheiten: Im Winter sparsamer gießen. Um die Luftfeuchtigkeit zu erhöhen, Pflanzen auf mit nassem Kies gefüllte Untersetzer stellen.

Temperatur
Frühjahr bis Herbst 10–15°C
Winter 7–10°C
10–15°C
15–21°C

Licht
sonnig
indirekte Sonne
schattig

Luftfeuchtigkeit
niedrig
mittel
hoch

Wässern
wenig
mäßig
reichlich

Pflege
problemlos
relativ einfach
anspruchsvoll

Rexbegonie
Begonia-Rex-Hybride

Diese Art zählt zu den schönsten unter
den Begonien. Sie wird vor allem wegen der
herrlich gefärbten Blätter gezogen;
die Blüten sind dagegen recht unscheinbar.
Die herzförmigen Blätter werden bis 30 cm
lang und tragen großartige Zeichnungen
in Rot, Schwarz, Silber und Grün. Auch die
Blattstruktur ist unterschiedlich: Manche
Hybriden haben glatte Blätter, bei anderen
sind sie gerippt oder genoppt.

Kleinklima 3: Warm, schattig.
Größe: Die Pflanzen werden bis 30 cm hoch
und 90 cm breit. Der Handel bietet 5 bis 8 cm
hohe Jungpflanzen an.
Düngen: Im Frühjahr und Sommer alle
zwei Wochen mit Flüssigdünger gießen.
Umtopfen: Zu dicht stehende Pflanzen jedes
dritte Frühjahr teilen. In flache Gefäße mit frischem Lehmsubstrat setzen.
Besonderheiten: Während der Winterruhe
sparsamer gießen. Eventuell auftretenden Mehltau bekämpfen.

Art mit ähnlichem Wuchs
Begonia masoniana hat ein rotes Kreuz auf ihren
blaßgrünen Blättern.

Arten mit zusammengesetzten Blättern

Frauenhaarfarn
Adiantum raddianum

Frauenhaarfarne haben zarte, blaßgrüne
Wedel, die an schwarzen, drahtigen Stengeln
stehen. Sie harmonieren gut mit anderen
Blatt- und Blütenpflanzen und lockern die
Silhouette von Pflanzenarrangements auf.
Aber auch allein ist der filigrane *A. raddia-
num* sehr dekorativ. Kleine Exemplare
eignen sich für Terrarien.

Kleinklima 3: Warm, schattig.
Größe: Frauenhaarfarne werden bis 30 cm
breit und hoch.
Düngen: Im Frühjahr und Sommer einmal
monatlich mit Flüssigdünger gießen.
Umtopfen: Im Frühjahr, sofern viele Wurzeln
freiliegen. Ein torfhaltiges Substrat verwenden.
Besonderheiten: Um die Luftfeuchtigkeit zu
erhöhen, Töpfe auf mit nassem Kies gefüllte
Untersetzer stellen.

Arten mit ähnlichem Wuchs
Adiantum macrophyllum hat dunkelgrüne,
keilförmige Fieder. *A. hispidulum* ist sehr klein
und hat fingerförmige Wedel.

Federspargel
Asparagus setaceus

Feder- und andere Zierspargel haben zarte,
fiedrige Wedel, die an verzweigten, drahtigen Stengeln sitzen. Höherwachsende Arten
müssen eventuell mit Stäben gestützt werden, damit die langen Wedel Halt haben.
Man kann sie auch mit Farnen zusammen
in Ampeln pflanzen.

Kleinklima 2: Warm, indirekte Sonne.
Größe: Die Triebe werden bis 1,2 m lang.
Düngen: Im Frühjahr und Sommer alle
zwei Wochen mit Flüssigdünger gießen;
im Herbst und Winter einmal monatlich.
Umtopfen: Im Frühjahr. Ein Lehmsubstrat
verwenden. Bei älteren Pflanzen nur die obere
Erdschicht erneuern.

Arten mit ähnlichem Wuchs
Asparagus asparagoides ist eine kletternde
Pflanze mit langen Ranken, die gestützt werden
müssen.
Asparagus falcatus entspricht dem *A. asparagoides*, nur trägt er an den Stengeln sichel-
förmige Dornen.

Saumfarn
Pteris cretica

Die Farnsorten von *P. cretica* wachsen
büschelig und haben gestreifte Wedel, die
sich aus kurzen, unterirdischen Rhizomen
entwickeln. Die einzelnen Wedel sind hand-
förmig, und die Fieder sehen wie Finger aus.
Saumfarne harmonieren gut mit anderen
Pflanzen und sind ideal für Wintergärten und
Pflanzenfenster mit Nordlage.

Kleinklima 3: Warm, schattig.
Größe: Saumfarne werden bis 35 cm hoch
und breit. Der Handel führt etwa 12 cm hohe
Pflanzen.
Düngen: Einmal monatlich mit 50% der emp-
fohlenen Menge eines Flüssigdüngers gießen.
Umtopfen: Im Frühjahr, sofern die Wurzeln
den alten Topf ausfüllen.

Arten mit ähnlichem Wuchs
Pteris tremula gleicht dem Adlerfarn. Er wächst
rasch und hat Wedel von 60 cm Länge und
30 cm Breite. *P. ensiformis* besitzt unterschiedlich geformte Wedel, die mitunter aus
vielen Fiedern bestehen.

Kletterpflanzen 1

Kletterpflanzen haben meist Stengel, die zu schwach sind, um allein aufrecht zu wachsen. Werden sie jedoch gestützt, können sie beliebig gezogen werden. Viele der kletternden Gewächse lassen sich auch als Kriech- oder Hängepflanzen verwenden, und umgekehrt. Arten mit Luftwurzeln, wie Philodendren und das Fensterblatt, entwickeln meist recht dicke Stämme, und ihre Blätter werden mitunter groß und schwer. Daher läßt man sie am einfachsten an einem kräftigen Moosstab wachsen. Manche Pflanzen dieser Gruppe klettern auf natürliche Weise an anderen Gewächsen hoch und finden Halt, indem sie Ranken ausschicken oder sich einfach an ihrem Nachbarn »anlehnen«. Andere entwickeln spira-

lige Blattranken, mit denen sie an Bambusstäben, Draht- reifen und Spalieren hochwachsen. Auch wenn diese Ranken zart und schwach erscheinen, sind sie meist sehr kräftig. Kletterpflanzen lassen sich auch an Fensterrah- men, Spiegeln und Bogengängen ziehen oder zu einer Laubwand, um als Raumteiler zu dienen. Viele haben dekoratives Laub, wie beispielsweise der Königswein mit seinen gesägten Blättern oder der Kanarische- und der Kapefeu, die gelb und grün panaschiertes Laub haben. Verschiedene Kletterpflanzen entwickeln darüber hinaus auch Blüten. Zu ihnen gehören die Kapländische Bleiwurz mit ihren eindrucksvollen himmelblauen Blüten und Jasmin.

Kleinblättrige Arten

Kanarischer Efeu
Hedera canariensis

Dieser Efeu hat leicht gebuchtete dunkel- grüne Blätter mit grau-grünen Flecken. Er klettert kräftig und kann leicht an allen Stützen gezogen werden. Große Exemplare sind schöne Solitärpflanzen und eignen sich ausgezeichnet für kühle Plätze wie Dielen und Treppenaufgänge.

Kleinklima 5: Kühl, indirekte Sonne.
Größe: Kanarischer Efeu wächst rasch und hoch, mindestens 2 m. Die Blätter können 12 cm lang und 15 cm breit werden. Im Handel sind Pflanzen aller Größen erhältlich.
Düngen: Während der Wachstumsperiode alle zwei Wochen mit Flüssigdünger gießen.
Umtopfen: Im Frühjahr, sofern die Wurzeln den alten Topf ausfüllen. Ein Lehmsubstrat ver- wenden. Ab 15 bis 20 cm Topfdurchmesser nur die obere Erdschicht erneuern.
Besonderheiten: Im Winter sparsamer gießen.

Kapefeu
Senecio macroglossus

Diese Pflanzen ähneln sehr stark dem Gemeinen Efeu, doch sind ihre Blätter glatter, weicher und fleischiger. Sie haben eine grüne und cremefarbene Zeichnung, die in manchen Fällen so intensiv ist, daß das Creme vollkommen dominiert. Die Pflanzen können an Bambus- oder Drahtreifen gezogen oder in kleine Ampeln gepflanzt werden.

Kleinklima 1: Warm, sonnig.
Größe: Die Pflanzen werden bis zu 1 m hoch und breit. Damit sie buschig wachsen, Trieb- spitzen ausknipsen. Der Handel bietet kleine Pflanzen an.
Düngen: Im Frühjahr und Sommer alle zwei Wochen mit Flüssigdünger gießen.
Umtopfen: Im Frühjahr. Eine Mischung aus 1/4 grobem Sand und 3/4 Lehmsubstrat verwen- den. Ab 15 cm Topfdurchmesser nur die obere Erdschicht erneuern.
Besonderheiten: Im Winter sparsamer gießen. Eventuell auftretende Blattläuse vernichten.

Königswein, Klimme
Cissus rhombifolia

Die Blätter dieser Klimme sind stark gesägt und im Jugendstadium silbrig, da sie beidsei- tig eine feine Behaarung aufweisen. Blätter älterer Pflanzen sind an den Unterseiten braun behaart. An einfachen Bambusspalie- ren gezogen, wachsen die Klimmen verhält- nismäßig schnell zu großen Dekorations- pflanzen heran. Sie eignen sich auch aus- gezeichnet für große Ampeln.

Kleinklima 2: Warm, indirekte Sonne.
Größe: Klimmen werden in etwa zwei Jahren 1,8 m hoch, unter idealen Bedingungen er- reichen sie 3 m. Regelmäßig die Triebspitzen ausknipsen, damit die Pflanze buschig wächst. Der Handel führt Pflanzen aller Größen.
Düngen: Im Frühjahr und Sommer alle zwei Wochen mit Flüssigdünger gießen.
Umtopfen: Im Frühjahr. Ein Lehmsubstrat ver- wenden. Ab 15 bis 18 cm Topfdurchmesser nur die obere Erdschicht erneuern.

Temperatur
Frühjahr bis Herbst 10–15°C | Winter 7–10°C | 10–15°C | 15–21°C
Licht sonnig | indirekte Sonne | schattig
Luftfeuchtigkeit niedrig | mittel | hoch
Wässern wenig | mäßig | reichlich
Pflege problemlos | relativ einfach | anspruchsvoll

Passionsblume
Passiflora caerulea

Diese exotischen Pflanzen haben herrliche Blüten mit rosa bis zartvioletten Kelch- und Blütenblättern. Die Blütezeit ist Sommer und Herbst. Damit die *P. caerula* mit ihrem dunkelgrünen Laub schön wächst, sollten die Triebe an Drahtstützen gezogen werden. Passionsblumen sind eindrucksvolle Solitärpflanzen für Wintergärten und breite, helle Fensterbänke.

Kleinklima 1: Warm, sonnig.
Größe: Die Triebe der Passionsblumen werden bis zu 10 m lang.
Düngen: Von Frühjahr bis Herbst alle zwei Wochen mit Flüssigdünger gießen.
Umtopfen: Im Frühjahr. Ein Lehmsubstrat verwenden. Ab 20 cm Topfdurchmesser nur die obere Erdschicht erneuern. Im Frühjahr Seitentriebe zurückschneiden.

Mikania
Mikania ternata

Diese kleinen Pflanzen haben weiches, olivgrünes Laub mit purpurner Behaarung. Auch Blattunterseiten und Triebe sind purpurn. Man kann die Pflanzen – ähnlich wie Efeugewächse – als Hänge- oder Kletterpflanzen verwenden, obwohl sie nicht so groß werden. Ihre ungewöhnliche Färbung kontrastiert in gemischten Laubarrangements hübsch mit hellgrünen Pflanzen.

Kleinklima 2: Warm, indirekte Sonne.
Größe: Die schnellwüchsigen Pflanzen werden bis 25 cm hoch und breit.
Düngen: Von Frühjahr bis Herbst alle zwei Wochen mit Flüssigdünger gießen.
Umtopfen: Im Frühjahr. Ein Lehmsubstrat verwenden.
Besonderheiten: Kein Wasser auf das behaarte Laub tropfen lassen.

Schwarzäugige Susanne
Thunbergia alata

Die dekorativen leuchtendgelben Blüten dieser Pflanzen haben ein für sie typisches schokoladenbraunes Auge und blühen fast das ganze Jahr über. Besonders hübsch wirkt die Schwarzäugige Susanne, wenn sie an Schnüren ein Fenster hinaufklettert.

Kleinklima 4: Kühl, sonnig.
Größe: Die Pflanzen wachsen rasch und können über 2 m hoch werden. Im Handel sind Jungpflanzen erhältlich.
Düngen: Alle zwei Wochen mit Flüssigdünger gießen.
Umtopfen: Im Frühling, sofern die Wurzeln den alten Topf ausfüllen. Ein Lehmsubstrat verwenden. Ab 15 cm Topfdurchmesser nur die obere Erdschicht erneuern.
Besonderheiten: Welke Blüten entfernen, damit die Pflanzen möglichst lang schön bleiben.

Kranzschlinge
Stephanotis floribunda

Die Kranzschlingen sind Pflanzen mit dunkelgrünen, glänzenden Blättern und holzigen Stengeln, die sich um jede Stütze winden, und herrlich duftenden weißen, wachsartigen Blüten. Diese stehen in Dolden, sind röhrenförmig und laufen in fünf zugespitzten Lappen aus. Kranzschlingen blühen von Frühjahr bis Herbst. Sie können an Spalieren kletternd gezogen werden oder – wo der Platz begrenzt ist – an Drahtreifen und Stäben, die in einen Topf gesteckt werden.

Kleinklima 1: Warm, sonnig.
Größe: Kranzschlingen sind sehr starkwüchsig und erreichen unterschiedliche Höhen, meist etwa 3 m. Damit sie buschig wachsen, die Triebspitzen ausknipsen. Der Handel führt Pflanzen aller Größen.
Düngen: Im Frühjahr und Sommer alle zwei Wochen mit Flüssigdünger gießen.
Umtopfen: Jedes zweite Frühjahr. Ein Lehmsubstrat verwenden. Ab 20 cm Topfdurchmesser nur die obere Erdschicht erneuern.
Besonderheiten: Um die Luftfeuchtigkeit zu erhöhen, Töpfe auf mit nassem Kies gefüllte Untersetzer stellen. Während der winterlichen Ruhezeit sparsamer wässern.

Kletterpflanzen 2

Kleinblättrige Arten (Fortsetzung)

Känguruhwein
Cissus antarctica

Diese Verwandten der Weinrebe haben glänzendes Laub mit einer auffälligen Äderung und grobgesägten Rändern. Man kann sie an Stützen ziehen und in Ampeln setzen.

Kleinklima 2: Warm, indirekte Sonne.
Größe: Die Pflanzen werden innerhalb von zwei Jahren bis 2 m hoch und 60 cm breit.
Düngen: Im Frühjahr und Sommer alle zwei Wochen mit Flüssigdünger gießen.
Umtopfen: Im Frühjahr. Ein Lehmsubstrat verwenden. Ab 15 bis 20 cm Topfdurchmesser nur die obere Erdschicht erneuern.
Besonderheiten: Erde nie ganz austrocknen lassen. Um die Luftfeuchtigkeit zu erhöhen, Töpfe auf mit feuchtem Kies gefüllte Untersetzer stellen.

Kapländische Bleiwurz
Plumbago auriculata

Diese Pflanzen entwickeln von Fruhjahr bis Herbst Dolden mit bis zu 20 Blüten. Von den 4 cm hohen Kelchen ziehen sich über die Mitte der Kronblätter schmale, dunklere Streifen. Um einen Reif gewunden, sehen sie besonders hübsch aus.

Kleinklima 1: Warm, sonnig.
Größe: Die Triebe der Bleiwurz werden über 1 m lang, sollten aber jedes Frühjahr zurückgeschnitten werden; der Wuchs wird sonst spärlich.
Düngen: Von Frühjahr bis Herbst alle zwei Wochen mit einem Flüssigdünger gießen.
Umtopfen: Jedes Frühjahr. Ein Lehmsubstrat verwenden. Ab 20 cm Topfdurchmesser nur die obere Erdschicht erneuern.

Jasmin
Jasminum polyanthum

Diese attraktiven Pflanzen entwickeln im Winter und Frühjahr weiße, duftende Blütenbüschel. Jasmin wirkt außergewöhnlich zart, ist jedoch ein kräftiger Kletterer, den man leicht an Drahtreifen und anderen dünnen Stützen ziehen kann.

Kleinklima 4: Kühl, sonnig.
Größe: Jasmin wird in einer Rabatte bis 6, in einem Topf bis 1 m hoch.
Düngen: Im Sommer und Herbst einmal monatlich mit Flüssigdünger gießen.
Umtopfen: Jedes Frühjahr. Ein Lehmsubstrat verwenden. Ab 20 cm Topfdurchmesser nur die obere Erdschicht erneuern.
Besonderheiten: Pflanzen im Sommer ins Freie stellen.

Allamanda
Allamanda cathartica

Diese Kletterpflanzen entwickeln während des Sommers über viele Wochen hinweg leuchtende, dottergelbe Blüten. Die glänzenden, dunkelgrünen Blätter stehen an langen Trieben. Sowohl in eine Wintergartenrabatte als auch in einen Topf gepflanzt, können Allamanden an einer Wand gezogen werden. In kleineren Räumen kann man sie in Töpfe setzen und um einen in die Blumenerde geschobenen Drahtreifen wachsen lassen.

Kleinklima 2: Warm, indirekte Sonne.
Größe: Die Pflanzen werden bis zu 2,5 m hoch und breit. Im Winter bis zu zwei Drittel zurückschneiden.
Düngen: Während des Sommers alle zwei Wochen mit Flüssigdünger gießen.
Umtopfen: Jedes Frühjahr. Ein Lehmsubstrat verwenden. Bei älteren Pflanzen nur die obere Erdschicht erneuern.
Besonderheiten: Im Winter sparsamer gießen.

Temperatur			Licht			Luftfeuchtigkeit			Wässern			Pflege		
Frühjahr bis Herbst 10–15°C	Winter 7–10°C	10–15°C	15–21°C	sonnig	indirekte Sonne	schattig	niedrig	mittel	hoch	wenig	mäßig	reichlich	problemlos	relativ einfach	anspruchsvoll

Bougainvillea, Drillingsblume
Bougainvillea buttiana

Diese Pflanzen haben holzige Stämme und sind mit spitzen Dornen versehen. Ihre kleinen, cremeweißen Blüten sind unscheinbar, werden jedoch jeweils von drei großen, sehr dekorativen Hochblättern umgeben, die weiß, gelb, orange, rosa, rot oder purpurn sind. Sie erscheinen hauptsächlich im Frühjahr und Sommer. Obwohl es sich von Natur aus um eine Kletterpflanze handelt, kann man Bougainvilleen im Haus auch buschig ziehen. In sehr sonnigen Räumen halten, da sie viel Licht brauchen, um zur Blüte zu kommen.

Kleinklima 1: Warm, sonnig.
Größe: Bougainvilleen werden bis zu 2 m hoch und breit. Triebspitzen ausknipsen, damit die Pflanzen buschig wachsen. Der Handel bietet kleine Pflanzen an.
Düngen: Im Sommer alle zwei Wochen mit Flüssigdünger gießen.
Umtopfen: Jedes Frühjahr. Ein Lehmsubstrat mit etwas Torfmull verwenden. Ab 20 cm Topfdurchmesser nur die obere Erdschicht erneuern.
Besonderheiten: Im Winter sparsamer gießen. Eventuell auftretende Wolläuse vernichten.

Großblättrige Arten

Philodendron
Philodendron erubescens

Diese großblättrigen Philodendren haben rote Blattstiele und gedeihen sehr gut an Moosstäben. Im Gegensatz zu anderen Arten kommt der *P. erubescens* relativ häufig zur Blüte.

Kleinklima 3: Warm, schattig.
Größe: Die Pflanzen sind schwachwüchsig, werden schließlich aber 2 m groß.
Umtopfen: Im Frühjahr, sofern die Wurzeln den alten Topf ausfüllen. Zu gleichen Teilen Lehmsubstrat und Lauberde verwenden.
Düngen: Im Frühjahr und Sommer alle zwei Wochen mit Flüssigdünger gießen.
Besonderheiten: Um die Luftfeuchtigkeit zu erhöhen, Töpfe auf mit nassem Kies gefüllte Untersetzer stellen.

Purpurtute, Fußblatt, *Syngonium podophyllum* › Imperial White ‹

Diese Kletterpflanzen sind insofern ungewöhnlich, als sich ihre Blätter mit dem Alter verändern. Jugendblätter sind dreifach, Altersblätter fünffach geteilt. Die Pflanzen können an schmalen Stützen gezogen werden, an Moosstäben klettern, oder man läßt sie aus Ampeln hängen.

Kleinklima 2: Warm, indirekte Sonne.
Größe: Die Triebe werden bis 2 m lang.
Düngen: Von Frühjahr bis Herbst alle zwei Wochen mit Flüssigdünger gießen.
Umtopfen: Im Frühjahr, sofern die Wurzeln den alten Topf ausfüllen. ½ Lehmsubstrat und ½ Lauberde verwenden. Bei älteren Pflanzen nur die obere Erdschicht erneuern.

Fensterblatt
Monstera deliciosa

Fensterblätter an Moosstäben ziehen, damit die bleistiftdicken Luftwurzeln in das Moos gelenkt werden können. Diese Wurzeln nie abschneiden, denn sie nehmen Nährstoffe auf. Alte Pflanzen ergänzen sehr reizvoll große Möbelstücke.

Kleinklima 3: Warm, schattig.
Größe: Fensterblätter werden bis 2,5 m hoch.
Düngen: Im Frühjahr und Sommer alle zwei Wochen mit Flüssigdünger gießen.
Umtopfen: Jedes Frühjahr. Eine Mischung aus ⅔ Lehmsubstrat und ⅓ Lauberde verwenden.
Besonderheiten: Ältere Blätter regelmäßig säubern.

Hängepflanzen 1

Die meisten der hier beschriebenen Pflanzen kommen am besten zur Geltung, wenn ihre Triebe herabhängen. Aber verschiedene Arten, wie Efeu und Philodendren, können auch kletternd gezogen werden. Hängepflanzen eignen sich hauptsächlich für Ampeln oder für Standplätze wie Sockel und Borde, wo sich ihr herabhängendes Laub entfalten kann. Man verwendet sie auch, um die Konturen von Pflanzengruppen aufzulockern. Diese Gruppe umfaßt eine großartige Vielfalt an Blattstrukturen: sie reicht von den blattähnlichen Seitensprossen des Zierspargels über die steifen, fleischigen Blätter des Geweihfarns bis hin zu dem zarten, rundlichen Laub des Judenbarts. Aufregende Ampelpflanzungen entstehen, wenn man zum Beispiel die großen Wedel des Geweihfarns *(Platycerium bifurcatum)* mit der Fülle der dunkelgrünen, herzförmigen Blätter des Hängephilodendron *(Philodendron scandens)* kombiniert. Die Blätter der Hängepflanzen bieten neben den vielfältigen Strukturen auch eine große Bandbreite an Farben. Da sind beispielsweise die mit malvenfarbenen, grünen und cremefarbenen Streifen gezeichneten glatten Blätter der Tradeskantie, das samtige, purpurne Laub der Gynure und die wunderschöne Silberpanaschierung der Efeutute.

Kleinblättrige Arten

Hängephilodendron
Philodendron scandens

Diese kleinblättrigen Philodendren sind die anspruchslosesten Arten ihrer Gattung. Die spitz zulaufenden, fleischigen Blätter haben zunächst eine hübsche Bronzefärbung, später werden sie grün und ledrig. Hängephilodendren kann man auch an Stützen (wie Moosstäben) kletternd ziehen oder nach unten ranken lassen. Ebenso können sie als Lückenfüller an die Ränder von Pflanzungen gesetzt werden. Sie sind für warme Räume ideal, solange sie nicht zu sonnig stehen.

Kleinklima 3: Warm, schattig.
Größe: Die Pflanzen wachsen rasch und werden 2 m lang und 50 cm breit, aber auch größer. Triebspitzen ausknipsen, damit sich die Pflanze buschig entwickelt.
Düngen: Im Frühjahr und Sommer alle zwei Wochen mit Flüssigdünger gießen, im Herbst und Winter einmal monatlich.
Umtopfen: Im Frühjahr. Eine Mischung aus gleichen Teilen Lehmsubstrat und Lauberde oder Torfmull verwenden. Ab 25 bis 30 cm Topfdurchmesser nur die obere Erdschicht erneuern.
Besonderheiten: Um die Luftfeuchtigkeit zu erhöhen, Töpfe auf mit nassem Kies gefüllte Untersetzer stellen.

Efeutute
Scindapsus pictus ›Argyraeus ‹

Auffällig an diesen Pflanzen sind ihre olivgrünen, silbergefleckten Blätter. Diese stehen an dicken Stengeln, an denen sich gelegentlich auch Luftwurzeln entwickeln. Am besten stellt man mehrere kleine Pflanzen zusammen oder setzt ein großes Exemplar dicht bei einem sonnigen Fenster in eine Ampel. Efeututen sind darüber hinaus hübsche Dekorationspflanzen, die an Moosstäben gezogen werden können.

Kleinklima 1: Warm, sonnig.
Größe: Die Pflanzen sind schwachwüchsig, erreichen aber dennoch 1,5 m Länge und Breite. Im Frühjahr die Triebspitzen ausknipsen, damit sich die Pflanze buschig entwickelt. Der Handel führt 10 bis 15 cm große Exemplare.
Düngen: Von Frühjahr bis Herbst alle zwei Wochen mit Flüssigdünger gießen.
Umtopfen: Im Frühjahr, sofern die Wurzeln den alten Topf ausfüllen. Ein Lehmsubstrat verwenden. Ab 15 cm Topfdurchmesser nur die obere Erdschicht erneuern.
Besonderheiten: Im Winter sparsamer gießen.

Goldgefleckte Efeutute
Epipremnum aureum

Pflanzen mit gelblichgrünen Stengeln, Luftwurzeln und großen hellgrünen Blättern, die auffallend und unregelmäßig goldgelb gefleckt sind. Sie eignen sich ausgezeichnet für Ampeln und hohe Borde, können aber auch an Moosstäben gezogen werden. Ältere Exemplare haben große Blätter und stehen am besten allein.

Kleinklima 2: Warm, indirekte Sonne.
Größe: Die Triebe werden maximal 2 m lang, die Pflanzenbreite erreicht 1 m. Triebspitzen ausknipsen, damit die Pflanze buschig wächst. Im Handel sind kleinblättrige Jungpflanzen erhältlich.
Düngen: Während Frühjahr und Sommer alle zwei Wochen mit Flüssigdünger gießen.
Umtopfen: Im Frühjahr. Ein Lehmsubstrat verwenden. Bei älteren Pflanzen nur die obere Erdschicht erneuern.
Besonderheiten: Im Winter sparsamer gießen.

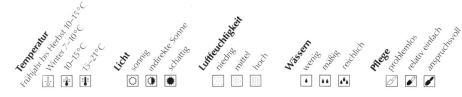

Temperatur
Frühjahr bis Herbst 10–15°C
Winter 7–10°C
10–15°C
15–21°C

Licht
sonnig
indirekte Sonne
schattig

Luftfeuchtigkeit
niedrig
mittel
hoch

Wässern
wenig
mäßig
reichlich

Pflege
problemlos
relativ einfach
anspruchsvoll

Zebrakraut
Zebrina pendula

Das Zebrakraut ist eine besonders dekorative Pflanze mit schöngefärbten, ovalen Blättern. Die schillernden Oberseiten zieren Silberstreifen, die Unterseiten sind purpurn. Im Frühjahr und Herbst erscheinen in Büscheln kleine dunkelrosa Blüten. Man kann als Blickfang mehrere Pflanzen in einer Ampel gruppieren oder bei Mischpflanzungen das Zebrakraut über die Schalenränder ranken lassen.

Kleinklima 1: Warm, sonnig.
Größe: Die Pflanze erreicht eine Breite von 30 cm, die Triebe werden bis zu 40 cm lang. Triebspitzen ausknipsen, damit sich die Pflanze buschig entwickelt. Im Handel sind kleine Exemplare erhältlich.
Düngen: Alle zwei Wochen mit Flüssigdünger gießen.
Umtopfen: Im Frühjahr, sofern die Wurzeln den alten Topf ausfüllen. Ein Lehmsubstrat verwenden.

Porzellanblume, Wachsblume (Zwergform)
Hoya bella

Diese buschigen Pflanzen haben überhängende Triebe und mattgrüne, wachsartige Blätter. Die reinweißen, intensiv duftenden Blüten stehen zu acht oder zehnt in sternförmigen Büscheln, haben purpurne Mitten und erscheinen während des Sommers. Zwergformen kommen am besten in Ampeln zur Geltung, da man das Innere der hängenden Blüten nur von unten sehen kann. Sie eignen sich gut für moderne Räume und sonnige Wintergärten.

Kleinklima 1: Warm, sonnig.
Größe: Die Pflanzen werden bis 30 cm hoch, dann hängen die Triebe über.
Düngen: Von Frühjahr bis Frühherbst alle zwei Wochen mit kaliumreichem Flüssigdünger gießen.
Umtopfen: Im Frühjahr. Ein Lehmsubstrat verwenden und für gute Drainage sorgen. Ab 12 bis 15 cm Topfdurchmesser nur die obere Erdschicht erneuern.

Rachenrebe
Columnea › Banksii ‹

Die Pflanzen haben prächtige scharlachrote Blüten. Sie können zu jeder Jahreszeit erscheinen, und eine große Pflanze trägt bis zu 100 Blüten gleichzeitig. Große Exemplare als Solitärpflanzen in schlichten Gefäßen oder Ampeln in warme Räume stellen.

Kleinklima 2: Warm, indirekte Sonne.
Größe: Die hängenden Triebe werden maximal 1,2 m lang.
Düngen: Jeweils mit 1/4 der empfohlenen Menge eines phosphatreichen Flüssigdüngers gießen.
Umtopfen: Jedes Frühjahr. Eine Mischung aus 2/3 torfhaltigem Substrat und 1/3 Perlite verwenden. Bei älteren Pflanzen können statt dessen die Wurzeln beschnitten werden.
Besonderheiten: Ganzjährig für hohe Luftfeuchtigkeit sorgen.

Tradeskantie, Wasserranke
Tradescantia albiflora ›Albovittata ‹

Tradeskantien haben große Ähnlichkeit mit dem Zebrakraut, und ihre silbergrün gestreiften Blätter sind beinahe durchscheinend. Mehrere Pflanzen zusammen in eine Ampel setzen oder ein großes Exemplar von einem Bord ranken lassen. Ferner kann man Tradeskantien an den Rand von gemischten Pflanzungen für warme Räume setzen. Tradeskantien klettern auch.

Kleinklima 1: Warm, sonnig.
Größe: Die Pflanzen wachsen rasch, und die Triebe werden bis 30 cm lang. Ihre Spitzen ausknipsen, damit der Wuchs buschig wird.
Düngen: Von Frühjahr bis Herbst alle zwei Wochen mit Flüssigdünger gießen.
Umtopfen: Im Frühjahr, sofern die Wurzeln den alten Topf ausfüllen. Ein Lehmsubstrat verwenden.
Besonderheiten: Vertrocknete und blasse Blätter entfernen.

Arten mit ähnlichem Wuchs:
Tradescantia blossfeldiana hat tiefolivgrüne Blätter mit cremefarbenen und rosa Streifen sowie weichen, samtigen Haaren.
T. sillamontana hat pfefferminzgrüne Blätter mit langen, weißen Haaren.

Hängepflanzen 2

Kleinblättrige Arten (Fortsetzung)

Henne mit Küken
Tolmiea menziesii

Ihren Namen verdankt diese Pflanze der Tatsache, daß sie an ihren Blättern, wo der Stiel in die Blattspreite übergeht, neue Pflanzen entwickelt. Diese ziehen die langen Blattstiele herunter, so daß der Eindruck einer Hängepflanze entsteht. Sowohl die frischgrünen Blätter als auch die schlanken Blattstiele sind mit weichen Haaren bedeckt. Die Pflanzen eignen sich ausgezeichnet für Ampeln. Sie sollten kühl stehen.

Kleinklima 5: Kühl, indirekte Sonne.
Größe: Die Pflanzen erreichen schnell 30 cm Höhe und Breite. Der Handel führt kleine Exemplare.
Düngen: Im Frühjahr und Sommer alle zwei Wochen mit Flüssigdünger gießen.
Umtopfen: Im Frühjahr, sofern die Wurzeln den alten Topf ausfüllen. Ein Lehmsubstrat verwenden.
Besonderheiten: Im Winter sparsamer gießen.

Grünlilie, Flinker Heinrich
Chlorophytum comosum ›Vittatum‹

Die schmalen, ausschwingenden Blätter dieser Hybriden haben einen charakteristischen weißen oder cremefarbenen Mittelstreifen. Zahlreiche Jungpflanzen entwickeln sich an Ausläufern, die lang herunterhängen. Schön gezogene Exemplare sind prächtige Dekorationspflanzen, wenn man sie hoch genug plaziert, etwa auf einem Sockel oder in einer Ampel.

Kleinklima 5: Kühl, indirekte Sonne.
Größe: Die Ausläufer der Grünlilien werden bis zu 60 cm lang, die Breite hängt vom Platz ab, den eine Pflanze im Topf hat.
Düngen: Alle zwei Wochen mit Flüssigdünger gießen.
Umtopfen: Wenn die Wurzeln den alten Topf ausfüllen. Ein Lehmsubstrat verwenden. Bei älteren Pflanzen nur die obere Erdschicht erneuern.
Besonderheiten: Beim Eintopfen die oberen 3 cm freilassen, damit sich die dicken Wurzeln entwickeln können.

Judenbart
Saxifraga stolonifera

Diese Pflanzen entwickeln an dünnen Ausläufern zahlreiche Jungpflanzen. Die Mutterpflanzen sind klein und niedrig, doch durch die Jungpflanzen wirken sie wie Hängegewächse. Den Judenbart setzt man am besten in eine Ampel, damit man die roten Blattunterseiten sehen kann und die zarten Triebe keinen Schaden nehmen. In kühle Räume stellen und darauf achten, daß die Triebe nicht berührt werden können.

Kleinklima 5: Kühl, indirekte Sonne.
Größe: Der Judenbart wächst rasch, wird aber nicht höher als 20 cm; die Triebe werden bis 60 cm lang.
Düngen: Einmal monatlich mit Flüssigdünger gießen.
Umtopfen: Im Frühjahr. Ein Lehmsubstrat verwenden. Pflanzen nach dem zweiten Umtopfen wegwerfen.
Besonderheiten: Im Winter sparsamer gießen.

Gemeiner Efeu
Hedera helix

Von dem Gemeinen Efeu gibt es viele Hybriden, deren Formen, Farben und Blattstrukturen sehr unterschiedlich sind. Efeu läßt sich vielseitig verwenden: Er kann in den Vordergrund von Pflanzengruppen gesetzt werden, als Hängegewächs in Ampeln wachsen, auf Borde gestellt oder kletternd gezogen werden. Efeu eignet sich für fast alle Bereiche des Hauses, gedeiht in kühlen Räumen aber am besten.

Kleinklima 5: Kühl, indirekte Sonne.
Größe: Efeu wächst schnell, deshalb die Triebspitzen ausknipsen, damit er buschig wächst.
Düngen: Im Frühjahr und Sommer alle zwei Wochen mit Flüssigdünger gießen, im Herbst und Winter einmal monatlich.
Umtopfen: Im Frühjahr, sofern die Wurzeln den alten Topf ausfüllen. Ein Lehmsubstrat verwenden. Bei älteren Pflanzen nur die obere Erdschicht erneuern.

Temperatur
Frühjahr bis Herbst 10–15°C
Winter 7–10°C
10–15°C
15–21°C

Licht sonnig · indirekte Sonne · schattig

Luftfeuchtigkeit niedrig · mittel · hoch

Wässern wenig · mäßig · reichlich

Pflege problemlos · relativ einfach · anspruchsvoll

Zierspargel
Asparagus densiflorus › Sprengeri ‹

Diese Pflanzen haben ausschwingende Stengel, die später auch überhängen. Sie sind verzweigt, mit kleinen Scheinblättern besetzt und verleihen den Pflanzen ein zartes, farnartiges Aussehen. Man kann sie mit Farnen in Ampeln setzen oder mit ihnen die Konturen von Pflanzenarrangements auflockern. Sie sind verhältnismäßig anspruchslos und ausgesprochen vielseitig zu verwenden.

Kleinklima 2: Warm, indirekte Sonne.
Größe: Die Triebe werden 90 cm und länger. Der Handel führt kleine Pflanzen.
Düngen: Im Frühjahr und Sommer alle zwei Wochen mit Flüssigdünger gießen, im Herbst und Winter einmal monatlich.
Umtopfen: Im Frühjahr, sofern die Wurzeln den alten Topf ausfüllen. Ein Lehmsubstrat verwenden. Bei älteren Pflanzen nur die obere Erdschicht erneuern.
Besonderheiten: Damit die Pflanzen lange schön bleiben, sollten welke Triebe frühzeitig herausgeschnitten werden.

Gynure, Samtpflanze
Gynura aurantiaca

Die gezähnten Blätter dieser Pflanzen sind mit feinen violetten Haaren bedeckt und ganz jung am farbenprächtigsten. Die Stengel stehen zunächst aufrecht, später hängen sie über. Am schönsten kommen die samtigen Blätter zur Geltung, wenn man mehrere Pflanzen in einer Ampel vor ein sonniges Fenster hängt. Große Exemplare harmonieren besonders mit kräftigen Stoffarben und -mustern.

Kleinklima 1: Warm, sonnig.
Größe: Die hängenden Triebe werden 50 bis 100 cm lang. Im Handel werden kleine, kompakte Pflanzen angeboten.
Düngen: Einmal monatlich mit Flüssigdünger gießen.
Umtopfen: Im Frühjahr. Ein Lehmsubstrat verwenden.
Besonderheiten: Im Winter sparsamer gießen. Die unangenehm riechenden orangefarbenen Blüten sollten entfernt werden, bevor sie sich öffnen.

Glockenblume
Campanula isophylla

Diese Glockenblumenart entwickelt von Anfang August bis in den November hinein zarte blaßblaue oder weiße Blüten, die gewöhnlich so zahlreich sind, daß das blaßgrüne Laub fast verdeckt wird. Man hält sie hauptsächlich einjährig und wirft sie nach der Blüte fort. Mehrere Exemplare in eine Ampel oder einen Blumenkasten gepflanzt, sehen besonders hübsch aus. Sie eignen sich gut für Wintergärten und zwanglos eingerichtete Räume.

Kleinklima 4: Kühl, sonnig.
Größe: Die schlanken Triebe werden bis 30 cm lang. Triebspitzen ausknipsen, damit die Pflanzen buschig wachsen. Der Handel bietet den Sommer über kleine Exemplare an.
Düngen: Während der Blüte alle zwei Wochen mit Flüssigdünger gießen.
Umtopfen: Bei einjährigen Pflanzen nicht notwendig; sonst im Frühjahr. Ein Lehmsubstrat verwenden.
Besonderheiten: Glockenblumen in Ampeln täglich besprühen.

Großblättrige Arten

Geweihfarn
Platycerium bifurcatum

Diese außergewöhnlichen Farne entwickeln unterschiedliche Blätter. Neben den normalen Wedeln, die dem Farn sein typisches Aussehen verleihen, hat er Nischenblätter, mit denen er Humus und Feuchtigkeit aufnimmt. Eine herrliche Pflanze für exponierte Standorte und Ampeln.

Kleinklima 3: Warm, schattig.
Größe: Die herabhängenden Wedel werden bis zu 90 cm lang.
Düngen: Während der Wachstumsperiode einmal monatlich. Den Flüssigdünger in einen Eimer mit Wasser geben und Topf oder Borke darin wässern.
Umtopfen: Nur kleine Pflanzen eintopfen. Ein torfhaltiges Substrat verwenden. Ältere Pflanzen auf Borken wachsen lassen. Den Wurzelballen mit Fasertorf umwickeln und an einer Borke befestigen.
Besonderheiten: Besprühen, um die Luftfeuchtigkeit zu erhöhen.

Kriechpflanzen

Die Pflanzen dieser Gruppe haben auf dem Boden liegende Triebe, die, wenn sie ungehindert wachsen können, dichte Pflanzenteppiche bilden. Sie eignen sich daher gut als Bodendecker, die man um aufrechtwachsende Pflanzen herumsetzt oder verwendet, um die harten Linien großer Gefäße aufzulockern. Manche der Kriechpflanzen, wie etwa das Mooskraut, schicken überall dort, wo sie den Boden berühren, Wurzeln in die Erde und lassen neue Pflanzen entstehen, während andere, wie beispielsweise der Harfenstrauch, nur auf dem Boden liegenbleiben.

Meist sind die Pflanzen dieser Gruppe kleinblättrig und nicht sehr hoch. Einige breiten sich jedoch mit zunehmendem Alter stark aus, vorausgesetzt, sie haben genügend Platz. Andere Arten, wie der vielseitige *Ficus*

pumila oder der größere Harfenstrauch, kriechen zwar, können aber auch an Stützen kletternd gezogen werden oder aus Ampeln ranken. Manche Pflanzen dieser Gruppe haben ungewöhnliche Blattzeichnungen: Die hier beschriebene Begonie trägt beispielsweise limonengrüne Blätter mit rötlichbrauner Zeichnung, und die dunkelgrünen Blätter der Mosaikpflanze haben eine exotische karminrote Aderung, während bei ihrer Zwergform die Adern silbrig sind. Bei der Korallenpflanze bilden sich korallenrote Beeren, die mehrere Monate lang dekorativ bleiben. Die farbenprächtigen Blätter und Früchte der Kriechpflanzen bieten optisch ausreichend Ersatz für die nur unscheinbaren Blüten. Viele Kriechpflanzen eignen sich besonders für die feuchte Atmosphäre von Flaschengärten und Terrarien.

Kleinblättrige Arten

Bubiköpfchen
Soleirolia soleirolii

Diese hübschen kleinen Pflanzen entwickeln an dünnen Trieben ein Meer winziger, hellgrüner Blätter, die den Topf schnell überwuchern. Mehrere dieser moosartigen Hügel zusammen in einem Weidenkorb bilden einen reizvollen Blickfang. Bubiköpfchen wachsen auch gut an Ränder von Blattpflanzengruppen gepflanzt werden. Nicht für Flaschengärten und Terrarien verwenden, da sie bald alles überwuchern.

Kleinklima 4: Kühl, sonnig.
Größe: Die Pflanzen werden nicht höher als 5 cm, in der Breite begrenzt sie nur ihr Topf. Ab und zu mit einer Schere stutzen, damit sie in »Form« bleiben. Der Handel bietet ganzjährig kleine und mittlere Pflanzen an.
Düngen: Im Sommer alle zwei Wochen mit der Hälfte der empfohlenen Menge eines Flüssigdüngers gießen.
Umtopfen: Im Frühjahr. Ein Lehmsubstrat verwenden.
Besonderheiten: Das Pflanzsubstrat stets feucht halten, da die Blätter sonst braun werden.

Korallenpflanze
Nertera granadensis

Die dekorativen Korallenpflanzen haben winzige grüne Blätter, doch beliebt sind sie wegen ihrer zahllosen orangefarbenen Beeren, die sich aus den unscheinbaren, grünlichgelben Blüten entwickeln.
Die Beeren erscheinen im Spätsommer und halten sich mehrere Monate. Am besten behandelt man die Pflanzen einjährig und wirft sie fort, wenn die Früchte alt sind.
Die Pflanzen eignen sich als farbenfroher Tischschmuck, ferner für Schalen- und Flaschengärten wie für Terrarien, solange sie klein sind.

Kleinklima 4: Kühl, sonnig.
Größe: Korallenpflanzen bilden niedrige Hügel von maximal 8 cm Höhe und 15 cm Breite. Der Handel bietet kleine Pflanzen an.
Düngen: Während der Fruchtentwicklung alle zwei Wochen mit Flüssigdünger gießen.
Umtopfen: Im Frühjahr. Eine Mischung aus 2/3 Lehmsubstrat und 1/3 Torfmull verwenden. Bei älteren Pflanzen nur die obere Erdschicht erneuern.
Besonderheiten: Im Winter sparsamer gießen. Übersommern können die Pflanzen an einem geschützten Platz im Freien.

Mooskraut
Selaginella martensii

Diese ungewöhnlichen Pflanzen haben dekorative, mittelgrüne Blätter, die wie Fischschuppen dicht an den Trieben sitzen. Die kriechenden Triebe bilden einen dichten, angenehm weichen Teppich, und in Abständen schieben sie neue Wurzeln in die Erde. Am besten eignet sich Mooskraut für Terrarien oder Flaschengärten, da es in feuchter Luft gut gedeiht.

Kleinklima 2: Warm, indirekte Sonne.
Größe: Die kriechenden Triebe werden bis zu 15 cm lang.
Düngen: Alle zwei Wochen mit 1/4 der empfohlenen Menge eines Flüssigdüngers gießen.
Umtopfen: Im Frühjahr. Eine Mischung aus 2/3 Torfsubstrat und 1/3 grobem Sand verwenden. Ab 15 bis 20 cm Topfdurchmesser Pflanzen nur noch herausnehmen, Töpfe säubern, frisches Substrat einfüllen und Pflanzen wieder einsetzen.
Besonderheiten: Die Pflanzen möglichst wenig anfassen, da sie sehr empfindlich sind.

Art mit ähnlichem Wuchs
Selaginella emmeliana hat weißgerandete Blätter und aufrechtwachsende, bis zu 30 cm lange Triebe.

Temperatur				Licht			Luftfeuchtigkeit			Wässern			Pflege		
Frühjahr bis Herbst 10–15°C	Winter 7–10°C	10–15°C	15–21°C	sonnig	indirekte Sonne	schattig	niedrig	mittel	hoch	wenig	mäßig	reichlich	problemlos	relativ einfach	anspruchsvoll

Blattbegonie
Begonia-Hybride ›Tiger Paws‹

Diese Varietät hat kurze, harte Haare, die rund um die Ränder der schiefen, herzförmigen Blätter stehen. Das dekorative limonengrüne Laub ist außerdem bronzerot gefleckt. Auch die Stiele, die aus auf der Erde kriechenden Rhizomen kommen, haben rote Flecken. Man kann mehrere dieser Begonien in einem Korb zusammensetzen oder mit anderen Blattpflanzen gruppieren.

Kleinklima 2: Warm, indirekte Sonne.
Größe: Die Pflanzen werden etwa 15 cm hoch und 30 cm breit. Der Handel bietet ganzjährig kleine Exemplare an.
Düngen: Im Frühjahr und Sommer alle zwei Wochen mit Flüssigdünger gießen.
Umtopfen: Jedes Frühjahr. Eine Mischung aus gleichen Teilen Lehmsubstrat und Lauberde verwenden. Bei älteren Pflanzen nur die obere Erdschicht erneuern.
Besonderheiten: Um die Luftfeuchtigkeit zu erhöhen, Töpfe auf mit nassem Kies gefüllte Untersetzer stellen. Durch ausreichende Lüftung Mehltaubildung vorbeugen.

Mosaikpflanze, Fittonie
Fittonia verschaffeltii

Die ovalen, olivgrünen Blätter dieser Pflanze sind mit einem Netz feiner, karminroter Adern durchzogen, die ein mosaikartiges Muster ergeben. Gelegentlich entwickeln sich auch gelbe Blütenähren. Besonders hübsch sieht es aus, wenn man mehrere Pflanzen zusammen auf einen niedrigen Tisch setzt.

Kleinklima 3: Warm, schattig.
Größe: Fittonien werden bis 15 cm hoch und etwa 30 cm breit. Triebspitzen ausknipsen, damit die Pflanze buschig wächst.
Düngen: Im Frühjahr und Sommer alle zwei Wochen mit der Hälfte der empfohlenen Menge eines Flüssigdüngers gießen.
Umtopfen: Im Frühjahr. Flache Gefäße mit einem Torfsubstrat verwenden. Ab 12 cm Topfdurchmesser die Pflanzen nur noch herausnehmen, Töpfe säubern, frisches Substrat einfüllen und Pflanzen wieder hineinsetzen.
Besonderheiten: Um die Luftfeuchtigkeit zu erhöhen, Töpfe auf mit nassem Kies gefüllte Untersetzer stellen.

Art mit ähnlichem Wuchs
Fittonia verschaffeltii var. argyroneura
›Nana‹ hat kleinere Blätter mit silbrigen Adern.

Harfenstrauch
Plectranthus parviflorus

Die fleischigen Blättchen dieser Pflanze stehen an sukkulenten rötlichen Trieben, die zunächst flach auf der Erde liegen und dann über den Topfrand ranken. Gelegentlich entwickeln sich unscheinbare lavendelblaue Blüten, die aber frühzeitig entfernt werden sollten. Die Pflanzen sehen in Ampeln besonders hübsch aus, sind jedoch auch ausgezeichnete Bodendecker für Blumenkästen und andere große Pflanzgruppen.

Kleinklima 1: Warm, sonnig.
Größe: Die Pflanzen werden etwa 20 cm hoch, sind wuchsfreudig; ihre Triebe erreichen 90 cm Länge. Triebspitzen ausknipsen, damit die Pflanze buschig wächst.
Düngen: Von Frühjahr bis Herbst alle zwei Wochen mit Flüssigdünger gießen.
Umtopfen: Im Frühjahr, sofern die Wurzeln den alten Topf ausfüllen. Ein Lehmsubstrat verwenden.
Besonderheiten: Im Winter sparsamer gießen.

Art mit ähnlichem Wuchs
Plectranthus oertendahlii hat bronzerot panaschiertes Laub mit hervortretenden weißen Adern. Die Unterseiten sind purpurrosa.

Feige
Ficus pumila

Pflanzen mit kleinen herzförmigen Blättern, die an langen, drahtigen, über die Erde kriechenden Stengeln wachsen. Sie eignen sich gut für flache Ampeln, können aber auch als Bodendecker in Blumenkästen eingesetzt werden. Kleinere Pflanzen sind gute Lückenfüller in Flaschengärten.

Kleinklima 5: Kühl, indirekte Sonne.
Größe: Die Triebe werden bis zu 60 cm lang, die Breite hängt von der Wuchsform ab. Der Handel führt kleine Pflanzen.
Düngen: Alle zwei Wochen mit Flüssigdünger gießen.
Umtopfen: Im Frühjahr, sofern die Wurzeln den alten Topf ausfüllen. Ein Torfsubstrat verwenden.
Besonderheiten: Um die Luftfeuchtigkeit zu erhöhen, Töpfe auf mit nassem Kies gefüllte Untersetzer stellen. Erde niemals ganz austrocknen lassen, weil die Blätter sonst welken und sich nicht mehr erholen.

Zwiebelblumen

Z wiebeln und Knollen sind Speicherorgane von Pflanzen, die eine bestimmte Ruhezeit haben, in der alle oberirdischen Teile absterben und das Wachstum eingestellt wird. Zwiebeln bestehen aus dicht übereinandersitzenden, umgewandelten Blättern, die im allgemeinen vollständig ausgebildete Sproß- und Blütenanlagen umschließen. Knollen sind umgewandelte Sprossen, die eine Knospe besitzen, aus der sich Triebe und Wurzeln entwickeln. Die meisten Knollen und Zwiebeln benötigen Winterruhe. Winterharte Zwiebeln werden während der Ruhezeit im Herbst und zu Winterbeginn gekauft. Topft man sie ein und die Wachstumsbedingungen stimmen, dann kommen sie innerhalb weniger Wochen zur Blüte. Während dieser Zeit, in der sie vorgetrieben werden, müssen sie kalt und dunkel stehen, damit sich die Wurzeln gut entwickeln; andernfalls bilden sich keine schönen Blüten. Halten Sie daher die vorgeschriebene

Vortreibzeit stets ein. Beachten Sie auch, daß sich die Pflegesymbole bei den jeweiligen Angaben auf die Zeit beziehen, in der die Pflanze in voller Blüte steht. Manche Knollen, wie die der Krokusse, müssen so lange kühl stehen, bis die Blütenknospen beginnen, Farbe zu zeigen. Erst in diesem Entwicklungsstadium kann man sie dann ins Zimmer holen. Präparierte Zwiebeln dagegen, etwa von Tulpen, Narzissen und Hyazinthen, werden eingetopft und können an ein Fenster gestellt und beobachtet werden, wie sie sich entwickeln. Die Größen der hier behandelten Pflanzen reichen vom winzigen Krokus bis hin zu der großen, eleganten Amaryllis. Winterharte Zwiebel- und Knollenpflanzen eignen sich nur auf Zeit als Zimmerpflanzen. Nicht winterharte Zwiebelblumen, wie die Amaryllis, können dagegen Jahr für Jahr erneut zur Blüte gebracht werden, sofern man ihnen im Herbst eine Ruhezeit gönnt.

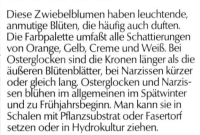

Osterglocke und Narzisse
Narcissus-Hybriden

Diese Zwiebelblumen haben leuchtende, anmutige Blüten, die häufig auch duften. Die Farbpalette umfaßt alle Schattierungen von Orange, Gelb, Creme und Weiß. Bei Osterglocken sind die Kronen länger als die äußeren Blütenblätter, bei Narzissen kürzer oder gleich lang. Osterglocken und Narzissen blühen im allgemeinen im Spätwinter und zu Frühjahrsbeginn. Man kann sie in Schalen mit Pflanzsubstrat oder Fasertorf setzen oder in Hydrokultur ziehen.

Kleinklima 5: Kühl, indirekte Sonne.
Größe: Osterglocken und Narzissen werden, je nach Sorte, 15 bis 45 cm hoch. Der Handel bietet Zwiebeln in drei verschiedenen Größen an: runde Zwiebeln, die eine Blüte, Doppelnasen, die zwei Blüten, und sehr große Zwiebeln, die drei Blüten hervorbringen. Eine Zwiebel ist um so teurer, je mehr Blüten sie entwickelt. Ebenfalls im Angebot sind präparierte Zwiebeln, die besonders früh blühen.
Düngen: Nicht notwendig.
Eintopfen: Im Frühjahr in Torfsubstrat oder Fasertorf pflanzen. Mehrere Zwiebeln in einen Topf setzen. Es dürfen nur noch die Zwiebelhälse hervorschauen. Man kann Zwiebeln auch in Kies ziehen.
Besonderheiten: Präparierte Zwiebeln sollten sechs Wochen vorgetrieben werden, normale Zwiebeln zehn.

Amaryllis, Ritterstern
Hippeastrum-Hybriden

Amaryllis haben prächtige Trichterblüten, von denen bis zu vier an einem unbelaubten Schaft stehen. Die im Frühjahr erscheinenden Blüten sind weiß, rot, orange oder gelb und oft gestreift oder gezeichnet. Besonders schön sehen mehrere Pflanzen der gleichen Farbe in einer Schale aus.

Kleinklima 1: Warm, sonnig.
Größe: Die Blütenschäfte werden bis zu 45 cm hoch, die Blüten haben 15 bis 18 cm Durchmesser. Im Herbst werden unbehandelte Zwiebeln angeboten; es gibt jedoch auch präparierte Zwiebeln, die um die Weihnachtszeit Blüten entwickeln.
Düngen: Vom Zeitpunkt der Blütenwelke bis zur Sommermitte alle zwei Wochen mit einem Flüssigdünger gießen, dann auf ein kaliumreiches Präparat umstellen. Ab Mitte September nicht mehr düngen.
Eintopfen: Neue Zwiebeln einzeln in 12 bis 15 cm große Töpfe mit Lehmsubstrat setzen. Die obere Zwiebelhälfte herausschauen lassen. Umtopfen etwa alle drei bis vier Jahre.
Besonderheiten: Diese nicht winterharten Zwiebeln brauchen keine Winterruhe, sie ruhen im Herbst. Während dieser Zeit läßt man sie in ihrem Gefäß und wässert sie nur sparsam. Im Sommer und Frühherbst an einen sonnigen Platz ins Freie stellen, um die Blütenentwicklung des folgenden Jahres zu unterstützen.

Iris
Iris reticulata

   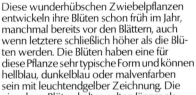

Diese wunderhübschen Zwiebelpflanzen entwickeln ihre Blüten schon früh im Jahr, manchmal bereits vor den Blättern, auch wenn letztere schließlich höher als die Blüten werden. Die Blüten haben eine für diese Pflanze sehr typische Form und können hellblau, dunkelblau oder malvenfarben sein mit leuchtendgelber Zeichnung. Die einzelnen Blüten halten selten länger als zwei Tage, selbst wenn man die Pflanzen an einem kühlen Platz hält. Dafür aber duften sie herrlich und intensiv.

Kleinklima 5: Kühl, indirekte Sonne.
Größe: Die Blütenstengel werden bis zu 15 cm hoch, die Blätter etwas länger. Die winzigen Zwiebeln werden im Herbst angeboten, man kann jedoch auch im Winter Pflanzen kaufen.
Düngen: Nicht notwendig.
Eintopfen: Die Zwiebeln im Herbst in eine flache Schale mit Fasertorf setzen. Auf gute Drainage achten, da die winzigen Zwiebeln leicht faulen. 6 cm tief und dicht zusammensetzen – etwa 12 Stück in eine 30-cm-Schale.
Besonderheiten: Die Zwiebeln sollten sechs Wochen vorgetrieben werden. Nach der Blüte kann man die Iris in den Garten pflanzen.

Temperatur
Frühjahr bis Herbst 10–15°C
Winter 7–10°C
10–15°C
15–21°C
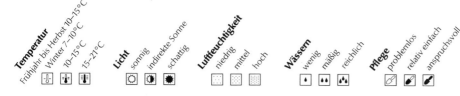

Licht sonnig | indirekte Sonne | schattig

Luftfeuchtigkeit niedrig | mittel | hoch

Wässern wenig | mäßig | reichlich

Pflege problemlos | relativ einfach | anspruchsvoll

Krokus
Crocus-Hybriden

Die am häufigsten im Haus gezogenen Krokusse sind großblumige holländische Hybriden, die grünweißgestreifte Blätter und weiße, gelbe, bronzefarbene, violette oder gestreifte Blüten haben. Die becherförmigen Blüten erscheinen während des Winters und zu Frühjahrsbeginn. Am besten setzt man eine größere Menge von einer Sorte in eine flache Schale.

Kleinklima 5: Kühl, indirekte Sonne.
Größe: Krokusse werden etwa 12 cm hoch. Der Handel bietet die Knollen im Spätsommer an.
Düngen: Nicht notwendig.
Eintopfen: Im Frühherbst mehrere Knollen in Lehmsubstrat oder Fasertorf setzen, so daß sie gerade bedeckt sind.
Besonderheiten: Die Knollen müssen zehn Wochen vorgetrieben werden. Man kann sie erst in einen warmen Raum bringen, wenn sich die Blütenknospen zeigen.

Tulpe
Tulipa-Hybriden

Tulpen gibt es in einer immensen Vielfalt an Formen, Farben und Zeichnungen, und sogar die Blätter können bunt sein. Die Blüten entwickeln sich im Spätwinter und zu Frühjahrsbeginn. Tulpen sind am schönsten, wenn man mehrere von nur einer Sorte in eine Schale setzt, statt sie zu mischen.

Kleinklima 5: Kühl, indirekte Sonne.
Größe: Tulpen werden etwa 35 cm hoch, Zwergformen bis zu 10 cm.
Düngen: Nur erforderlich, wenn die Zwiebeln später ausgepflanzt werden. In diesem Fall alle zehn Tage düngen, sobald die Knospen erscheinen.
Eintopfen: Im Frühherbst in Torfsubstrat oder Fasertorf setzen. Fünf oder sechs Zwiebeln dicht nebeneinander pflanzen; die Hälse sollten noch etwas herausschauen.
Besonderheiten: Präparierte Zwiebeln werden acht Wochen vorgetrieben, unbehandelte zehn Wochen.

Traubenhyazinthe
Muscari sp.

Die winzigen Zwiebeln der Traubenhyazinthe entwickeln lange, dünne Schäfte, an denen längliche Trauben aus winzigen blauen oder weißen Glockenblüten sitzen. Die Blüten öffnen sich von unten aufwärts. Die schmalen Blätter sind riemenförmig, die Mittelrippe liegt tiefer als die Ränder, die sich nach oben biegen. In kleine Töpfe pflanzen und diese auf eine Fensterbank stellen.

Kleinklima 4: Kühl, sonnig.
Größe: Die Blütenstände werden etwa 15 cm hoch, die Blätter beinahe ebenso lang. Der Handel bietet Pflanzen an.
Düngen: Nicht notwendig.
Eintopfen: Etwa zwölf Zwiebeln in einen 15-cm-Topf mit Lehmsubstrat oder Fasertorf setzen. Die Hälse etwas herausschauen lassen.
Besonderheiten: Die Zwiebeln sollten zehn Wochen vorgetrieben werden.

Hyazinthe
Hyacinthus orientalis

Hyazinthen blühen im Frühjahr in Rot, Rosa, Gelb, Blau oder Weiß. Es gibt einfache und gefüllte Sorten. Wegen ihrer Farben und ihres Duftes sind sie allseits sehr beliebt. Am schönsten sehen diese Zwiebelblumen aus, wenn man sie dicht zusammen in eine Schale setzt. Sie können auch als Schnittblumen verwendet werden, beispielsweise zusammen mit Nelken, Freesien oder Kätzchen.

Kleinklima 5: Kühl, indirekte Sonne.
Größe: Die einzelnen Blütenstände werden 20 bis 30 cm hoch. Die Zwiebeln werden nach Größe zwischen 16 und 19 cm Umfang verkauft. Die Größe der Blüte hängt von der Zwiebel ab. Ebenfalls im Angebot sind präparierte Zwiebeln, die etwas früher blühen.
Düngen: Nicht notwendig.
Eintopfen: Die Zwiebeln dicht zusammen in Lehmsubstrat oder Fasertorf setzen. Die Zwiebelhälse sollten herausstehen. Hyazinthen können auch in Kies oder Wasser gezogen werden.
Besonderheiten: Präparierte Zwiebeln sollten sechs Wochen vorgetrieben werden, nicht behandelte zehn Wochen.

Kakteen und Sukkulenten 1

Kakteen und Sukkulenten bringen ein weiteres Spektrum an Formen und Strukturen in eine Pflanzensammlung.

Die meisten Kakteen besitzen keine Blätter mehr, und die ungewöhnlichen Formen ihrer Körper dienen dazu, den Wasserverlust möglichst gering zu halten. Manche Kakteen sind gerippt, andere gegliedert und viele mit dekorativen Dornen, Borsten oder Haaren besetzt. Das Greisenhaupt hat beispielsweise so viele weiße Haare, daß es fast einem Wollknäuel gleicht. Die meist bedornten Wüstenkakteen, wie Mammillarien und Rebutien, entwickeln darüber hinaus phantastische Blüten. Waldkakteen (meist dornenlos), wie Oster- und Blattkakteen, haben gegliederte Triebe und blühen im Winter und zu Frühjahrsbeginn in leuchtenden Farben. Viele

Kakteen sind nur wenige Zentimeter groß, andere dagegen, wie das Greisenhaupt, können bis 3 m Höhe erreichen.

Als Sukkulenten bezeichnet man Pflanzen mit fleischigen Trieben oder Blättern, in denen sie Wasser speichern. Sie haben ebenso vielfältige Formen und Größen wie Kakteen. Sukkulenten können aufrecht und baumartig wachsen, dünne kriechende Triebe haben oder auch Kugel- beziehungsweise Säulenform. Manche sind winzig klein, andere 2 m hoch. Die Form der Blätter reicht von dem dicken, sukkulenten Laub des Geldbaums bis hin zu den schmalen Blättern des Christusdorns; die Blattfärbungen vom Grün der Aloe (*Aloe aristata*) über das silbrige Mauve der herzblättrigen Leuchterblume bis zu den weiß-grünen Blättern der *Agave victoriae-reginae*.

Arten mit aufrechtem Wuchs

Cotyledon
Cotyledon undulata

   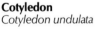 

Eine außergewöhnliche Pflanze mit fleischigen, fächerförmigen Blättern, die durch einen welligen Rand und zarte silberweiße Bereifung auffallen. Obgleich ältere Pflanzen im Sommer orangegelbe Blüten entwickeln, hält man sie in erster Linie als Blattpflanzen. Sehr schön wirken mehrere Pflanzen zusammen arrangiert.

Kleinklima 4: Kühl, sonnig.
Größe: Die Pflanzen wachsen langsam und erreichen in drei Jahren etwa 50 cm Höhe.
Düngen: Von Frühjahr bis Frühherbst einmal monatlich mit Flüssigdünger gießen.
Umtopfen: Im Frühjahr. Eine Mischung aus ⅔ Lehmsubstrat und ⅓ grobem Sand verwenden, um eine gute Drainage zu gewährleisten.
Besonderheiten: Pflanzen möglichst nicht berühren.

Art mit ähnlichem Wuchs
Cotyledon orbiculata wird höher als die *C. undulata* und hat graugrüne, rotgeränderte, leicht bereifte Blätter. Im Sommer erscheinen orangefarbene Blüten.

Christusdorn
Euphorbia milii

Diese sukkulenten Sträucher haben wenig Laub und spitze Dornen. Die gelben und roten Hochblätter sehen aus wie Blüten. Sie halten monatelang und entwickeln sich am üppigsten zwischen Februar und September. Die interessante Wuchsform und die bunten Hochblätter machen den Christusdorn zu einer sehr reizvollen Solitärpflanze für moderne Räume.

Kleinklima 1: Warm, sonnig.
Größe: Christusdorne werden etwa 90 cm hoch und ebenso breit. Im Handel sind Pflanzen aller Größen erhältlich.
Düngen: Von Frühjahr bis Herbst einmal monatlich mit Flüssigdünger gießen.
Umtopfen: Jungpflanzen jedes zweite Frühjahr. Eine Mischung aus ½ grobem Sand und ½ Lehmsubstrat verwenden, um eine gute Drainage zu gewährleisten. Bei älteren Pflanzen nur die obere Erdschicht erneuern.
Besonderheiten: Bei Verletzungen »bluten« diese Pflanzen. Der weiße Saft sollte nicht mit Mund oder Augen in Kontakt kommen.

Flammendes Kätchen, Kalanchoe
Kalanchoe blossfeldiana

Im Spätwinter und zu Frühjahrsanfang beginnen diese attraktiven Sukkulenten zu blühen, und die Blüte dauert etwa drei Monate. Die kleinen Blütchen stehen in dichten Dolden an langen Stielen und sind rosa, rot, orange oder gelb. Die fleischigen, dunkelgrünen Blätter haben häufig einen roten Rand. Am besten behandelt man die Pflanzen einjährig und wirft sie nach der Blüte fort. Mehrere Exemplare zusammen auf einem kleinen Tisch sorgen im Winter für frische Farben.

Kleinklima 1: Warm, sonnig.
Größe: Maximale Höhe etwa 35 cm. Es gibt aber auch etwa 20 cm hohe Zwergformen. Der Handel bietet ganzjährig blühende Pflanzen an.
Düngen: Während der Blüte einmal monatlich mit Flüssigdünger gießen.
Umtopfen: Nicht notwendig.
Besonderheiten: Welke Blüten entfernen, damit die Pflanzen möglichst lang schön bleiben.

Temperatur
Frühjahr bis Herbst 10–15°C
Winter 7–10°C
10–15°C
15–21°C

Licht
sonnig
indirekte Sonne
schattig

Luftfeuchtigkeit
niedrig
mittel
hoch

Wässern
wenig
mäßig
reichlich

Pflege
problemlos
relativ einfach
anspruchsvoll

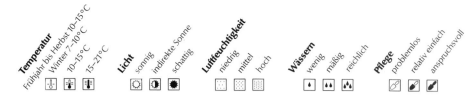

Greisenhaupt
Cephalocereus senilis

Ihren Namen verdanken diese Kakteen den feinen, weißen Haaren. Blüten entwickeln sich nur an älteren Pflanzen. Das Greisenhaupt steht am besten mit anderen Kakteen zusammen.

Kleinklima 4: Kühl, sonnig.
Größe: Die Kakteen wachsen langsam und werden selten höher als 25 bis 30 cm.
Düngen: Von Frühjahr bis Herbstmitte einmal monatlich mit einem Flüssigdünger gießen.
Umtopfen: Im Frühjahr, sofern eine Pflanze den alten Topf ausfüllt. Eine Mischung aus ¾ Lehmsubstrat und ¼ grobem Sand verwenden.
Besonderheiten: Während der winterlichen Ruhezeit nicht wässern. Die langen Haare gegebenenfalls mit Wasser und etwas Spülmittel säubern.

Felsenkaktus
Cereus peruvianus › Monstrosus ‹

Bei den hellgrünen Säulenkakteen, deren Körper bizarre Formen annehmen, handelt es sich um Mutationen. An älteren Exemplaren entwickeln sich im Sommer kurzlebige, weiße Blüten. Aufgrund ihrer architektonischen Formen kann man mit mehreren zusammenstehenden Pflanzen in modernen Räumen eine großartige Wirkung erzielen.

Kleinklima 4: Kühl, sonnig.
Größe: Die Kakteen sind schwachwüchsig, aber jede Varietät erreicht eine andere Endhöhe und -breite.
Düngen: Von Frühjahr bis Frühherbst einmal monatlich mit einem Flüssigdünger gießen.
Umtopfen: Im Frühjahr. Eine Mischung aus ⅔ Lehmsubstrat und ⅓ grobem Sand verwenden.

Scheibenopuntie
Opuntia microdasys

Diese interessanten Kakteen bestehen aus flachen, ovalen Gliedern, die dicht mit gelben Glochidien besetzt sind. In ganz seltenen Fällen entwickeln sich gelbe Blüten. Scheibenopuntien haben eindrucksvolle Wuchsformen, und größere Exemplare lassen sich als Solitärpflanzen verwenden. Kleinere Pflanzen eignen sich hauptsächlich für Kakteengärten.

Kleinklima 4: Kühl, sonnig.
Größe: Scheibenopuntien werden maximal 90 cm hoch und etwa 60 cm breit.
Düngen: Von Frühjahr bis Herbst einmal monatlich mit einem Flüssigdünger gießen.
Umtopfen: Im Frühjahr, sofern eine Pflanze den Topf ausfüllt. Eine Mischung aus ⅔ Lehmsubstrat und ⅓ grobem Sand verwenden.

Geldbaum
Crassula arborescens

Diese Sukkulenten haben graugrüne Blätter mit roten Rändern. Die Blätter stehen an verzweigten, holzigen Stämmen. Kleine Exemplare eignen sich als »Bäume« in Schalen- und orientalischen Miniaturgärten.

Kleinklima 4: Kühl, sonnig.
Größe: Im Handel sind nur kleine Pflanzen erhältlich, die aber schließlich 1,2 m Höhe erreichen und dann an knorrige Bäume erinnern.
Düngen: Von Frühjahr bis Frühherbst monatlich mit Flüssigdünger gießen.
Umtopfen: Im Frühjahr. Eine Mischung aus ¾ Lehmsubstrat und ¼ grobem Sand verwenden. Ab 20 cm Topfdurchmesser nur die obere Erdschicht erneuern.
Besonderheiten: Während der winterlichen Ruhezeit sparsamer gießen.

Kakteen und Sukkulenten 2

Kugelige Arten

Teufelszunge
Ferocactus latispinus

Diese Kakteen tragen beachtliche und gefährlich anmutende Dornen, die um einen zungenartigen Mitteldorn gruppiert und unterschiedlich geformt und gefärbt sind. Alte Pflanzen entwickeln im Sommer mitunter violette Blüten. Große Exemplare sind schöne Solitärpflanzen; kleine pflanzt man mit anderen, verschieden geformten Exemplaren in einen Kakteengarten.

Kleinklima 4: Kühl, sonnig.
Größe: Teufelszungen werden maximal 30 cm hoch und 20 cm breit. Der Handel führt Pflanzen aller Größen.
Düngen: Von Frühjahr bis Herbst einmal monatlich mit einem Flüssigdünger gießen.
Umtopfen: Im Frühjahr, sofern die Pflanze den alten Topf ausfüllt. Eine Mischung aus ²/₃ Lehmsubstrat und ¹/₃ grobem Sand verwenden.
Besonderheiten: Während der winterlichen Ruheperiode nicht wässern, weil die Pflanzen sonst faulen.

Bischofsmütze
Astrophytum myriostigma

Diese Kugelkakteen krönen im Sommer hellgelbe Blüten. Bischofsmützen sehen, in Kakteengärten oder zu mehreren in flache Schalen gepflanzt und mit Kies umgeben, sehr hübsch aus.

Kleinklima 4: Kühl, sonnig.
Größe: Bischofsmützen wachsen langsam und erreichen etwa 25 cm Höhe und 12 cm Breite.
Düngen: Von Frühjahr bis Herbst einmal monatlich mit einem Flüssigdünger gießen.
Umtopfen: Im Frühjahr, sofern die Pflanze den alten Topf ausfüllt. Eine Mischung aus ²/₃ Lehmsubstrat und ¹/₃ grobem Sand verwenden.
Besonderheiten: Während der winterlichen Ruhezeit sparsamer gießen.

Mammillaria
Mammillaria rhodantha

Aus den Warzen dieser Kugelkakteen wachsen gelbe Dornen. Die Warzen sitzen kranzförmig um den ganzen Körper. Ebenfalls in Kranzform erscheinen im Sommer rosafarbene Strahlenblüten. Man kann diese Art in einen Kakteengarten pflanzen oder mit anderen Kakteen zusammensetzen.

Kleinklima 4: Kühl, sonnig.
Größe: Die Kakteen werden etwa 10 cm hoch und 7 cm breit. Der Handel bietet kleine Exemplare an.
Düngen: Von Frühjahr bis Herbst einmal monatlich mit einem Flüssigdünger gießen.
Umtopfen: Im Frühjahr, sofern die Pflanze den alten Topf ausfüllt. Eine Mischung aus ²/₃ Lehmsubstrat und ¹/₃ grobem Sand verwenden.

Rebutia
Rebutia minuscula

Weißbedornte, von Kindeln umgebene Kakteen, die von Frühjahr bis Sommerende rote Blüten krönen. Sehr attraktiv ist eine Gruppe von mehreren Exemplaren.

Kleinklima 4: Kühl, sonnig.
Größe: Die Pflanzen wachsen rasch. In ein bis zwei Jahren bilden sich Gruppen von 15 cm Durchmesser.
Düngen: Von Frühjahr bis Herbstmitte einmal monatlich mit einem Flüssigdünger gießen.
Umtopfen: Im Frühjahr, sofern die Wurzeln den alten Topf ausfüllen. Eine Mischung aus ³/₄ Lehmsubstrat und ¹/₄ grobem Sand verwenden.
Besonderheiten: Während der winterlichen Ruheperiode nicht wässern, weil die Pflanzen sonst faulen.

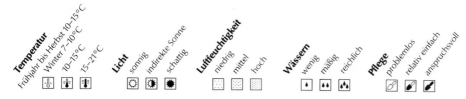

Temperatur Frühjahr bis Herbst 10–15°C · Winter 7–10°C · 10–15°C · 15–21°C   **Licht** sonnig · indirekte Sonne · schattig   **Luftfeuchtigkeit** niedrig · mittel · hoch   **Wässern** wenig · mäßig · reichlich   **Pflege** problemlos · relativ einfach · anspruchsvoll

Mammillaria
Mammillaria zeilmanniana

Der Körper dieser Mammillaria ist mit gelben und braunen Dornen besetzt. Im Sommer entwickelt sich am oberen Rand ein purpurroter Blütenkranz. Der Kaktus sollte Platz zum Sprossen haben.

Kleinklima 4: Kühl, sonnig.
Größe: Einzelexemplare werden bis 5 cm groß, doch in etwa fünf Jahren bilden sich Gruppen von 25 cm Durchmesser.
Düngen: Von Frühjahr bis Herbst einmal monatlich mit einem Flüssigdünger gießen.
Umtopfen: Im Frühjahr, sofern die Pflanze den alten Topf ausfüllt. Eine Mischung aus 2/3 Lehmsubstrat und 1/3 grobem Sand verwenden.
Besonderheiten: Während der winterlichen Ruhezeit sparsamer gießen.

Spitzblättrige Arten

Aloë
Aloë aristata

Stammlose Sukkulenten mit zahlreichen, fleischigen Blättern, die in festen Rosetten stehen. Die dreieckigen, dunkelgrünen Blätter sind weißgefleckt, im Sommer entwickeln sich in den Rosettenmitten an langen Schäften kleine orangerote Blüten, die aber nur wenige Tage halten. An der Basis alter Pflanzen entstehen zahlreiche Kindel. Pflanzen gruppenweise zusammensetzen und so plazieren, daß man sie von oben sieht.

Kleinklima 1: Warm, sonnig.
Größe: Die maximale Höhe beträgt 15 cm. Wenn man die Kindel an der Mutterpflanze läßt, werden die Pflanzen in der Breite nur durch den Topf begrenzt.
Düngen: Von Frühjahr bis Herbst einmal monatlich mit einem Flüssigdünger gießen.
Umtopfen: Jedes Frühjahr. Ein Lehmsubstrat verwenden.
Besonderheiten: Während der Winterruhe sparsamer gießen.

Goldkugelkaktus, Schwiegermutterstuhl
Echinocactus grusonii

Der mit kräftigen, goldgelben Dornen besetzte Goldkugelkaktus kann sehr reizvoll mit anderen Kakteen oder Blattpflanzen gruppiert werden.

Kleinklima 4: Kühl, sonnig.
Größe: Alte Kakteen erreichen einen Durchmesser von 20 cm.
Düngen: Von Frühjahr bis Herbst einmal monatlich mit einem Flüssigdünger gießen.
Umtopfen: Im Frühjahr, sofern die Pflanze den alten Topf ausfüllt. Eine Mischung aus 2/3 Lehmsubstrat und 1/3 grobem Sand verwenden. Wenn nicht umgetopft werden muß, die obere Erdschicht erneuern.
Besonderheiten: Während der Winterruhe nicht wässern, weil die Pflanzen sonst anfangen zu faulen.

Alte Dame
Mammillaria hahniana

Seinen Namen verdankt dieser Kaktus den weißen, seidigen Haaren, die den graugrünen Körper umhüllen. Etwa ab dem vierten Jahr erscheinen Anfang Mai karminrote Blüten. Mehrere Exemplare zusammensetzen.

Kleinklima 4: Kühl, sonnig.
Größe: Die *Mammillaria hahniana* wird etwa 10 cm hoch und 7 cm breit.
Düngen: Von Frühjahr bis Herbst einmal monatlich mit einem Flüssigdünger gießen.
Umtopfen: Im Frühjahr, sofern die Pflanze den alten Topf ausfüllt. Mischung aus 2/3 Lehmsubstrat und 1/3 grobem Sand verwenden.
Besonderheiten: Während der Winterruhe sparsamer gießen.

Kakteen und Sukkulenten 3

Pflanzen mit rosettenförmigem Wuchs

Echeveria
Echeveria derenbergii

Diese hübschen Sukkulenten haben bläulichgraue, silbrigbereifte Blätter mit roten Rändern. Im Winter und zu Frühjahrsbeginn erscheinen gelborangefarbene, glockige Blüten. Diese Echeverien sind das ganze Jahr hindurch schöne kleine Solitärpflanzen für Küchenfensterbänke.

Kleinklima 4: Kühl, sonnig.
Größe: Die Pflanzen erreichen 10 bis 15 cm Durchmesser.
Düngen: Von Frühjahr bis Herbst einmal monatlich die Hälfte der empfohlenen Menge eines Flüssigdüngers gießen.
Umtopfen: Jedes zweite Frühjahr. Eine Mischung aus ⁴/₅ Lehmsubstrat und ¹/₅ grobem Sand verwenden. Bei älteren Pflanzen in größeren Töpfen nur die obere Erdschicht erneuern.
Besonderheiten: Im Winter sparsamer gießen.

Echeveria
Echeveria agavoides

Die dreieckigen, fleischigen Blätter dieser Sukkulenten sind hellgrün und haben braune Spitzen. Im Frühjahr entwickeln sich gelbe Blüten, die an den Spitzen rot sind. Diese Echeverien sollten so plaziert werden, daß man sie von oben sieht.

Kleinklima 4: Kühl, sonnig.
Größe: Die Pflanzen werden etwa 7 cm hoch und 15 cm breit. Der Handel bietet Exemplare aller Größen an.
Düngen: Von Frühjahr bis Herbst einmal monatlich die Hälfte der empfohlenen Menge eines Flüssigdüngers gießen.
Umtopfen: Jedes zweite Frühjahr. Eine Mischung aus ⁴/₅ Lehmsubstrat und ¹/₅ grobem Sand verwenden. Bei älteren Pflanzen in größeren Töpfen nur die obere Erdschicht erneuern.
Besonderheiten: Im Winter sparsamer gießen.

Agave
Agave victoriae-reginae

Eine sukkulente Pflanze mit dreidimensionalen schuppenartigen Blättern, die dunkelgrün und weißgerändert sind. An den Enden stehen spitze, schwarze Dornen. Diese Pflanzen sind besonders dekorativ und sollten so aufgestellt werden, daß man sie von oben sieht.

Kleinklima 4: Kühl, sonnig.
Größe: Die Pflanzen wachsen langsam und werden maximal 20 cm hoch, aber nur bis zu 45 cm breit.
Düngen: Im Frühjahr und Sommer einmal monatlich mit einem Flüssigdünger gießen.
Umtopfen: Jedes zweite Frühjahr. Eine Mischung aus ²/₃ Lehmsubstrat und ¹/₃ grobem Sand verwenden. Bei älteren Pflanzen in größeren Töpfen nur die obere Erdschicht erneuern.
Besonderheiten: Im Winter sparsamer gießen.

Hängende Pflanzen

Weihnachtskaktus
Schlumbergera truncata

Dieser Dschungelkaktus hat Triebe, die sich aus flachen, gekerbten Gliedern zusammensetzen. Um die Weihnachtszeit entwickelt er orangerote Blüten, was ihm seinen deutschen Namen eingetragen hat. Die Triebe wachsen zunächst aufrecht, hängen aber später über, wenn sich mehr Glieder entwickelt haben. Der Weihnachtskaktus ist eine geeignete Solitärpflanze für Ampeln und Borde.

Kleinklima 2: Warm, indirekte Sonne.
Größe: Die Triebe werden bis zu 30 cm lang, die Pflanze insgesamt ebenso breit. Der Handel bietet Exemplare aller Größen an.
Düngen: Von Anfang Dezember bis Ende der Blütezeit einmal monatlich mit Flüssigdünger gießen.
Umtopfen: Jedes zweite Frühjahr. Eine Mischung aus ⁴/₅ Lehmsubstrat und ¹/₅ grobem Sand verwenden. Ab 15 cm Topfdurchmesser die Pflanzen jedes Jahr umtopfen.
Besonderheiten: Während der der Blüte folgenden Ruhezeit sparsamer gießen.

Art mit ähnlichem Wuchs
Schlumbergera › Bridgesii ‹ ist sehr ähnlich, hat rote Blüten sowie stark gezähnte Sproßglieder.

Temperatur
Frühjahr bis Herbst 10–15°C
Winter 7–10°C
10–15°C
15–21°C

Licht
sonnig
indirekte Sonne
schattig

Luftfeuchtigkeit
niedrig
mittel
hoch

Wässern
wenig
mäßig
reichlich

Pflege
problemlos
relativ einfach
anspruchsvoll

Leuchterblume
Ceropegia woodii

Diese kleinen, knollenbildenden Sukkulenten haben Triebe, die so dünn sind wie Fäden. An ihnen sitzen fleischige, herzförmige Blätter, die silbergraugefleckt und unterseits violett sind. Im Sommer erscheinen zwischen den Blättern kleine Röhrenblüten. Mehrere Leuchterblumen in einer Ampel sind ein besonders reizvoller Anblick.
So aufstellen, daß man sie im Vorübergehen nicht streift.

Kleinklima 1: Warm, sonnig.
Größe: Die Triebe werden im allgemeinen nicht länger als 90 cm. Kahle Stengel zurückschneiden, um die Entwicklung neuer, belaubter Triebe anzuregen. Der Handel bietet kleine Pflanzen an.
Düngen: Vollentwickelte Pflanzen im Frühjahr und Sommer einmal monatlich mit einem Flüssigdünger gießen.
Umtopfen: Junge Pflanzen jedes Frühjahr. Eine Mischung aus ½ Lehmsubstrat und ½ grobem Sand verwenden. Ältere Pflanzen gedeihen in 8 bis 10 cm großen Töpfen gut. In Ampeln sollte eine 2 cm dicke Drainageschicht eingefüllt werden.
Besonderheiten: Im Winter sparsamer gießen.

Peitschenkaktus, Schlangenkaktus
Aporocactus flagelliformis

Der Peitschenkaktus entwickelt lange, fleischige Triebe, die mit vielen Reihen feiner, borstiger Dornen besetzt sind. Im Frühjahr erscheinen prächtige violettrote Blüten. Jede Blüte hält mehrere Tage; die Blütezeit aber dauert bis zu zwei Monate. Die Pflanzen in Ampeln oder auf Borde setzen, wo man sie im Vorübergehen nicht streift. Die Dornen lassen sich nur schwer aus der Haut entfernen. Die Pflanzen eignen sich auch für Kakteengärten, wo man ihre Triebe über Steine ranken lassen kann.

Kleinklima 4: Kühl, sonnig.
Größe: Der Peitschenkaktus wächst rasch; die Triebe erreichen in drei bis vier Jahren 90 cm Länge, manchmal auch mehr. Der Handel bietet Pflanzen aller Größen an.
Düngen: Von Ende Dezember bis Ende der Blütezeit einmal monatlich mit Flüssigdünger gießen.
Umtopfen: Im Frühjahr nach der Blüte. Ein Lehmsubstrat verwenden. Ab 15 bis 20 cm Topfdurchmesser nur die obere Erdschicht erneuern.
Besonderheiten: Während der der Blüte folgenden Ruheperiode sparsamer gießen.

Art mit ähnlichem Wuchs
Aporocactus mallisonii hat kräftige Triebe, und die Farbe seiner Blüten reicht von zartem Rosa bis Tiefkarminrot.

Fetthenne
Sedum morganianum

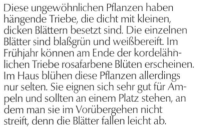

Diese ungewöhnlichen Pflanzen haben hängende Triebe, die dicht mit kleinen, dicken Blättern besetzt sind. Die einzelnen Blätter sind blaßgrün und weißbereift. Im Frühjahr können am Ende der kordelähnlichen Triebe rosafarbene Blüten erscheinen. Im Haus blühen diese Pflanzen allerdings nur selten. Sie eignen sich sehr gut für Ampeln und sollten an einem Platz stehen, an dem man sie im Vorübergehen nicht streift, denn die Blätter fallen leicht ab.

Kleinklima 1: Warm, sonnig.
Größe: Die Triebe werden maximal 1 m lang. Der Handel bietet Pflanzen aller Größen an.
Düngen: Nicht notwendig.
Umtopfen: Im Frühjahr. Eine Mischung aus ⅔ Lehmsubstrat und ⅓ grobem Sand verwenden. Die Fetthenne wird am besten in eine Schale oder Ampel gepflanzt, in der sie sich ausbreiten kann. Wenn sie zu groß für einen 20-cm-Topf geworden ist, wirft man sie weg und zieht aus einem Steckling eine neue Pflanze.
Besonderheiten: Im Winter sparsamer gießen.

Farbführer für blühende Zimmerpflanzen

Weiße, cremefarbene und gelbe Farbtöne

Wir sind alle empfänglich für die Farben der Natur, und wenn man sie ins Haus holt, kann man jeden Raum mit ihnen beleben. Beschränken Sie sich bei Ihrer Wahl entweder auf gleiche Töne oder aber auf kontrastierende Farben. Wer zarte Farbnuancen bevorzugt, sollte Pflanzen mit verschiedenen Schattierungen einer Farbe zusammensetzen, für auffallende Arrangements dagegen verwendet man aufregende Komplementärfarben. Bevor Sie blühende Pflanzen kaufen, müssen Sie genau überlegen, welche Farben mit denen des vorgesehenen Standortes harmonieren. Auch muß die Farbe der Blüten bei einer Pflanze nicht immer dominieren. Bei manchen Gewächsen, wie Weihnachtsstern und Flamingoblume, sind es vielmehr die Hochblätter oder Blütenscheiden, die die Blüten umgeben, bei anderen, etwa Korallenpflanze und Zierpaprika, Beeren und andere Früchte, die sich aus den Blüten entwickeln und das Aussehen einer Pflanze prägen.

Blattfahne
Spathiphyllum › Clevelandii ‹ (s. S. 169)
Die Blattfahne hat weiße, aronstabähnliche Blüten, die sich mit der Zeit blaßgrün färben. Sie harmoniert mit Innenausstattungen aller Art.

Becherprimel
Primula obconica (s. S. 181)
Pflanzen mit reinweißen, aber auch rosa, roten und blaßlila Blüten. Einzeln verwenden oder mehrere Pflanzen mit unterschiedlichen Blütenfarben in eine Schale setzen.

Glockenblume
Campanula isophylla (s. S. 191)
Die sternförmigen weißen Blüten der Glockenblume gibt es auch in verschiedenen Blautönen. Pflanzen einer Farbe verwenden oder blaue und weiße Exemplare mischen. Auf ein hohes Bord oder in eine Ampel setzen.

Semperflorensbegonie
Begonia-Semperflorens-Hybride (s. S. 176)
Pflanzen mit kleinen Blüten in Weiß, aber auch in Rosa und Rot. Gleichfarbige Pflanzen zusammenstellen, oder die Semperflorensbegonie mit exotischem Laub kombinieren.

Rosenimmergrün
Catharanthus roseus
Die Blüten von *C. rosa*, beziehungsweise *roseus* sind entweder reinweiß oder rosa beziehungsweise weiß und rosa mit karminroter Mitte. Für Mischpflanzungen verwenden, oder mehrere Exemplare in eine Schale oder einen Korb setzen.

Gelbe Eliatorbegonie
Begonia-Eliator-Hybride (s. S. 176)
Begonie mit gefüllten gelben Blüten; es gibt sie auch in vielen anderen Farben.

Zierpaprika
Capsicum annuum (s. S. 180)
Die Früchte des *C. annuum* sind entweder leuchtendorange, rot oder gelb und verändern während des Reifens ihre Farbe. Mehrere Pflanzen als Winter-Tischschmuck zusammensetzen.

Weiße Eliatorbegonie
Begonia-Eliator-Hybride (s. S. 176)
Begonie mit gefüllten, cremefarbenen Blüten. Es gibt sie auch in vielen anderen Farben.

Gelbe Knollenbegonie
Begonia tuberhybrida (s. S. 176)
Pflanzen mit kräftiggelben Blüten. Es gibt sie auch in Weiß, Rosa, Rot und Orange.

Usambaraveilchen
Saintpaulia-Ionantha-Hybride (s. S. 175)
Ein reinweiß blühendes Usambaraveilchen. Es gibt die Blüten auch einfach und gefüllt, glatt oder gekraust, einfarbig oder gerandet, und zwar in allen Nuancen von Weiß über Rosa bis Dunkelviolett.

Schwarzäugige Susanne
Thunbergia alata (s. S. 185)
Die Blüten der *T. alata* sind orangegelb mit einem schwarzen Auge. Die Pflanze an anderen Gewächsen ranken lassen oder an einer Stütze ziehen.

Gelbe Chrysantheme
Chrysanthemum morifolium (s. S. 181)
Blaßgelbe Chrysantheme, die auch in vielen anderen Farben erhältlich ist.

Weiße Knollenbegonie
Begonia tuberhybrida (s. S. 176)
Begonien mit elfenbeinfarbenen, aber auch rosa, roten, gelben oder orangefarbenen Blüten. Einzeln plazieren oder aber mehrere ein- oder mehrfarbige Exemplare gruppieren.

Goldgelbe Chrysantheme
Chrysanthemum morifolium (s. S. 181)
Diese kompakte, goldgelbe Chrysantheme ist auch in zahlreichen anderen Farben im Handel.

Gelbe Schönmalve
Abutilon-Hybride (s. S. 162)
Eine cremefarbene Glockenblume, die auch in vielen anderen Farben erhältlich ist. Verschiedene Farben kombinieren oder große Exemplare als einzelne Dekorationspflanzen verwenden.

Weiße Chrysantheme
Chrysanthemum morifolium (s. S. 181)
Chrysanthemen mit cremeweißen Blüten. Es gibt sie auch in vielen anderen Farben. Mehrere Pflanzen in einen großen Korb setzen und so aufstellen, daß man von oben daraufschaut.

Orange und rote Töne

Zierpaprika
Capsicum annuum (s. S. 180)
Pflanze mit Früchten in Orange, Rot und Gelb, die
beim Reifen ihre Farbe verändern. Mehrere Pflanzen
als bunten Winter-Tischschmuck zusammensetzen.

Weiße Elatiorbegonie
Begonia-Elatior-Hybride (s. S. 176)
Cremefarbene, gefüllte Blüten; auch in vielen anderen
Farben erhältlich.

Korallenpflanze
Nertera granadensis (s. S. 192)
Diese Pflanze ist über und über mit korallen-
roten Früchten bedeckt. Eignet sich gut als
Tischschmuck oder für niedrige Borde.

Gelbe Kalanchoe
Kalanchoe-blossfeldiana-Hybride (s. S. 196)
Langlebige, kräftiggelbe Blüten; es gibt sie auch in
Orange, Rosa und Rot. Im Winter mehrere Pflanzen
auf eine sonnige Fensterbank stellen.

Rosafarbene Kalanchoe
Kalanchoe-blossfeldiana-
Hybride (s. S. 196)
Langlebige, rosa Blüten; es
gibt sie auch in Gelb, Rot
und Orange.

Orangefarbene Kalanchoe
Kalanchoe-blossfeldiana-Hybride (s. S. 196)
Langlebige, orangefarbene Blüten; es gibt
sie auch in Gelb, Rosa und Rot.

**Goldgelbe
Chrysantheme**
*Chrysanthemum mori-
folium* (s. S. 181)
Kompakte, goldgelbe Blü-
ten; auch in vielen anderen
Farben erhältlich.

Rote Kalanchoe,
Flammendes Käthchen
Kalanchoe-blossfeldiana-Hybride
(s. S. 196)
Langlebige, scharlachrote Blüten; es gibt sie
auch in Gelb, Orange und Rosa.

Chinesischer Roseneibisch
Hibiscus rosa-sinensis (s. S. 178)
Große, tiefrote Blüten mit auffälligen Staubgefäßen. Es gibt auch weiß-, gelb-, rosa- und
orangeblühende Pflanzen. Einzeln verwenden oder verschiedene Farben kombinieren.

Rosafarbenes Fleißiges Lieschen
Impatiens walleriana (s. S. 177)
Einfache, rosa Blüten; es gibt sie auch in Weiß, Rot,
Orange oder zweifarbig. Mehrere Pflanzen einer Farbe
in eine Ampel oder einen Blumenkasten setzen.

Guzmanie
Guzmania lingulata (s. S. 174)
Scharlachrote Hochblätter umschließen die kleinen,
weißen Blüten. Mehrere Pflanzen in ein Gefäß setzen
oder symmetrisch arrangieren. Sie können für
große Blumenarrangements geschnitten und angedrahtet werden.

Zonalpelargonie (Geranie)
Pelargonium-Zonale-
Hybride (s. S. 178)
Kompakte, scharlachrote Blütenstände; es gibt sie auch
in Weiß, Rosa und Malvenfarben. Aufgereiht auf eine Fensterbank stellen oder mit Blatt-
pelargonien arrangieren.

Gartengloxinie
Sinningia speciosa (s. S. 175)
Rote Trompetenblüten; es gibt
sie auch in Weiß und Violett.
Mehrere Pflanzen zusammen
auf einen niedrigen Tisch
stellen.

Rosafarbene Elatiorbegonie
Begonia-Elatior-Hybride (s. S. 176)
Gefüllte, tiefrosa Blüten; es gibt sie auch
in vielen anderen Farben.

Rote Schönmalve
Abutilon-Hybride (s. S. 162)
Scharlachrote Glockenblüten; auch in
vielen anderen Farben erhältlich.
Mehrere Pflanzen mit unterschiedlichen
Farben arrangieren oder ein großes
Exemplar als Dekorationspflanze
verwenden.

205

Rosa, violette und purpurne Töne

Rosafarbenes Fleißiges Lieschen
Impatiens walleriana (s. S. 177)
Einfache, kräftigrosa Blüten; auch in Weiß, Rot,
Orange oder zweifarbig erhältlich. Mehrere Pflanzen
einer Farbe in eine Ampel oder einen Blumenkasten
setzen.

Flamingoblume
Anthurium-Andreanum-Hybride (s. S. 182)
Eine lachsfarbene Blütenscheide umgibt die finger-
artigen Blütenkolben; sie können auch weiß oder rot
sein. Mehrere Pflanzen zu einem Arrangement
zusammenstellen.

Semperflorens-Begonie
Begonia-Semperflorens-Hybride (s. S. 176)
Scharlachrote Blüten mit gelben Mitten; es gibt sie auch in Rosa und Weiß.
Mehrere Pflanzen einer Farbe zusammensetzen oder mit exotisch gefärbtem
Laub kombinieren.

Rosafarbenes Fleißiges Lieschen
Impatiens-Neu-Guinea-Hybride (s. S. 177)
Orangerosa Blüten, Laub buntpanaschiert. Es gibt auch
weiß-, rosa-, orange- und zweifarbigblühende Pflanzen.

Garnelenblume
Justicia brandegeana
In rosa Hochblättern entwickeln
sich weiße Blüten. Mehrere Pflanzen in einen flachen Korb setzen.

Rosafarbene Elatiorbegonie
Begonia-Elatior-Hybride
(s. S. 176)
Tiefrosa, gefüllte Blüten; auch in
vielen anderen Farben erhältlich.

Kapländische Bleiwurz
Plumbago auriculata (s. S. 187)
Büscheligwachsende, zartviolette
Blüten; es gibt sie auch weißblühend.
Um ein Fenster herum oder an
einer Stütze ziehen.

Rosafarbene Semperflorens-Begonie
Begonia-Semperflorens-Hybride (s. S. 176)
Intensivrosa Blüten mit gelber Mitte; auch in Rot und
Weiß erhältlich.

Purpurnes Usambaraveilchen
Saintpaulia-Ionantha-Hybride (s. S. 175)
Tiefviolette Blüten mit gelber Mitte; es sind auch
rosa, weiße und blaue Sorten im Handel. Mehrere
Pflanzen gleicher Farbe oder verschiedener Farbnuan-
cen in eine flache Schale oder auf einen niedrigen
Tisch setzen.

Glockenblume
Campanula isophylla (s. S. 191)
Sternförmige, violette Blüten; auch
in Blau und Weiß erhältlich.
Pflanzen einer Farbe verwenden
oder mit anderen Farben mischen.
Auf ein hohes Bord oder in eine
Ampel setzen.

**Rosafarbenes
Usambaraveilchen**
Saintpaulia-Ionantha-
Hybride (s. S. 175)
Tiefrosa Blüten mit gelber
Mitte; auch in Blau, Purpur
und Weiß erhältlich.

Gartengloxinie
Sinningia speciosa (s. S. 175)
Purpurgerandete Blüten; es gibt
auch weißgerandete und gefüllte.
Mehrere Pflanzen gleicher Farbe auf
einen niedrigen Tisch setzen.

Passionsblume
Passiflora caerulea (s. S. 185)
Ungewöhnliche Blüten mit weißen
Blumenblättern und purpurnem
Strahlenkranz; auch mit rosa und
purpurnen Blumenblättern erhält-
lich. Um ein Fenster oder an einer
Stütze ziehen.

Lanzenrosette
Aechmea fasciata (s. S. 172)
Kurzlebige, blaßblaue Blüten, die in
rosa Hochblättern stehen. Als Deko-
rationspflanze oder in auffälligen
Arrangements verwenden.

Blaues Lieschen
Exacum affine (s. S. 178)
Winzige, blaßlila Blüten mit goldener Mitte; auch in
Weiß erhältlich. Mehrere Pflanzen in eine große Schale
setzen oder mit goldgelben Blüten kombinieren.

Rosafarbenes Fleißiges Lieschen
Impatiens walleriana (s. S. 177)
Einfache, rosa Blüten; auch in Weiß, Rot,
Orange oder zweifarbig erhältlich.

Blütezeiten der Zimmerpflanzen

SCHLÜSSEL

Winter · Frühjahr · Sommer · Herbst

Pflanze	Jan	Feb	Mär	Apr	Mai	Jun	Jul	Aug	Sep	Okt	Nov	Dez	Anmerkungen
Pentas (s. S. 177)	■							■	■	■		■	Kann auch zu anderen Zeiten blühen
Korallenkirsche (s. S. 180)	■							■	■	■		■	Fruchttragend
Tulpe (s. S. 195)	■	■										■	Kann auch zu anderen Zeiten blühen
Weihnachtskaktus (s. S. 200)	■	■										■	Kann auch zu anderen Zeiten blühen
Weihnachtsstern (s. S. 179)	■	■	■								■	■	
Hyazinthe (s. S. 195)	■	■	■									■	
Osterglocke und Narzisse (s. S. 194)	■	■	■									■	
Krokus (s. S. 195)	■	■	■										
Guzmanie (s. S. 174)	■	■	■										
Alpenveilchen (s. S. 180)	■	■	■	■							■	■	
Jasmin (s. S. 186)	■	■	■	■									
Flammendes Kätchen (s. S. 196)	■	■	■	■								■	Kann auch zu anderen Zeiten blühen
Iris reticulata (s. S. 194)	■	■	■	■									
Amaryllis (s. S. 194)	■	■	■	■	■								
Primel (s. S. 181)	■	■	■	■	■	■							Kann auch zu anderen Zeiten blühen
Zimmerlinde (s. S. 164)		■	■	■	■								
Usambaraveilchen (s. S. 175)		■	■	■	■	■	■	■	■				Kann ununterbrochen blühen
Mammillaria bocasana (s. S. 198)		■	■	■	■								
Peitschenkaktus (s. S. 201)		■	■	■									
Azalee (s. S. 179)		■	■	■									Kann auch zu anderen Zeiten blühen
Traubenhyazinthe (s. S. 195)		■	■	■									
Glanzkölbchen (s. S. 182)		■	■	■	■								
Mammillaria zeilmanniana (s. S. 198)		■	■	■	■								
Edelpelargonie (s. S. 178)			■	■	■	■							
Paradiesvogelblume (s. S. 164)			■	■	■	■							Nur vollentwickelte Pflanzen blühen
Semperflorens-Begonie (s. S. 176)			■	■	■	■	■	■					Kann ununterbrochen blühen
Rachenrebe (s. S. 189)			■	■	■	■	■	■	■				Kann ununterbrochen blühen
Christusdorn (s. S. 196)		■	■	■	■	■	■	■	■				Kann ununterbrochen blühen
Cinerarie (s. S. 179)				■	■								
Rebutia minuscula (s. S. 198)				■	■	■							
Blattfahne (s. S. 169)				■	■	■							Kann auch zu anderen Zeiten blühen
Kranzschlinge (s. S. 185)				■	■	■							
Bischofsmütze (s. S. 198)				■	■	■	■						
Chinesischer Roseneibisch (s. S. 178)				■	■	■	■	■					Kann auch zu anderen Zeiten blühen
Flammendes Schwert (s. S. 172)				■	■	■	■	■					Nur vollentwickelte Pflanzen blühen
Bougainvillea (s. S. 187)				■	■	■	■	■	■	■			
Fleißiges Lieschen (s. S. 177)				■	■	■	■	■	■				Kann ununterbrochen blühen
Kapländische Bleiwurz (s. S. 186)			■	■	■	■	■	■	■				
Calamondin-Orange (s. S. 162)				■	■	■	■	■					Kann auch zu anderen Zeiten blühen
Nestbromelie (s. S. 175)				■	■	■	■	■					Nur vollentwickelte Pflanzen blühen
Drehfrucht (s. S. 175)				■	■	■	■	■	■	■			
Schwarzäugige Susanne (s. S. 185)				■	■	■	■	■					
Gloxinie (s. S. 175)					■	■	■						
Tillandsie (s. S. 173)					■	■	■						Nur vollentwickelte Pflanzen blühen
Schönmalve (s. S. 162)					■	■	■						
Lanzenrosette (s. S. 172)					■	■	■						Kann auch zu anderen Zeiten blühen
Schiefteller (s. S. 181)					■	■	■						
Flamingoblume (s. S. 182)					■	■	■						Kann auch zu anderen Zeiten blühen
Elatiorbegonie (s. S. 176)					■	■	■						
Zimmerhafer (s. S. 173)					■	■	■						Kann auch zu anderen Zeiten blühen
Blaues Lieschen (s. S. 178)					■	■	■						
Porzellanblume (s. S. 189)					■	■	■						
Passionsblume (s. S. 185)					■	■	■	■	■				
Korallenpflanze (s. S. 192)						■	■	■					Fruchttragend
Allamanda (s. S. 186)						■	■	■	■				
Neoregelie (s. S. 174)						■	■	■					Nur vollentwickelte Pflanzen blühen
Zierpaprika (s. S. 180)							■	■	■	■	■	■	Fruchttragend
Browallia (s. S. 176)							■	■	■	■			
Glockenblume (s. S. 191)							■	■	■	■			
Topfchrysantheme (s. S. 181)								■	■	■			Kann ununterbrochen blühen

Januar · Februar · März · April · Mai · Juni · Juli · August · September · Oktober · November · Dezember · Anmerkungen

Schnittblumen-Ratgeber

Schnittblumen-Arrangements können durch ihre Formen, Farben und Düfte einen Raum vollkommen verwandeln und zu jeder Jahreszeit die Frische des Gartens ins Haus bringen. Dabei müssen die Arrangements gar nicht üppig sein. Wenige Blumen, im richtigen Gefäß arrangiert, können ebenso wirkungsvoll aussehen wie ein großer, üppiger Strauß. Die folgenden Seiten geben einen Überblick über die je nach Jahreszeit verfügbaren Blumen- und Fruchtstände. Ein weiterer wesentlicher Bestandteil von Arrangements ist Laub oder Schnittgrün. Da es in den meisten Fällen vom Frühjahr bis zum Herbst zur Verfügung steht, wurde es hier nach Farben geordnet. Viele der abgebildeten Laubarten und Blumen lassen sich zu herrlichen Sträußen binden, die, entsprechend der Jahreszeit, unterschiedlich ausfallen. Die Pflanzenbeschreibungen enthalten auch Hinweise auf die Behandlung und die mögliche Verwendung in Arrangements.

Blumen und Blüten des Frühlings 1

Betrachtet man flüchtig die Farben des Spätwinters und Frühlingsanfangs, scheint alles in einheitliches Braun getaucht zu sein. Bei näherem Hinsehen aber entdeckt man interessante Formen und Strukturen. Schon recht früh im Jahr zeigen sich im Garten weiße, zitronenfarbene und blaßgrüne Tupfer. Wenn der Frühling richtig anbricht, vertiefen sich die Farben, und vor dem frischen Grün des neuen Laubes sind die vielen Gelbnuancen der Narzissen zu sehen, denen bald andere Zwiebelblumen und blühende Sträucher folgen.

Auch viele Gartensträucher entwickeln früh ihre Blüten. Da sind die leuchtendgelben Forsythienzweige, ein weißes Meer von Maiglöckchen und die grünen Blütenbüschel des Schneeballs, die geschnitten und für schlichte Arrangements verwendet werden können. Später in dieser Jahreszeit erblühen im Garten dann die Obstbäume, wie Apfel- und Birnbäume, und auch die ersten ausdauernden Pflanzen, wie beispielsweise verschiedene Irisarten, Veilchen, Wolfsmilch, Flieder und Rhododendren.

Maiglöckchen
Convallaria majalis

Diese zarten Blumen mit ihren Glockenblüten lassen sich an schattigen Stellen im Garten problemlos ziehen, und da sie ein kriechendes Rhizom haben, breiten sie sich rasch aus. Am schönsten sehen sie aus, wenn man sie nur mit ihren blaßgrünen Blättern in kleine Glasvasen stellt.
Eine weitere Attraktion ist ihr intensiver Duft. Mit anderen weißen Blumen kombiniert, lassen sich die weißen Sorten auch zu wunderschönen Brautsträußen binden.

Farben: Weiß, Rosa.
Behandlung: Die Stengel mit scharfem Messer an- und 5 cm tief einschneiden.
Alle Blätter von den Blütenstielen abstreifen und etwa eine Stunde warm wässern, dann in hohem Wasser arrangieren.

Maiglöckchen

Osterglocken und Narzissen 1 › Golden Ducat ‹; **2** › Pheasant's Eye ‹; **3** › Mrs. Backhouse ‹; **4** › Inglescombe ‹; **5** › Cheerfulness ‹; **6** › Mary Copeland ‹

Narzisse und Osterglocke
Narcissus sp.

Zu dieser Gruppe gehören viele verschiedene Arten, die alle spezielle Farbkombinationen und Blütenblattformen aufweisen. Obwohl sie den gleichen botanischen Namen tragen, lassen sich Osterglocken und Narzissen durch die unterschiedliche Größe ihrer Kronen auseinanderhalten. Bei Osterglocken sind die Kronen ebenso hoch oder sogar höher als die die sie umgebenden Blütenblätter (Petalen). Narzissen dagegen gibt es mit und ohne Kronen, diese sind aber immer kürzer als die Blütenblätter. Narzissen und Osterglocken eignen sich für Bauernsträuße und passen gut zu Forsythien und Kätzchen. Es ist aber ebenso reizvoll, nur einen dicken Strauß von Narzissen oder Osterglocken in einem schlichten Gefäß zu arrangieren.

Farben: Ein breites Spektrum an Kombinationen von Weiß, Gelb, Creme, Pfirsichfarben und Orange.
Behandlung: Die Stengel mit scharfem Messer schräg an- und 5 cm tief einschneiden. Etwa eine Stunde wässern, dann in niedrigem Wasser arrangieren.

Kaiserkrone und Schachbrettblume
Fritillaria sp.

Im Garten sind diese Pflanzen nicht ganz einfach zu ziehen, und die in Blumenge-

schäften angebotenen Exemplare kommen aus kühlen Gewächshäusern. Größe und Form der Blüten sind je nach Art unterschiedlich. Bei manchen steht an der Spitze eines hohen Schaftes ein Büschel aus großen Blüten, andere haben kleine Glockenblüten, die einzeln an den Stengeln sitzen. Die Blätter ähneln in ihrer Form denen der Tulpe, wenngleich sie bei manchen Exemplaren sehr lang und schmal sind.

Farben: Rot, Orange, Gelb, Weiß, Kastanienbraun und Purpur. Die Blüten der Schachbrettblume sind im allgemeinen kariert oder gefleckt.
Behandlung: Die Stengel mit einem scharfen Messer so einschneiden, daß sie nicht gequetscht werden. Vor dem Arrangieren kühl und ausgiebig wässern.

Flieder 1 › Katherine Haveneyer ‹; **2** › Maude Notcutt ‹; **3** › Massena ‹

Flieder
Syringa sp.

Flieder ist ein holziger Strauch, der sich problemlos im Garten kultivieren läßt und im Spätfrühling eine Vielzahl üppiger Blüten entwickelt. Im Winter und zu Frühjahrsbeginn ist in den Blumengeschäften auch getriebener Flieder erhältlich.
Vollerblühte Rispen sehen, zusammen mit anderen pastellfarbenen Blumen, wie Mohn und Päonien, in einer schlichten Vase sehr schön aus. Die gelben und weißen Sorten kann man für zartgelbe und cremefarbene Frühlingsarrangements verwenden.

Farben: Violett, Rosa, Weiß, Grünlichweiß und Gelb.
Behandlung: Die Zweige mit scharfem Messer an- und 5 cm tief einschneiden. Von den Blütenzweigen alle Blätter abstreifen und die Schnittstellen in kochendes Wasser tauchen. Zweige über Nacht kalt wässern, lange Zweige in hohem Wasser arrangieren.

Lilien

Lilie
Lilium-Hybriden

Lilien gehören mit ihrer außergewöhnlich eleganten Form zu den schönsten Blumen. Trotz ihrer Zartheit lassen sich einige Lilien im Garten ziehen, doch die meisten werden importiert. Man sollte sie schlicht arrangieren, damit nichts von den Blumen ablenkt. Elfenbeinfarbene Lilien werden gern für Brautsträuße und Kirchenschmuck verwendet.

Farben: Lilien gibt es in allen Farben, ausgenommen Blau. Viele Blüten sind zwei-

oder mehrfarbig und fast alle haben Flecken oder Streifen.
Behandlung: Die Stengel mit scharfem Messer schräg an- und 5 cm tief einschneiden. Die Blätter abstreifen. Vor dem Arrangieren über Nacht kalt wässern.

Tulpe
Tulipa-Hybriden

Aufgrund der enormen Vielfalt an Farben und Formen eignen sich Tulpen für die unterschiedlichsten Arrangements. Neben der herkömmlichen einfachblühenden Form gibt es beispielsweise auch gefüllte oder lilienblütige Züchtungen sowie Papageientulpen. Da sich aber ihre Stengel leicht biegen, sind sie für streng geordnete Arrangements weniger geeignet.

Farben: Tulpen gibt es in beinahe allen Farben von fast Schwarz bis Reinweiß. Viele sind auch geflammt oder gerändert.
Behandlung: Weiße Stengelenden abschneiden und alle Blätter entfernen. Den Strauß in Zeitungspapier einwickeln und in hohem, warmem Wasser einige Stunden stehen lassen. Dadurch werden gebogene Stengel wieder geradegezogen. Vor dem Arrangieren jeden Stengel direkt unterhalb der Blüte mit einer Nadel einstechen und dem Wasser einen Teelöffel Zucker zusetzen.

Rhododendren

Rhododendron, Alpenrose
Rhododendron sp.

Rhododendren haben große, robuste Blüten. Lange Blütenzweige verwendet man als Mittelpunkt für große, kräftig strukturierte Arrangements und kurze für kleine Vasen mit Schneeglöckchen und Primeln.

Farben: Weiß, Rosa, Rot und Violett.
Behandlung: Die Zweige mit scharfem Messer schräg an- und 5 cm tief einschneiden. Von den Blütenzweigen die Blätter abstreifen und über Nacht warm wässern. Zum Arrangieren frisches Wasser nehmen und etwas Bleichmittel zusetzen.

Tulpen

› White Triumphator ‹

› Aster Neilson ‹

› Dyanito ‹

› Blue Parrot ‹

› West Point ‹

› Flying Dutchman ‹

› Black Parrot ‹

› Greenland ‹

› May Blossom ‹

› Captain Fryatt ‹

› China Pink ‹

211

Blumen und Blüten des Frühlings 2

Freesien

Freesie
Freesia-Hybriden

Freesien wirken sehr zart und werden in großen, lockeren Arrangements leicht übersehen. Ihre elegante Form kommt am besten zur Geltung, wenn man einen einzelnen Stiel in eine Vase stellt. Große, weiße Freesien eignen sich auch gut für Brautsträuße. Gefüllte Formen halten länger als einfachblühende Sorten.

Farben: Weiß, Gelb, Malvenfarben, Rosa, Rot und Orange.
Behandlung: Die Stengel mit scharfem Messer schräg an- und 5 cm tief einschneiden. Ausgiebig wässern, dann in hohem Wasser arrangieren.

Wolfsmilch
Euphorbia sp.

Keiner, der Schnittblumen liebt, sollte im Garten auf diese kleinen strauchigen Pflanzen verzichten; denn sie halten lange und ergänzen bunte Arrangements durch ein ungewöhnliches Spektrum an Farben, For-

men und Strukturen. Die großen Blütenköpfe bestehen aus winzigen Blütchen, die von papierartigen Hochblättern umgeben sind. Sie bilden hübsche Kontraste zu fiedrigen Gräsern und Laub.

Farben: Orange, Rot, Gelb und Grün.
Behandlung: Die Stengel mit scharfem Messer schräg an- und 5 cm tief einschneiden. Die Enden in kochendes Wasser tauchen oder kurz anbrennen, damit aus der Schnittstelle kein Milchsaft mehr ausgeschieden wird. Vor dem Arrangieren ausgiebig kalt wässern.

Iris
Iris sp.

Iris sind sehr vielseitig verwendbar, vor allem wenn man sie im Garten zieht, denn ihre Blätter sind ebenso dekorativ wie ihre Blüten. Sie gehören zu den ersten Frühlingsblumen und sind in vielen Sorten erhältlich, so daß eine große Palette an Formen, Farben und Größen zur Verfügung steht. Manche Irisarten werden sehr hoch und haben große Blütenköpfe, die sich für große Blumenarrangements eignen. Die kleineren wilden Irisarten wiederum können mit dem eigenen Laub und einigen Tulpen arrangiert werden.

Farben: Malvenfarben, Violett, Gelb, Braun, Orange, Grau und Weiß. Meist sind die Blüten gefleckt oder gestreift.
Behandlung: Die Stengel mit scharfem Messer schräg an- und 5 cm tief einschneiden. Das Laub abstreifen und ausgiebig kalt wässern.

Mimose
Acacia dealbata

Man kann diese zarten Frühlingsblumen für einfache Buketts verwenden, aber sie

sehen auch herrlich aus, wenn man einen Strauß zusammen mit etwas eigenem Laub und einigen goldgelben Osterglocken in ein Tongefäß stellt.

Farben: Gelb.
Behandlung: Die Polyäthylenfolie erst kurz vor dem Arrangieren entfernen und die Blütenköpfe einige Augenblicke in kaltes Wasser tauchen. Stengel mit scharfem Messer schräg an- und 5 cm tief einschneiden. Die Schnittstellen einige Sekunden in kochendes Wasser tauchen. Anschließend in warmes Wasser stellen, bis die Blüten trocken sind.

Levkojen 1 ›Parma Violet‹, **2** ›Yellow of Nice‹, **3** ›Princess Alice‹

Levkoje
Matthiola incana

Levkojen sind sowohl in Gärten als auch in Blumenläden zu finden. Unter Glas gezogene Levkojen sind über viele Monate

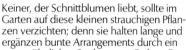

E. wulfenii

Euphorbia robbia

E. griffithii ›Fireglow‹

E. characias

E. polychroma

Besondere Eigenschaften
dauerhaft
vielseitig verwendbar
duftend
zum Trocknen geeignet

hinweg erhältlich. Ihre kurzen Ähren sind dicht mit kleinen, runden Blüten besetzt und können in ländlichen Sträußen als Mittelpunkt oder auch als Füllmaterial dienen.

Farben: Weiß, Gelb, Karminrot, Malvenfarben, Violett, Rosa und Orange.
Behandlung: Die Stengel mit scharfem Messer schräg an- und 5 cm tief einschneiden. Die Blätter abstreifen und die Schnittstellen einige Minuten in kochendes Wasser tauchen, dann kalt wässern. In hohem Wasser arrangieren.

Kissenprimel
Primula vulgaris

Diese kleinen buschigen Pflanzen haben runde Blüten mit auffällig gefärbten Augen. Die Farbpalette ist immens, da ständig neue Hybriden gezüchtet werden. Man kann Kissenprimeln im Garten ziehen, einfacher ist es aber, sie im Frühjahr zu kaufen. Am besten wählt man Pflanzen mit kurzen Blütenschäften, da die langstieligen Formen rascher welken. Schlichte Sträuße, mit Primelblättern umrahmt und in einfache Gefäße gestellt, sehen sehr hübsch aus. Oder man kombiniert die Primeln in kleinen Sträußen mit anderen ähnlich gefärbten Blumen, wie Christrosen oder Erika.

Farben: Kissenprimeln gibt es in allen Farben außer in Blau. Viele Sorten haben um das Auge einen gelben Ring.
Behandlung: Die Stiele mit scharfem Messer anschneiden. Schnittstellen einige Minuten in kochendes Wasser tauchen und dann wässern. Jeden Stiel direkt unterhalb der Blüte einstechen, damit Luftblasen entweichen können. Dadurch kann das Wasser im Stiel besser emporsteigen.

Schleierkraut
Gypsophila paniculata

Diese zarten, verästelten Blütenzweige wurden früher häufig als Hintergrund für robustere Blumen verwendet. Rosen- und Nelkenarrangements lassen sich auch sehr hübsch damit garnieren, doch ein dicker Strauß Schleierkraut, in einer Glasvase oder sonst einem grazilen Gefäß arrangiert, sieht in einer modernen Umgebung mindestens ebenso reizvoll aus.

Farben: Weiß und Rosa.
Behandlung: Die Stengel mit scharfem Messer schräg an- und 5 cm tief einschneiden. Die Blätter abstreifen und vor dem Arrangieren heiß wässern. Das Wasser regelmäßig erneuern.

Schleierkraut

Inkalilie

Inkalilie
Alstroemeria pelegrina

Elegante, prächtige Blumen, die sich im Garten nur schwer kultivieren lassen, im Blumengeschäft aber fast das ganze Jahr hindurch erhältlich sind. Sie haben steife, aufrechte Stengel mit mehreren Blüten und bilden, mit ein paar der eigenen Blätter arrangiert, einen auffälligen Blickfang.

Farben: Weiß, Rosa, Rot, Orange und Fliederfarben. Mitunter sind die Blüten purpurrot gefleckt.
Behandlung: Die Stengel mit scharfem Messer schräg an- und 5 cm tief einschneiden. Von den Blütenstengeln die Blätter abstreifen. Vor dem Arrangieren kalt wässern.

Zimmerkalla
Zantedeschia aethiopica

Diese wunderschönen Blumen können an einem geschützten Platz im Freien wachsen, die schönsten Exemplare kommen jedoch aus dem Gewächshaus. Sie haben dicke, fleischige Blüten, die an aufrechten Stengeln sitzen. Die herzförmigen Blätter sind tiefgrün. Einzelne Blüten mit etwas eigenem Laub in einer runden Glasvase arrangiert, bringen die Eleganz dieser Blume richtig zur Geltung. Die dominante Form der Zimmerkalla macht sie aber auch in jedem grünen Arrangement zum Blickfang.

Farben: Weiß, Gelb, Grün und Rosa.
Behandlung: Die Stengel mit scharfem Messer schräg an- und 5 cm tief einschneiden. Vor dem Arrangieren warm wässern. Die Blätter 24 Stunden in eine Stärkelösung legen, damit sie länger halten.

Obstblüten 1 *Prunus serrata*, **2** *P. serrata* › Ukon ‹, **3** *Pyrus calleryana* › Chanticleer ‹, **4** *Mauls eleyi*, **5** *Prunus serrata* › Shirotae ‹, **6** *P. serrata* › Kanzan ‹

Obstblüten
Prunus sp. und *Malus sp.*

Zu dieser Gruppe gehören viele Zier- und Obstbäume, die zu Frühjahrsbeginn zarte Blütenbüschel hervorbringen. Die blütenbesetzten Zweige eignen sich sehr gut als Hintergrund für rosa Tulpen oder gelbe Osterglocken. Auch kann mit ein paar weißblühenden Zweigen in entsprechender Umgebung ein japanisch anmutendes Ambiente geschaffen werden.

Farben: Rot, Rosa und Weiß.
Behandlung: Die Zweige mit scharfem Messer schräg an- und 5 cm tief einschneiden. Kühl wässern, dann in hohem Wasser arrangieren.

Stiefmütterchen
Viola-Wittrockiana-Hybriden

Die runden Blüten der Stiefmütterchen haben meist eine auffällige Zeichnung. Da sie klein und zart sind, eignen sie sich gut als Tischschmuck oder für kleine, dicke Sträuße in originellen Gefäßen.

Farben: Stiefmütterchen gibt es in allen Farben, einschließlich Blau und Schwarz. Es sind ebensoviel einfarbige wie gezeichnete Varietäten im Handel.
Behandlung: Die weichen Stiele mit einem scharfen Messer anschneiden, damit sie nicht gequetscht werden. Die Köpfe vor dem Arrangieren einige Minuten in Wasser tauchen.

Weitere Frühjahrsblumen

Krokus	Silberling
Weißdorn	Mentzelie
Rosmarin	Klebschwertel
Forsythie	Goldlack
Clematis	Magnolie
Spierstrauch	Hahnenfuß
Clivie	Primel
Steinkraut	Jungfer im Grünen
Jasmin	Ginster
Hyazinthe	Kerrie
Schlüsselblume	Quitte

Sommerblumen 1

Im Sommer gibt es in Hülle und Fülle Blumen und Laub in allen nur denkbaren Größen, Formen, Strukturen und Färbungen. Die Farben der Sommerblumen reichen vom Blaßgelb, Pastellrosa, Pfirsichfarben und Weiß der Nelken und Fingerhüte bis hin zu den tieferen, wärmeren Tönen von Pfingstrosen und Bartnelken. Viele Sommerblumen, wie Mohn, Wicken und Rosen, sind in sämtlichen Farben und Farbnuancen erhältlich und lassen sich daher für viele verschiedene Arrangements verwenden. Darüber hinaus gibt es neben den Blumen eine ebenso beachtliche Bandbreite unterschiedlich geformter und gefärbter Blätter, wie zum Beispiel die vielseitig verwendbaren Funkien, Efeu und Liguster. Ein großer Teil des Angebots besteht aus Stauden oder mehrjährigen Pflanzen, daneben existiert aber auch eine große Auswahl an Blütensträuchern. Ihre Zweige können entweder allein verwendet werden oder aber in größeren Arrangements mit Schnittblumen. Hier bieten sich neben anderen besonders Weigelie, Schneeball und Pfeifenstrauch an. Für Sommerarrangements sollte man sich die ganze vorhandene Fülle zunutze machen und die Blumen üppig arrangieren.

Frauenmantel
Alchemilla mollis

Diese Pflanzen lassen sich problemlos im Garten ziehen, in Blumenläden aber sind sie selten zu finden. Die anmutigen, gelben Blütenstände eignen sich sowohl für formale Arrangements als auch für lockere Sträuße und harmonieren mit beinahe jeder anderen Blüten- oder Laubfärbung. Sie sehen auch sehr schön aus, wenn man sie allein oder mit fiedrigen Gräsern beziehungsweise Laub in schlichten Glasgefäßen oder matten Metallbehältern arrangiert. Die rundlichen, gelappten Blätter bilden in Arrangements einen wunderschönen Kontrast zu rotem und bronzefarbenem Laub.

Farben: Gelbgrün.
Behandlung: Die Stengel mit scharfem Messer schräg an- und 5 cm tief einschneiden. Von den blütentragenden Stengeln die Blätter abstreifen und sofort in hohes Wasser stellen, damit sich keine Luftblasen in den Stengeln bilden.

Frauenmantel

Päonien 1 *Paeonia lactiflora*, **2** *P. officinalis* ›Rubra-plena‹ **3** *P. officinalis*

Pfingstrose, Päonie
Paeonia sp.

Am weitesten verbreitet sind die großblumigen, intensivroten Päonien oder Pfingstrosen. Sie sind wunderschön, aber man muß bedenken, daß sie in Blumenarrangements leicht dominieren. Mit rotem oder gelbgrünem Laub dagegen harmonieren sie meist sehr gut. Es gibt auch viele andere Päonienarten, die als Blickfänge in Arrangements verwendet werden können. Rote Päonien passen gut zu anderen roten Blumen, und die zarten, rosafarbenen Sorten sehen zusammen mit den lachsrosa Blütenständen von Fingerhut oder Gladiole besonders reizvoll aus.

Farben: Rosa, Rot, Orange, Weiß.
Behandlung: Nach dem Schneiden können Päonien in einem kalten Raum mehrere Tage ohne Wasser lagern. Legt man sie darüber hinaus in Polyäthylentüten, bleiben sie mehrere Wochen frisch. Vor dem Arrangieren mit scharfem Messer schräg an- und 5 cm tief einschneiden und warm wässern.

Steppenkerze
Eremurus sp.

Die langen Blütenstände dieser Pflanze sind dicht besetzt mit kleinen Sternblüten, die sich nacheinander von unten nach oben öffnen. Die Blütenkerzen sind zwischen 60 und 120 cm lang und, mit ein paar glatten, länglichen Blättern in einer hohen, schmalen Vase arrangiert, sehr attraktiv.

Farben: Weiß, Gelb, Rosa und Orange.
Behandlung: Die Stengel mit scharfem Messer schräg an- und 5 cm tief einschneiden. Vor dem Arrangieren in kühles Wasser stellen.

Gartennelke
Dianthus caryophyllus

Nelken sind für den Gärtner eine große Herausforderung, weil sie sehr leicht bastardieren. Auf diese Weise erscheinen immer wieder neue Kreuzungen (Hybriden) auf dem Markt, die größer oder kleiner sein können, intensiver duften oder ganz neue Farbkombinationen aufweisen – die Auswahl ist enorm. Nelken wirken etwas steif, vor allem die großblumigen Sorten mit den kerzengeraden Stengeln, die es in den Blumengeschäften gibt. Man kann sie in allen Sommerarrangements verwenden, sie sehen aber auch allein in einer schlichten Vase mit hohem Hals hübsch aus. Zartrosa oder weiße Blüten lassen sich gut mit grauem Laub, etwa Eukalyptus oder Wermut, kombinieren.

Farben: In fast allen Farben erhältlich, mit Ausnahme von Blau. Viele Blüten sind zwei- oder mehrfarbig.
Behandlung: Mit einem scharfen Messer die Stengel zwischen zwei Knoten (Stengelverdickungen) schräg an- und die Enden 5 cm tief einschneiden. Alle Blätter abstreifen. Vor dem Arrangieren ausgiebig warm wässern.

›Purple Frosted‹

›Crowley Sim‹

› Zebra ‹

Bartnelken

Bartnelke
Dianthus barbatus

Die vielen Sorten der Bartnelke sind in Blumenläden erhältlich, man kann sie aber auch im Garten kultivieren. Ihre runden, flachen Köpfe bestehen aus zahlreichen kleinen Blüten, die dicht zusammenstehen. Die leuchtenden Farben harmonieren in lockeren Sträußen gut mit Sommerblumen, und besonders dekorativ wirkt ein dicker Strauß in einem geflochtenen Korb.

Farben: Meist sind die Blüten zwei- oder mehrfarbig und haben in der Mitte Ringe. Die Farbpalette reicht von Rot über Karmin bis Rosa und Weiß.
Behandlung: Die Stengel mit scharfem Messer schräg an- und 5 cm tief einschneiden. Alle Blätter abstreifen und vor dem Arrangieren kühl und ausgiebig wässern.

Gladiolen 1 › Albert Schweitzer ‹, **2** › White Angel ‹, **3** › Madame Butterfly ‹

Gladiole
Gladiolus-Hybriden

Mit ihrer eleganten Form sind Gladiolen für alle Arten von Arrangements hervorragend geeignet. Sie lassen sich auch im Garten leicht kultivieren. Es gibt eine Vielzahl von

Gladiolensorten mit unterschiedlichen Größen, Farben und Blüten, nur die Anordnung der Blüten ist stets gleich. Kleinere Gladiolen mit zarten Farben passen gut zu rosa Rosen und anderen kleinen Blumen.

Farben: Das Farbspektrum ist groß und umfaßt unter anderem Rot, Orange, Gelb, Rosa und Weiß.
Behandlung: Die Stengel mit scharfem Messer unter Wasser schräg an- und 5 cm tief einschneiden. Alle vier oder fünf Tage ein wenig kürzen, damit die Blüten länger halten. Welkende Blüten entfernen.

Mohn
Papaver sp.

Im allgemeinen stellt man sich unter Mohn eine leuchtendrote Blume mit großen Blütenblättern vor, es gibt jedoch zahlreiche andere Varietäten in vielen Farben und Größen. Mohn hat sehr zarte Blütenblätter und eignet sich daher nicht sehr gut für formale Arrangements. Im allgemeinen hält Mohn auch nur einen Tag. Am besten kombiniert man die roten Blüten mit kontrastierendem dunkelgrünen Laub.

Farben: Viele Schattierungen von Rot, Rosa, Rot, Orange, Gelb, Creme und Weiß.
Behandlung: Die Stengel mit einem scharfen Messer schneiden. Die Enden in kochendes Wasser tauchen oder aber anbrennen, damit der Pflanzensaft nicht das Wasser trübt. Vor dem Arrangieren möglichst lang wässern.

Nelken

› Portrait ‹

› Zebra ‹

› Joker ‹

› Allwood's Cream ‹

› Arthur Sim ‹

› Fragrant Ann ‹

› Comoco Sim ‹

› Inchmery ‹

Sommerblumen 2

Rittersporn

Rittersporn
Delphinium sp.

Rittersporn gibt es sowohl in Blumenläden als auch in Gärten, und es kommen immer neue Hybriden auf den Markt, die das Spektrum an Farben und Größen noch erweitern. Die langen Blütenstände bestehen aus zahlreichen, duftenden Blütchen und eignen sich gut für Arrangements in hohen Vasen. Verwenden Sie die hohen weißen Sorten für große Sträuße. Wer dafür keinen Platz hat, wählt eine der in allen Farben erhältlichen kurzstieligen Sorten und arrangiert sie zusammen mit dem fiedrigen Ritterspornlaub.

Fingerhut

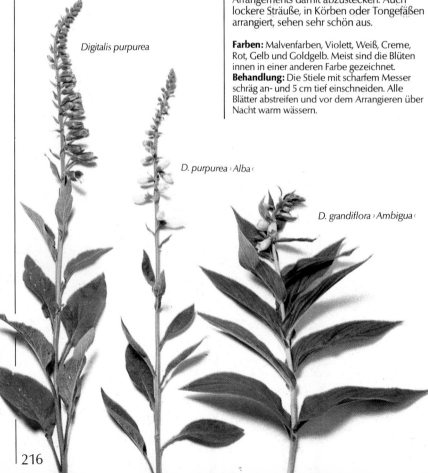

Digitalis purpurea

D. purpurea › Alba ‹

D. grandiflora › Ambigua ‹

Farben: Es gibt zahlreiche Nuancen in Blau und Malvenfarben, aber auch rosafarbene, weiße und cremeweiße Blüten.
Behandlung: Die Stiele mit scharfem Messer schräg an- und 5 cm tief einschneiden. Vor dem Arrangieren kühl und ausgiebig wässern. Damit bei besonderen Anlässen die Blumen länger halten, kann man die hohen Stengel mit Wasser füllen und die Enden mit Watte verschließen.

Zierlauch
Allium sp.

Diese zu der Familie der Liliengewächse gehörenden Pflanzen entwickeln eine große Zahl winziger Blüten, die in großen Kugeln zusammenstehen. Sie eignen sich hervorragend als Mittelpunkt eines großblumigen Arrangements.

Farben: Gelb, Violett, Rosa und Weiß.
Behandlung: Die Stiele mit scharfem Messer schräg an- und 5 cm tief einschneiden. Einen Teelöffel Bleichmittel in das Wasser geben, um den Zwiebelgeruch zu unterbinden.

Fingerhut
Digitalis sp.

Diese wunderschönen Wildblumen erfreuen sich auch im Garten immer größerer Beliebtheit, in Blumenläden dagegen findet man sie nur selten. Versuchen Sie daher, sie selber zu ziehen, denn wilder Fingerhut steht unter Naturschutz. Fingerhut ist als Schnittblume dankbar, da er lange hält. Seine zarten Töne harmonieren gut mit anderen pastellfarbenen Blumen, und die Blütenstände eignen sich aufgrund ihrer länglichen Form gut, um die Silhouette eines großen Arrangements damit abzustecken. Auch lockere Sträuße, in Körben oder Tongefäßen arrangiert, sehen sehr schön aus.

Farben: Malvenfarben, Violett, Weiß, Creme, Rot, Gelb und Goldgelb. Meist sind die Blüten innen in einer anderen Farbe gezeichnet.
Behandlung: Die Stiele mit scharfem Messer schräg an- und 5 cm tief einschneiden. Alle Blätter abstreifen und vor dem Arrangieren über Nacht warm wässern.

Teehybrid-Rosen 1 › Message ‹, **2** › Goldgleam ‹, **3** › Pascali ‹, **4** › Margaret Merrill ‹

Teehybriden
Rosa sp.

Der Handel führt ein sehr reichhaltiges Angebot an Rosensorten, und es kommen immer neue Varietäten dazu. Eine negative Folge der häufigen Kreuzungen ist, daß viele Kulturformen (Cultivare) nicht mehr duften. Teehybriden sind kompakt und haben gefüllte Blüten mit hohen Mitten. Man kann sie für formale Arrangements verwenden. Auch ein einfarbiger Rosenstrauß mit etwas Rosenlaub kommt, in einem schlichten Gefäß arrangiert, sehr schön zur Geltung.

Farben: Rosen gibt es in fast allen Farbnuancen, außer in Blau.
Behandlung: Die Stiele mit scharfem Messer schräg an- und 5 cm tief einschneiden. Blätter von den Blütenstielen abstreifen und die Enden eine Minute in kochendes Wasser tauchen. Vor dem Arrangieren ausgiebig kalt wässern.

Schafgarbe › Coronation Gold ‹

Schafgarbe
Achillea filipendulina

Einfache Blumen mit flachen Blütenköpfen, die in verschiedenen Größen und Farben im Handel sind. Man kann sie problemlos im Garten ziehen und findet sie häufig an Wegrändern und bei Hecken. Verwenden Sie

Besondere Eigenschaften
dauerhaft
vielseitig verwendbar
duftend
zum Trocknen geeignet

große, goldgelbe Blüten als Blickfang in großen Arrangements und kleinere, blaßgelbe oder weiße Blüten zusammen mit weißen Blumen, wie Rosen, oder aber mit panaschierten Funkienblättern. Da die Blüten nicht abfallen und gut trocknen, kann man sie auch frisch für Trockenarrangements verwenden.

Farben: Zahlreiche Gelb- und Goldtöne.
Behandlung: Die Stengel mit scharfem Messer schräg an- und 5 cm tief einschneiden. Blätter abstreifen. Vor dem Arrangieren ausgiebig wässern.

Gerbera
Gerbera jamesonii

Diese großen, leuchtenden Korbblüten haben weiche, samtige Zungenblüten und unbelaubte, graugrüne Stiele. Sie können im Gewächshaus gezogen werden und sind in Blumenläden erhältlich. Gelbe und orangefarbene Blüten passen gut zu weißen Spinnenchrysanthemen und Eukalyptuslaub, eignen sich aber auch für herbstliche Trockenblumenarrangements, da sie farblich gut mit den warmen Tönen des Trockenmaterials kontrastieren. Einen schönen Kontrast bilden die runden Blüten auch mit gleichfarbigen Iris, Gladiolen oder Rittersporn.

Farben: Violett, Karmin, Rot, Rosa, Weiß, Gelb und Orange.
Behandlung: Die Stiele mit scharfem Messer schräg an- und 5 cm tief einschneiden. Schnittstellen in kochendes Wasser tauchen. Vor dem Arrangieren ausgiebig kühl wässern.

Wicken
Verschiedene Farben

Gerbera
Verschiedene Farben

Schmucklilie

Schmucklilie
Agapanthus africanus

Diese immergrünen Pflanzen haben glatte, riemenförmige Blätter und hohe, sukkulente Blütenschäfte. Die einzelnen Blüten sind klein und stehen in kugeligen Büscheln an der Spitze der Schäfte. Man kann Schmucklilien an einem geschützten Platz im Garten ziehen, bekommt sie aber auch im Blumenladen. Sie eignen sich gut für große Arrangements und reizvolle Sommersträuße, wenn ihre runden Blütenköpfe mit hohen und schlanken weißen Blüten, etwa Iris und Gladiolen, kombiniert werden.

Farben: Blau und Weiß.
Behandlung: Die Stiele mit scharfem Messer schräg an- und 5 cm tief einschneiden.

Wicke
Lathyrus odoratus

Diese zarten Blumen sind wegen ihres süßen Duftes bekannt, der einen ganzen Raum füllen kann. Sie sind ohne Schwierigkeiten im Garten zu ziehen, doch brauchen sie Kletterhilfen, um üppig blühen zu können. Während des Sommers sind sie auch in Blumengeschäften erhältlich. Einen schönen Blickfang bilden große Sträuße mit Blüten von nur einer Farbe. Auch locker mit gleichfarbigen Rosen arrangiert, sehen Wicken sehr hübsch aus.

Farben: Eine breite Palette von Rot, Rosa, Violett, Aprikosenfarben und Weiß.
Behandlung: Wicken sollten möglichst wenig angefaßt werden. Lange Stiele mit einem scharfen Messer anschneiden. Vor dem Arrangieren mehrere Stunden kühl wässern.

Weitere Sommerblumen

Muschelblume	Löwenmäulchen
Enzian	Lupine
Engelwurz	Schleifenblume
Kornblume	Klarkie
Akelei	Felberich
Brodiaea	Lavendel
Zinnie	Stockrose
Hundskamille	Petunie
Margerite	Muskatellersalbei
Glockenblume	Mittagsblume
Pfeifenstrauch	Kremschale

Blumen und Früchte des Herbstes 1

Die Färbungen der Herbstblumen sind tiefer als jene des Frühjahrs und Sommers. Sowohl bei den Blumen als auch beim Laub dominieren violette, rote, braune und goldene Töne. Tiefgelbe Sonnenblumen und Sonnenhüte sowie feurige Fackellilien zeigen satte, kraftvolle Farben, während die vielen Dahliensorten ein großartiges Spektrum an Tönen und Formen bieten. Wenn die Blumen verblüht sind, gibt es herbstliche Früchte und Gemüse, die für Arrangements verwendet werden können. Darüber hinaus ergänzen Gemüsepflanzen, wie Artischocken, Sträuße und Gestecke durch interessante Farben und Strukturen. Beeren und andere Früchte, wie Hagebutten und Holzäpfel, bereichern die Arrangements durch ihre intensive Färbung, sehen aber auch allein, mit etwas Laub in lockeren Sträußen arrangiert, sehr hübsch aus. Herbstlaub wird aktuell, sobald die Blumen im Garten welken. Ein Teil des Laubes färbt sich rot, orange, kupferbraun oder tiefviolett. Gegen Ende dieser Jahreszeit kann man darüber hinaus importierte Blumen mit leuchtenden Farben kaufen, wie zum Beispiel in Südafrika heimische *Leucospermum nutans*.

Sonnenhut
Rudbeckia sp.

Die hübschen runden Korbblüten des Sonnenhuts haben intensive Farben und in der Mitte ein dunkles Auge. Es gibt einfache und gefülltblühende Formen, und ein großer Strauß unterschiedlich gefärbter Sonnenhüte in einem Tongefäß bringt herbstliche Töne ins Haus. Sonnenhüte sehen, sowohl mit rotem wie mit gelbem Laub arrangiert, sehr schön aus.

Farben: Gelb, Orange, Braun. Die Mitten sind dunkelbraun und teilweise von einem roten Ring umgeben.
Behandlung: Die Stiele mit scharfem Messer schräg an- und 5 cm tief einschneiden. Blätter von den Stengeln abstreifen und die Schnittstellen einige Minuten in kochendes Wasser tauchen. Vor dem Arrangieren ausgiebig wässern.

Hakenlilie
Crinum powellii

Diese eleganten Pflanzen haben trichterförmige Blüten an den Spitzen dicker, fleischiger Stiele. Die Blüten entwickeln sich nacheinander und sollten, wenn sie welken, entfernt werden. Hakenlilien eignen sich für große, elegante Arrangements.

Farben: Rosa und Weiß.
Behandlung: Die Stiele mit scharfem Messer schräg an- und 5 cm tief einschneiden. Vor dem Arrangieren ausgiebig wässern. Die hohlen Stengel können mit Wasser gefüllt und am Ende mit Watte verschlossen werden, damit die Blüten länger halten.

Hakenlilie

Holzapfel › John Downie ‹

Holzapfel
Malus › John Downie ‹

Die roh meist ungenießbaren Früchte des Holzapfels sind klein und rund. Man findet sie häufiger in Gärten und Hecken als im Blumenladen, doch die attraktive Färbung der Früchte und die kupfrigen Töne des Laubes machen sie für Herbstarrangements sehr attraktiv. Man kann sie mit Herbstblumen, wie Dahlien, Fackellilien und Sonnenhüten, mischen oder mit Zweigen von Sträuchern, wie Schönmalve und Spindelstrauch. Die ungetrockneten Früchte sehen auch in Gestecken mit Trockenpflanzen hübsch aus, obwohl sie nach einer gewissen Zeit schrumpfen.

Farben: Früchte und Blätter nehmen herbstliche Farben an, wie Rot, Orange und Gelb. Die im Frühjahr erscheinenden Blüten sind rot, rosa und weiß.
Behandlung: Die Stengel mit scharfem Messer abschälen und 5 cm tief einschneiden. Vor dem Arrangieren ausgiebig wässern.

Johanniskraut
Hypericum elatum

Diesen anspruchslosen Strauch sieht man zwar häufig in Gärten, seine Zweige aber findet man in Blumengeschäften nur selten. Im Winter behält er sein Laub, das sich rötlich verfärbt und duftet, wenn man es zerreibt. Seine gelben Blüten sind sehr zart, halten aber bis Oktober. Dann folgen ihnen ovale Früchte. Die Zweige eignen sich sehr gut als Hintergrundmaterial für alle Arten von Arrangements, und die Früchte sind sehr reizvoll in herbstlichen Arrangements aus Früchten und Blüten.

Farben: Im Sommer ist das Laub grün, und es erscheinen gelbe Blüten. Im Herbst entwickeln sich rote Früchte, und das Laub färbt sich rötlich.
Behandlung: Die Stengel schräg an- und 5 cm tief einschneiden. Von allen blütentragenden Stengeln die Blätter abstreifen. Vor dem Arrangieren ausgiebig wässern.

Schönmalve
Abutilon-Hybride

Diese Sträucher sind in Gärten ein vertrauter Anblick, doch in Blumenläden finden sich ihre Zweige sehr selten. Die holzigen Zweige und blaßgrünen, oft panaschierten Blätter, zwischen denen die bunten Blüten stehen, sehen sowohl allein in einer schlichten Vase wie zusammen mit anderem grazilen Pflanzenmaterial sehr hübsch aus.

Farben: Die Blütenfarben reichen von Gelb über kräftiges Rot bis zu Malvenfarben und Blaßblau.
Behandlung: Die Zweige mit scharfem Messer schräg an- und 5 cm tief einschneiden. Von den Blütenstengeln die Blätter abstreifen.

Schönmalve

Besondere Eigenschaften
dauerhaft · vielseitig verwendbar · duftend · zum Trocknen geeignet

Spindelstrauch

Spindelstrauch
Euonymus planipes (E. sachalinensis)

Die außergewöhnlichen Früchte dieses Strauches sind rund und fleischig. Sobald sie aufspringen, sehen sie aus wie kleine Blüten und geben orangefarbenen Samen frei. Das Laub ist zunächst tiefgrün und bekommt später weiße und gelbe Flecken. Die Zweige eignen sich in Arrangements als Hintergrundmaterial.

Farben: Die Früchte sind rot, rosa oder weiß, die Samen leuchtendorange.
Behandlung: Die Rinde von den Stengeln schälen, 5 cm tief einschneiden, dann arrangieren.

Glattblattaster
Aster novi-belgii

Glattblattastern haben aufrechtstehende, verzweigte Stengel, an denen zahlreiche kleine Blütenköpfe sitzen. Die Blüten wirken leicht gefranst und lassen sich nicht gut mit anderen Blumen kombinieren. Am besten arrangiert man einen dicken, einfarbigen Strauß.

Farben: Weiß, Violett und Rosa.
Behandlung: Die Stengel mit scharfem Messer schräg an- und 5 cm tief einschneiden, Blätter von den Blütentrieben abstreifen und die Enden in kochendes Wasser tauchen. Anschließend zwölf Stunden wässern.

Glattaster-Hybride. 1 ›Ada Ballard‹, **2** ›Blandie‹

Artischocke
Cynara scolymus

Artischocken sind in allen Stadien ihrer Entwicklung außerordentlich nützlich. Ihre Knospen, die aus frischgrünen, übereinandersitzenden Hochblättern bestehen, schmecken nicht nur gut, sondern sind aufgrund ihrer Form auch eine interessante Ergänzung für alle herbstlichen Arrangements. Später erscheinen fiedrige violette Blüten, und auch die Samenstände und das wunderschöne farnähnliche Laub lassen sich vielseitig verwenden.

Farben: Knospen blaßgrün, Blüten violett.

Artischocke

Behandlung: Die Blüten brauchen keine besondere Behandlung. Das Laub hält sehr lang, wenn man die Stiele 30 Sekunden in kochendes Wasser taucht und anschließend die ganzen Blätter eine Stunde in kaltes Wasser legt.

Strohblume
Helichrysum bracteatum

Diese Blumen werden meist getrocknet angeboten, sind aber auch als frische Schnittblumen für Arrangements erhältlich. Die Blütenköpfchen mit den papierartigen Hüllkelchblättern wirken auch im frischen Zustand wie getrocknet. Die Blütenfarben sind ideal für lockere Herbststräuße und passen fast zu allen anderen Blumenarten. In Körben arrangiert, können Strohblumen Wandnischen und ungenutzte Kamine schmücken.

Farben: Gelb, Rot, Orange, Violett und mehrfarbig.
Behandlung: Die Stengel mit scharfem Messer abschneiden und in kochendes Wasser tauchen. Vor dem Arrangieren kühl und ausgiebig wässern.

Strohblumen
Verschiedene Farben

Blumen und Früchte des Herbstes 2

Sonnenblume

Sonnenblume
Helianthus annuus

Sonnenblumen werden im Garten gern gezogen, da sie anspruchslos sind. Die großen Blüten sind für Arrangements mit kleinen Blumen viel zu dominierend, deshalb sollte man sie nur zusammen mit großen Blumen oder mit Laub und Früchten verwenden.

Farben: Goldgelbe Blüten.
Behandlung: Die Stengel mit scharfem Messer schräg an- und 5 cm tief einschneiden. Die Schnittstellen in kochendes Wasser tauchen. Vor dem Arrangieren ausgiebig wässern.

Stachelähre

Stachelähre
Acanthus spinosus

Die hohen, ungewöhnlichen Ähren dieser Pflanze bestehen aus kleinen Blüten, die entlang der fleischigen Stengel sitzen und von laubartigen Hochblättern umgeben sind. Die Ähren eignen sich gut als Umriß für große Arrangements ebenso wie für lockere Sträuße aus herbstlichen Blüten und Blättern. Man kann sie auch als Kontrast, zusammen mit großen, runden Blüten, wie Sonnenblumen und Dahlien, verwenden. Aber auch das stachelige Laub ist dekorativ und sieht vor allem mit rosa Blüten sehr schön aus.

Farben: Rosaviolette Blüten unter violett-grünen laubartigen Hochblättern.
Behandlung: Die Stengel mit scharfem Messer schräg an- und 5 cm tief einschneiden. Die

Schnittstellen in kochendes Wasser tauchen und anschließend die Ähren mehrere Stunden kalt wässern. Auch die Blattstiele sollten einige Augenblicke in kochendes Wasser getaucht werden. Danach legt man die ganzen Blätter etwa zwölf Stunden in eine dünne Stärkelösung.

Dahlie
Dahlia-Hybride

Dahlien sind beliebte, anspruchslose Gartenpflanzen in vielen Größen, Formen und Farben, die auch in Blumenläden immer häufiger zu finden sind. Die verschiedenen Formen tragen unterschiedliche Namen. So gibt es Kaktus-, Pompon-, Halskrausen- oder Schmuckdahlien, um nur einige zu nennen, und die Zahl der Züchtungen nimmt ständig zu. Dahlien eignen sich für alle Arten von Arrangements, und da sie eine schöne, runde Form und ein »Gesicht« haben, ist es einfach, sie wirkungsvoll in ein Arrangement einzufügen. Für traditionelle Herbststräuße verwendet man pfirsich- und aprikosenfarbene Blüten, die in leuchtenden Rottönen stellt man zusammen mit roten Rosen und Fackellilien in eine Vase. Weiße Dahlien sehen, mit anderen weißen Blumen und dunkelgrünem Laub gemischt, besonders reizvoll aus, oder man arrangiert Dahlien einer Farbe, aber mit unterschiedlichen Blütenformen, zu einem lockeren Strauß.

Farben: Dahlien sind in vielen verschiedenen Farben und Farbnuancen erhältlich, da immer wieder neue Hybriden auf den Markt kommen.
Behandlung: Die Stiele mit scharfem Messer schräg an- und 5 cm tief einschneiden. Alle Blätter von den Blütenstielen abstreifen und die Schnittstellen einige Minuten in kochendes Wasser tauchen. Blumen über Nacht kalt wässern, dann in hohem Wasser arrangieren.

Dahlien

›Rokesley Mini‹

›Authority‹

›Little Conn‹

›Super‹

›Glorie van Heernstede‹

Schneeballbeeren

Hagebutten 1 *Rosa sp.*, 2 *R. moyesii*, 3 *R. rugosa*

Hagebutten
Rosa sp.

Herbstliche Hecken waren einst voll von leuchtendroten Hagebutten wilder Rosen, die heute mehr und mehr verschwinden. Auch Gartenrosen entwickeln Hagebutten, doch schneidet man meist die Pflanzen vorher zurück. Das ist schade, denn die Hagebutten sind wunderschön. Sie haben – je nach Rosentyp – sehr unterschiedliche Formen und Größen und eignen sich für alle Arten von Herbstarrangements, insbesondere für solche mit dunkelroten Blüten und Laub. Hagebutten ergänzen farblich auch Sträuße aus getrocknetem Laub und Fruchtständen.

Farben: Je nach Schnittzeit weisen Hagebutten viele unterschiedliche Rotschattierungen auf.
Behandlung: Die Zweige mit scharfem Messer schräg an- und 5 cm tief einschneiden; Laub und Dornen entfernen. Schnittstellen einige Minuten in kochendes Wasser tauchen; Zweige anschließend ausgiebig wässern.

Ziertabak
Nicotiana affinis

Diese Pflanzen werden zur Tabakherstellung erwerbsmäßig angebaut. Gartensorten zieht man wegen ihrer farbenfrohen Blüten, die stark duften. Mit ihren unzähligen Farben bieten sie sich für alle Arten von Arrangements an. Leuchtende Töne verwendet man in erster Linie zusammen mit roten Blüten und Blättern, orange und gelbe Sorten für herbstliche Sträuße und grünliche Blüten für zartes grünes Laub.

Farben: Weiß, Rot, Orange, Gelb, Karmin, Hellgrün, Creme und Rosa.
Behandlung: Die Stengel sind sehr weich und müssen mit einem scharfen Messer geschnitten werden. Vor dem Arrangieren wässern.

Fackellilie
Kniphofia uvaria

Diese dankbaren Gartenpflanzen sind in den Blumenläden nur selten zu finden. Als Schnittblumen eignen sie sich gut, obwohl sie sich aufgrund ihrer Größe nicht ganz leicht arrangieren lassen. Farblich harmonieren sie ideal mit Herbstarrangements

und ergänzen große, lockere Sträuße durch ihre borstigen Konturen. Die sukkulenten Stengel der Fackellilie wachsen in der Vase oft weiter und biegen sich. Soll eine bestimmte Gesteckform beibehalten werden, muß man sie neu arrangieren.

Farben: Zunächst sind die Blütenstände der Fackellilie grün, dann färben sie sich rot. Heute sind Hybriden in Creme und Gelb sowie in Creme und Rosa erhältlich.
Behandlung: Die Stengel mit scharfem Messer schräg an- und 5 cm tief einschneiden. Die Schnittstellen einige Augenblicke in kochendes Wasser tauchen. Vor dem Arrangieren über Nacht in kaltes Wasser stellen.

Fackellilie

Gemeiner Schneeball
Viburnum opulus

Die durchscheinenden goldgelben Beeren, die sich im Herbst entwickeln, sind ebenso dekorativ wie die duftenden Frühjahrsblüten. Schneeballzweige sind geeignetes Hintergrundmaterial sowohl für frische wie für getrocknete Arrangements.

Farben: Die Beeren können rot, gelb, golden oder blau sein, die Frühjahrsblüten weiß, grün oder rosa. Das Laub ist hellgrün.
Behandlung: Stengelenden abschälen und schräg anschneiden. Mit scharfem Messer 5 cm tief einschneiden und die Schnittstellen einige Augenblicke in kochendes Wasser tauchen. Vor dem Arrangieren über Nacht kalt wässern.

Leucospermum
Leucospermum nutans

Diese außergewöhnlichen Blumen gehören zur Familie der Silberbaumgewächse und stammen aus Südafrika. Die rundlichen Blütenköpfe sind mit gelben dornenartigen Blütenblättern besetzt, deren rote Spitzen sich verdicken. Man kann sie als Mittelpunkt in großen Herbstarrangements aus frischem oder getrocknetem Material verwenden.

Farben: Orangerot.
Behandlung: Die Stengel mit scharfem Messer schräg an- und 5 cm tief einschneiden. Vor dem Arrangieren ausgiebig kühl wässern.

Weitere Herbstblumen

Japananemone	Spornblume
Clematis	Lampionkirsche
Hortensie	Montbretie
Tagetes	Leberbalsam
Fetthenne	Vergißmeinnicht
Meerlavendel	Sumpfeibisch
Phlox	Verbene
Zwergmispel	Herbstzeitlose
Sommermargerite	Skabiose

Blumen und Früchte des Winters

Der Winter ist die Zeit der immergrünen Gewächse, die dann üppiges, schön strukturiertes Laub und leuchtende Beeren tragen. Als immergrün bezeichnet man zahllose Pflanzen, die die unterschiedlichsten Blattfärbungen (darunter viele buntlaubige Arten) und Blattstrukturen aufweisen. Den ganzen Winter über kann man mit ihrem Laub farbenfrohe Arrangements zusammenstellen.

Gegen Winterende erscheinen an zahlreichen sommergrünen Sträuchern helle Blüten, von denen viele einen schweren Duft verströmen, wenn man Zweige davon ins Haus bringt. Kamelien blühen in dieser Jahreszeit weiß und rosa. Darüber hinaus erscheinen die ersten Schneeglöckchen, denen bald gelbe Winterlinge, einige Krokusse und frühe Narzissen folgen. Die Auswahl an Blumen wird durch die im Erwerbsgartenbau gezogenen Anemonen, frühen Nelken, Rosen und Flieder erweitert, und auch Orchideen werden heute importiert. Alle diese Blumen finden Sie um diese Jahreszeit in den Blumengeschäften, doch da sie recht teuer sind, kann man bei größeren Arrangements auf immergrüne oder schön geformte, unbelaubte Zweige nicht verzichten.

Stechpalme
Ilex aquifolium

Die glänzenden, dunkelgrünen Blätter mit ihren gewellten stacheligen Rändern und die roten Beerenbüschel der Stechpalme sind in Gärten und Blumenläden während des Winters ein vertrauter Anblick. Aus traditionellen Winterarrangements ist sie nicht wegzudenken, doch eignet sie sich auch als Hintergrund für tiefrote Blumen.

Farben: Stechpalmenblätter sind tiefgrün oder panaschiert, die Beeren hellrot, orangerot oder gelb.
Behandlung: Zum Schneiden eine Gartenschere verwenden. Stechpalmen nicht ins Wasser stellen, sie halten ohne länger.

Stechpalme

Akazie

Akazie
Acacia longifolia

Diese zarten Sträucher sind mit den im Frühjahr blühenden Mimosen verwandt und haben ganz ähnliche gelbe Blüten. Aber im Gegensatz zu Mimosen sind die graugrünen Blätter ungeteilt und weidenähnlich. Die duftenden Blüten bilden einen hübschen Kontrast zu dem Laub, und die Zweige sind eine willkommene Ergänzung für winterliche Blumenarrangements.

Farben: Gelbe, runde Blüten und graugrünes Laub.
Behandlung: In luftdichter Polyäthylenfolie aufbewahren und erst kurz vor dem Arrangieren herausnehmen. Dann die Blütenköpfe in kaltes Wasser tauchen. Man schneidet die Stengel mit einem scharfen Messer schräg an und 5 cm tief ein. Die Schnittstellen einige Sekunden in kochendes Wasser halten. Dann die Stengel wässern, bis die Blüten getrocknet sind.

Gartenanemone, Kronenanemone
Anemone coronaria

Diese zarten Blumen gibt es in einer großen Vielfalt von Formen und Größen, doch die hier abgebildeten sind die bekanntesten. Ihre zarten, flachen Blüten bestehen nicht aus Petalen (Blütenblätter), sondern aus Sepalen (Kelchblätter, die im allgemeinen, grünlich und laubartig, die Blüten umschließen) und haben tiefblaue Mitten. Im Garten findet man im Frühjahr, Sommer und Herbst verschiedene Anemonenarten, in Blumengeschäften sind sie das ganze Jahr über erhältlich. Obwohl man sie auch für gemischte Arrangements verwenden kann, sieht ein in einer Glasvase arrangierter Anemonenstrauß am schönsten aus. Die Blumen sollten dicht zusammenstehen, da sich die Stengel leicht biegen und dann unordentlich wirken.

Farben: Rot, Blau, Malvenfarben, Rosa, Weiß, Gelb und Scharlachrot. Viele Anemonen haben in der Mitte einen hellen oder dunklen Ring.
Behandlung: Man schneidet die Stiele mit einem scharfen Messer schräg an und 5 cm tief ein. Schnittstellen einige Sekunden in kochendes Wasser tauchen. Vor dem Arrangieren kühl und ausgiebig wässern.

Gartenanemonen, verschiedene Farben

Milchstern, Chincherinchee
Ornithogalum thyrsoides

Diese Blumen werden im Winter bei uns eingeführt. Die in dichten Trauben zusammenstehenden Blüten öffnen sich von unten aufwärts und bilden bald ein Meer kleiner, weißer Sterne. Am besten kommen sie zu Weihnachten mit den farbenfrohen Zweigen der Stechpalme oder Zwergmispel zur Geltung.

Farben: Weiß.
Behandlung: Bei einigen Milchsternen sind die Stengelenden mit Wachs verschlossen. Man schneidet es ab und macht mit einem scharfen Messer einen 5 cm tiefen Einschnitt. Ausgiebig warm wässern, dann mehrere Tage in kühles Wasser stellen, damit sich alle Knospen öffnen.

Traubenorchidee

Traubenorchidee
Dendrobium sp.

Orchideen gibt es in vielen verschiedenen Größen und Formen, doch alle haben eine Lippe, die von einem Kranz aus Blumen- und Kelchblättern umgeben wird. Die Blüten kommen vor allem aus der Nähe betrachtet zur Geltung und sollten in schlichter, nicht überladener Umgebung arrangiert werden, und zwar allein oder mit unbelaubten, roten Hartriegelzweigen.

Farben: Rot, Orange, Gelb, Weiß und Violett. Die Blüten sind meist noch in einer anderen Farbe gezeichnet.
Behandlung: Diese Orchideen stehen beim Kauf meist in kleinen Glasröhrchen, in denen sie auch bleiben können, wenn man das Wasser alle zwei bis drei Tage wechselt.

Winterjasmin
Jasminum nudiflorum

Sträucher, die problemlos im Garten gezogen werden können. Ihre Zweige sind in Blumengeschäften erhältlich. Im Sommer tragen sie dunkelgrünes Laub, während des Winters aber gelbe Röhrenblüten. Man sollte einige Zweige in einem schlichten Tongefäß arrangieren oder sie mit früh-blühenden Narzissen mischen.

Farben: Gelb.
Behandlung: Man schneidet die Zweige mit einem scharfen Messer schräg an und 5 cm tief ein, dann kann man sie arrangieren.

Chrysantheme
Chrysanthemum-Hybriden

Chrysanthemen sind eine großartige Ergänzung für winterliche Arrangements, wenn das Angebot an leuchtendgefärbten Blumen nur spärlich ist. Chrysanthemen wachsen im Sommer und Herbst im Garten, werden heute aber auch erwerbsmäßig getrieben und in Blumengeschäften ganzjährig angeboten. Es gibt Sorten mit großen Einzelblüten oder mehrblütige Formen in vielen Größen und Typen. Chrysanthemen mit Einzelblüten lassen sich als Blickfang in einer Vase arrangieren; mehrblütige Chrysanthemen dagegen stellt man in Sträußen in große Vasen oder verwendet die Einzelblüten für Miniatursträuße.

Farben: Rot, Orange, Rost, Rosa, Weiß, Gelb, Limonengrün, Pfirsichfarben und Creme. Viele der Blüten haben eine andersfarbige Mitte.
Behandlung: Man schneidet die Stengel mit einem scharfen Messer schräg an und 5 cm tief ein. Die Schnittstellen einige Sekunden in kochendes Wasser tauchen und die ganzen Stengel ausgiebig kühl wässern, bevor man sie in hohem Wasser arrangiert.

Zwergmispel

Zwergmispel
Cotoneaster › Cornubia ‹

Die dunkelgrünen, ovalen Blätter dieses sommergrünen Strauches sind tiefgeadert und leicht matt, was ihnen eine dekorative Struktur verleiht. Die roten Beeren stehen in großen Büscheln. Man verwendet kleine Zweige als Tischdekoration oder benutzt sie anstelle der Stechpalme in Kränzen und Girlanden. Die Zwergmispel eignet sich auch als farbenfrohes Hintergrundmaterial für große Arrangements.

Farben: Blätter tiefgrün, Blüten creme-farben, Beeren rot.
Behandlung: Man schneidet die Stengel mit einem scharfen Messer schräg an und 5 cm tief ein. Vor dem Arrangieren kühl wässern.

Winterling
Eranthis hyemalis

Diese wunderschönen Blumen erscheinen schon im Februar in den Gärten. Ihre Blüten sind von limonengrünen Kelchblättern umgeben. Am besten arrangiert man sie in Sträußen mit eigenem Laub.

Farben: Gelb.
Behandlung: Man schneidet die Stengel mit einem scharfen Messer schräg an und 5 cm tief ein, bevor man sie in kühlem Wasser arrangiert.

Spinnen-
chrysanthemen

Chrysanthemen

Einfachblühende
vielblütige Chrysanthemen

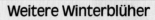

Weitere Winterblüher

Schneeglöckchen	Mahonie
Nieswurz	Leinkraut
Winterblüte	Alpenveilchen
Kahnorchidee	Scilla
Kamelie	Leberblümchen
Zaubernuß	Hyazinthe
Trauben-	Märzenbecher
hyazinthe	Helleborus
Skimmia	orientalis
Feuerdorn	Erika
Berberitze	Schneebeere

Laub 1

Laub, auch Schnittgrün genannt, spielt beim Arrangieren von Blumen eine ebenso große Rolle wie die Blumen selbst. Man kann einzelne Blätter oder Zweige als Hintergrund und auch als Füllmaterial für gemischte Arrangements verwenden oder reine Laubarrangements entstehen lassen. Während die Auswahl an Schnittgrün in den Blumengeschäften meist begrenzt ist, findet man im Garten oder im Wald eine immense Vielfalt an Blättern, die eine faszinierende Bandbreite an Farben, Formen und Strukturen zum Experimentieren bietet. Die Palette der einfarbig grünen Blätter reicht vom Waldgrün des Klebsamens bis zum Apfelgrün der Funkie. Blätter können weiß, cremefarben oder gelb panaschiert sein oder ganz farbig, wie die goldgelben Blätter des Spindelstrauches. Wieder andere haben bunte Ränder, wie einige Arten der Stechpalmen. Besonders eindrucksvoll ist ein Arrangement mit verschieden strukturiertem Laub. Bei roten und bronzefarbenen Blättern denkt man im allgemeinen an den Herbst, aber viele sind das ganze Jahr hindurch schön gefärbt. Beim Komponieren eines Arrangements sollte man versuchen, die natürlichen Konturen der Blätter oder Zweige als gestalterisches Mittel einzusetzen. Verwenden Sie aufrechte, schmale Laubzweige für den Umriß, ausschwingende Efeu und Farne, um weiche, runde Verbindungen innerhalb eines Arrangements zu schaffen.

Um Schnittgrün zu präparieren, legt man es zunächst in Wasser – älteres Laub über Nacht und jüngeres etwa zwei Stunden lang. Dies gilt nicht für silbriges und graues Laub, da es sich leicht vollsaugt. Immergrünes Laub wäscht man in einer schwach konzentrierten Spülmittellösung, damit sein Glanz wiederhergestellt wird. Die meisten Blätter lassen sich außerdem pressen. Unter den Einzeleintragungen auf den folgenden Seiten ist ferner angegeben, welche Materialien sich an der Luft beziehungsweise mit Glyzerin trocknen lassen.

Grünes Laub

Schneeball
Viburnum rhytidophyllum

Die intensivgrünen Blätter passen gut zu Stiefmütterchen sowie weißen und roten Dahlien und können verwendet werden, um mehr Struktur in ein einfarbig grünes Arrangement zu bringen. Die immergrünen Blätter lassen sich sowohl an der Luft als auch mit Glyzerin gut trocknen.

Schildfarn
Polystichum setiferum

Die Blätter dieses hübschen Farns haben eine weiche Struktur und eine schöne hellgrüne Farbe. Sie sind feingeteilt und sanft ausschwingend und bilden einen ausgezeichneten Hintergrund für Schnittblumen. Dieser Schildfarn ist eine immergrüne Pflanze, die sich nicht gut trocknen läßt.

Großblütige Magnolie
Magnolia grandiflora

Diese glänzenden grünen Blätter haben eine ledrige Struktur und eine rostfarbene, filzige Unterseite. Man kann sie als Hintergrund für tiefrote Blumen verwenden. Die immergrünen Blätter sind nicht zum Trocknen geeignet.

Funkie
Hosta sp.

Die Blätter der Funkie sind groß, breit und hellgrün. Ihre Größe und die stark gerippte, glänzende Struktur sind ideal für moderne Arrangements. Sie lassen sich auch gut mit großen Blüten, wie Lilien oder Mohn, kombinieren. Am schönsten sind die Blätter im Frühjahr.

Zwergmispel
Cotoneaster horizontalis

An den steifen Zweigen dieser Pflanze sitzen zarte, dunkelgrüne Blätter, die oberseits glänzen und unterseits grau und behaart sind. Die lange, schmale Form der Zweige eignet sich gut für den Umriß von Arrangements, die winzigen Blättchen ergänzen sehr schön größere, dominierende Elemente. Dieses Laub ist immergrün, färbt sich im Herbst aber rot. Man kann es an der Luft oder mit Glyzerin trocknen.

Chinesischer Angelikabaum
Aralia chinensis

Die ovalen Blätter sind dunkelgrün, es gibt aber auch Pflanzenvarietäten mit gelbgrünem Laub. Durch die vielen einzelnen Blättchen eignen sich die Zweige für alle Arten von Arrangements als Füllmaterial. Die Pflanze ist sommergrün und kann an der Luft getrocknet werden.

Bergenie
Bergenia sp.

Die großen, dunkelgrünen Blätter der Bergenie haben eine glatte, glänzende Struktur und sind auffällig gerippt. Sie eignen sich gut als Mittelpunkte für große, moderne Arrangements. Diese Blätter sehen während der Wintermonate am schönsten aus.

Tobira-Klebsame
Pittosporum tobira

Diese dekorativen Blätter sind glänzendgrün und tränenförmig und haben eine auffällige Mittelrippe. Ihre dicke, ledrige Struktur kontrastiert hübsch mit anderem kräftigen oder behaarten Laub. Da die Blätter klein sind, eignet sich der Klebsame gut als Hintergrund für Schnittblumen. Die Pflanze ist immergrün und kann ganzjährig verwendet werden.

Grünes Laub: **1** Schneeball, **2** Schildfarn, **3** Magnolie, **4** Funkie, **5** Zwergmispel, **6** Angelikabaum, **7** Bergenie, **8** Klebsame

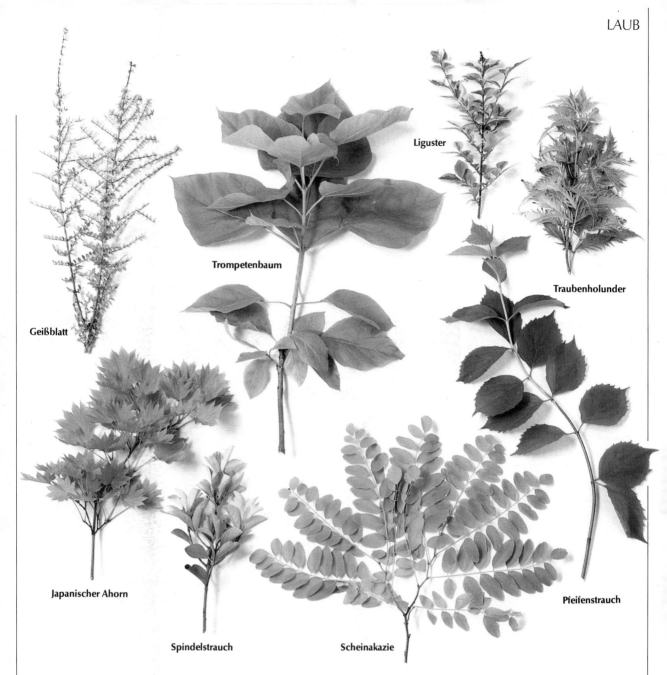

Liguster

Trompetenbaum

Traubenholunder

Geißblatt

Japanischer Ahorn

Spindelstrauch

Scheinakazie

Pfeifenstrauch

Gelbbuntes Laub

Geißblatt
Lonicera nitida › Baggesen's Gold ‹

Diese strauchige Form des Geißblattes kann in Laub- und Blumenarrangements für den Umriß oder als Füllmaterial verwendet werden und sieht mit gelben Rosen besonders hübsch aus. Die immergrünen Blätter lassen sich zu jeder Jahreszeit verwenden beziehungsweise an der Luft trocknen.

Trompetenbaum
Catalpa bignonioides

Mit seinen großen, herzförmigen, zartgelben Blättern ist dieser Baum besonders für große Arrangements geeignet – auch wenn die Blätter zerdrückt einen beißenden Geruch haben. Im Herbst entwickeln sich bohnenähnliche Früchte. Die Blätter sehen im Sommer am schönsten aus. Zum Trocknen sind sie nicht geeignet.

Liguster
Ligustrum ovalifolium › Aureum ‹

Diese Ligustersorte hat blaßgrüne Blätter mit breiten, tiefgelben Rändern. Andere Arten wiederum sind grün oder weißbunt. Die Blätter haben eine weiche Struktur und

sind immergrün. Sie sitzen an verästelten Zweigen und sind für vielerlei Arrangements nützlich, lassen sich aber nicht gut trocknen.

Traubenholunder
Sambucus racemosa › Plumosa Aurea ‹

Der Traubenholunder hat außergewöhnliche goldgelbe und grüne Blätter, die stark gesägt sind. Großen Arrangements verleihen sie eine weiche Silhouette. Im Herbst entwickelt der Traubenholunder Beeren; die Blätter sind im Frühjahr am schönsten. Sie lassen sich schlecht trocknen, sind aber für frische Arrangements geeignet.

Japanischer Ahorn
Acer japonicum › Aureum ‹

Tiefeingeschnittene Ränder verleihen diesen großen Blättern eine wunderschöne Form. Ihre frische, helle Farbe und die ungewöhnliche Fächerform bilden reizvolle Mittelpunkte in Laubarrangements. Auch in schlichten Sträußen arrangiert, kommen sie gut zur Geltung. Die gelbgrünen Blätter färben sich im Herbst tiefkarminrot und sind auch gepreßt sehr attraktiv.

Spindelstrauch
Euonymus japonica › Ovatus Aureus ‹

Die kleinen, ovalen Blätter sind goldgelb oder gelbgrün und haben eine wundervolle Struktur. Sie wachsen an stark verästelten Zweigen, die sich gut als Füllmaterial in Arrangements aus kleinen, gelben Blüten eignen. Diese immergrünen Blätter sind nicht zum Trocknen geeignet.

Scheinakazie
Robinia pseudoacacia

Wenn die Blätter erscheinen, sind sie zunächst goldgelb, während des Sommers verfärben sie sich jedoch und werden gelbgrün. Die kleinen Fiederblättchen sitzen gegenständig an den dünnen Zweigen. Man sollte sie so verwenden, daß die natürliche Fächerform und die interessante Struktur optimal zur Geltung kommen.

Pfeifenstrauch
Philadelphus coronarius › Aureus ‹

Das junge Laub dieser Pflanze ist goldgelb, später wird es dunkelgrün. Die rundlichen Blätter sind zugespitzt und haben goldgezähnte Ränder. Im Frühjahr sind sie am schönsten. Man verwendet sie als Ergänzung für große Blüten in allen Farben.

Laub 2

Weißbuntes Laub

Weißer Hartriegel
Cornus alba › Elegantissima ‹

Dieses mittelgrüne Laub hat unregelmäßige weiße Ränder und steht an roten Zweigen. Reingrüne Sorten färben sich im Herbst oft rot oder orange. Alle bieten schöne Färbungen für Blumen- und Laubarrangements und harmonieren besonders gut mit weißen Blumen. Die Blätter sind im Herbst am schönsten. Zum Trocknen sind sie ungeeignet.

Schwarzer Holunder
Sambucus nigra › Albo-variegata ‹

Diese dunkelgrünen Blätter haben einen blaßgelben Rand und sind ideal als Hintergrund für gelbe Blumen. Die Blätter sind im Frühjahr und Sommer besonders schön. Sie lassen sich nicht gut trocknen.

Liguster
Ligustrum vulgare › Aureo-variegatum ‹

Bei diesem Liguster sitzen die eleganten gelbgerandeten Blätter dicht gedrängt an länglichen, schmalen Zweigen. Das Laub kann an der Luft getrocknet werden.

Stechpalme
Ilex aquifolium › Golden Queen ‹

Die spitzen, dunkelgrünen Blätter sind stachelig und haben einen weißen oder silbrigen Rand. Stechpalmen sind immergrün und werden für weihnachtliche Kränze und Girlanden verwendet. Man kann sie auch gut mit Christrosen, roten oder weißen Nelken und Efeu kombinieren. Stechpalmenzweige halten länger, wenn man sie nicht ins Wasser stellt, und können an der Luft getrocknet werden.

Großes Immergrün
Vinca major › Variegata ‹

Die gegenständigen Blätter des Immergrüns sind oval und haben einen hellen Rand. Sie sitzen an schlanken, geschwungenen Trieben, die kriechen und ranken können. Man kann sie aber auch aus hochstehenden Arrangements herabhängen lassen.

Gemeiner Efeu
Hedera helix

Diese herzförmigen, mittelgrünen Blätter haben unregelmäßige, weiße Ränder. Efeu sind immergrüne Kriechpflanzen, deren Triebe sehr vielseitig verwendbar sind. Die Blätter bilden in Winterarrangements hübsche Kontraste mit Schneeglöckchen und Kätzchen, lassen sich aber in frischen Arrangements auch gut mit gelbem Fingerhut oder gelben Freesien kombinieren. Sie können mit Glyzerin getrocknet werden.

Weißbuntes Laub

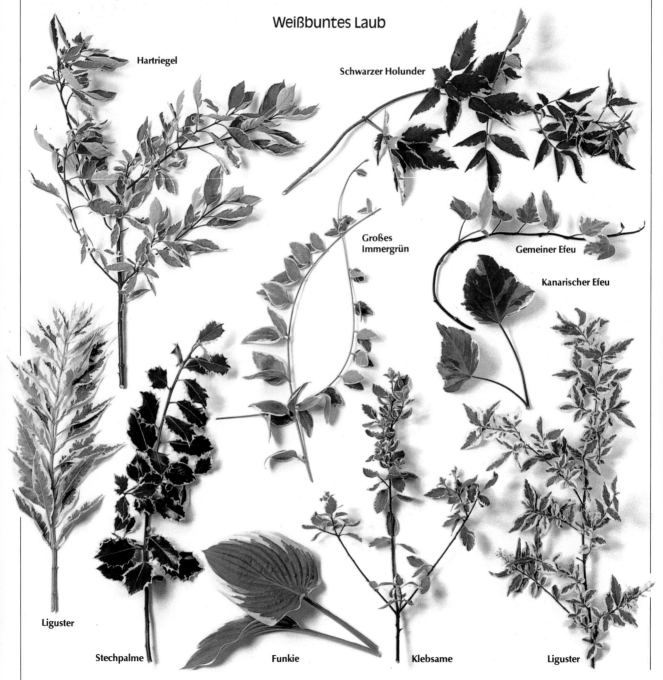

Hartriegel

Schwarzer Holunder

Großes Immergrün

Gemeiner Efeu

Kanarischer Efeu

Liguster

Stechpalme

Funkie

Klebsame

Liguster

Kanarischer Efeu
Hedera canariensis ›Variegata‹

Diese großen ledrigen Blätter sind dunkelgrün, weißgerandet und herzförmig. Sie wachsen an roten Trieben und sehen in Arrangements mit großen Blumen, wie Osterglocken oder gelben Gerbera, sehr reizvoll aus. Die Blätter können mit Glyzerin getrocknet werden.

Funkie
Hosta sp.

Auffällig blaßgerandet sind diese großen, breiten Blätter. Durch ihre Größe, ihren Glanz und die ausgeprägte Rippenstruktur eignen sie sich gut für moderne Arrangements. Sie harmonieren darüber hinaus mit großen Blumen, wie Rosen, oder mit Farnen in einem Laubarrangement. Am schönsten sind sie im Frühjahr.

Dünnblättriger Klebsame
Pittosporum tenuifolium ›Garnetti‹

Diese hellgrünen Blätter haben einen schmalen, unregelmäßigen Rand und sitzen an schwarzen Zweigen. Sie wirken locker und stehen zu jeder Jahreszeit als hübsches Füllmaterial zur Verfügung. Die Blätter lassen sich mit Glyzerin trocknen.

Liguster
Ligustrum ovalifolium ›Albo-marginatum‹

Glänzende, mittelgrüne Blätter mit breiten, cremeweißen Rändern. Die schmalen Zweige sind gutes Füllmaterial und zu jeder Jahreszeit eine hübsche Ergänzung für Laubarrangements.

Graues Laub

Eukalyptus, Fieberbaum
Eucalyptus gunnii

Die Farbe der an grauen Stengeln sitzenden Blätter variiert von Blaugrün bis Silbrigweiß. Eukalyptusblätter sehen, mit rosafarbenen und blauen Blumen kombiniert, in moderner Umgebung hübsch aus oder zusammen mit Gräsern und Farnen in einem Trockenarrangement. Darüber hinaus duften sie angenehm. Diese Blätter können das ganze Jahr hindurch verwendet werden, sehen jung aber am schönsten aus. Man kann sie mit Glyzerin trocknen.

Meerkohl
Crambe maritima

Die Blätter dieses Frühlingsgemüses sind groß, fleischig und haben eine typische blaugrüne Farbe. Ihre gekräuselten Umrisse setzen interessante Kontraste zu steiferen Formen, eignen sich aber auch gut für abstraktere Laubarrangements mit unterschiedlichen Strukturen. Am schönsten sehen die Blätter im Sommer aus. Zum Trocknen sind sie ungeeignet.

Beifuß
Artemisia ›Powis Castle‹

In ihrer Form erinnern Wermutzweige an winzige Bäume. Die zarten, silbergrauen Blätter sind tief in schmale Fieder geteilt, die eine seidige Struktur haben und in kleinen Arrangements ungewöhnliche Umrisse bilden. Diese immergrünen Blätter lassen sich nur schwer trocknen.

Kreuzkraut
Senecio ›Sunshine‹

Kleine, ovale Blätter mit charakteristischen Färbungen und Strukturen. Oberseits sind sie dunkelgrün und ledrig, unterseits grau und filzig. Sie passen sowohl zu Blumenals auch zu Laubarrangements, da beide Seiten der Blätter wirkungsvoll eingesetzt werden können. Zwar ist das Laub immergrün, doch sieht es im Winter am schönsten aus. Zum Trocknen ist es nicht geeignet.

Silberweide
Salix alba

Diese zweifarbigen Blätter sind oben tiefgrün und unten seidigweiß. Sie haben eine lange, schmale Form und sitzen gegenständig an verholzten Zweigen. Gezielt eingesetzt, ergänzen sie auf interessante Weise sowohl Blumen- wie Laubarrangements. Im Sommer sehen die Blätter am schönsten aus. Zum Trocknen sind sie ungeeignet.

Königskerze
Verbascum sp.

Diese großen, blaßgrauen Blätter haben eine weiche Struktur und Form, die gut mit anderem weichstrukturierten Laub harmonieren. Besonders hübsch sehen sie in pastellfarbenen Arrangements, mit blaßrosa, blauen und grünen Blüten kombiniert, aus. Die Blätter sind immergrün und im Sommer am schönsten. Zum Trocknen sind sie nicht geeignet.

Kreuzkraut
Senecio bicolor

Ein feiner, weißer Flaum bedeckt beide Seiten dieser tiefgeteilten Blätter und verleiht ihnen ein attraktives, silbriges Aussehen.

Die Blätter haben eine weiche Struktur und ergänzen durch ihre interessante Form sehr schön kleine Arrangements. Sie passen besonders gut zu rosa Rosen und Meerlavendel. Die Blätter sind immergrün und im Sommer am schönsten. Zum Trocknen sind sie ungeeignet.

Wiesenhafer, Blaustrahlhafer
Helictotrichon sempervirens

Diese langen, schmalen, leicht ausschwingenden Blätter haben eine intensive blaugraue Farbe und harmonieren in strengen modernen Arrangements gut mit leuchtendblauen Blumen, wie Iris und Rittersporn. Zwar sind die Blätter immergrün, doch sehen sie im Sommer am schönsten aus.

Gottvergeß
Ballota pseudodictamnus

Die sehr ungewöhnlichen Blätter dieser Pflanze wachsen dicht an schlanken, aufrechten Stengeln. Sie sind grau, herzförmig und eine ausgezeichnete Strukturvariante für frische und getrocknete Laubarrangements. Im Frühjahr und Sommer sehen die immergrünen Blätter am schönsten aus. Zum Trocknen sind sie ungeeignet.

Beifuß
Artemisia ›Douglasiana‹

Die schmalen Blätter sitzen an hohen Trieben und sind unterseits blaßgrau, oberseits etwas dunkler. Die lange, schlanke Form der Zweige ergänzt gemischte Arrangements durch anmutige Linien und charakteristische Umrisse. Als Mittelpunkt wie auch als Hintergrund für rosafarbene und blaue Blumen, etwa Rosen, Rittersporn und Kornblumen, geeignet. Die Blätter sehen im Sommer am schönsten aus und können an der Luft getrocknet werden.

Graues Laub 1 Eukalyptus, 2 Meerkohl, 3 Beifuß, 4 Kreuzkraut, 5 Silberweide, 6 Königskerze, 7 Kreuzkraut, 8 Wiesenhafer, 9 Gottvergeß, 10 Beifuß

Laub 3

Bronzefarbenes Laub

Zierwein
Vitis vinifera › Purpurea ‹

Die karminroten Blätter dieser Weinreben-
sorte färben sich im Herbst intensiv weinrot.
Darüber hinaus werden auch Varietäten
mit rot und grün gezeichnetem Laub angeboten. Der Zierwein eignet sich gut
für herbstliche Arrangements und paßt
besonders zu gelben und orangefarbenen
Blüten in Herbsttönen. Das Laub ist nicht
zum Trocknen geeignet.

Blutbuche
Fagus sylvatica › Purpurea ‹

Die zarten, ovalen Blätter haben gesägte
Ränder und sind tiefkupferrot. Sie passen gut
zu anderem Laub und bilden in großen
Arrangements einen ausgezeichneten Hintergrund. Besonders prächtig wirken sie
zusammen mit roten und weißen Blumen.
Verwenden Sie älteres Laub, denn junge
Blätter sind grün. Das Laub kann mit Glyzerin getrocknet werden.

Blutberberitze
Berberis thunbergii › Atropurpurea ‹

Bei der Blutberberitze sitzen kleine, tief-
bronzefarbene Blätter büschelig an langen,
sich verjüngenden Zweigen. Im Herbst
färben sie sich, wie die der mittelgrünen
Sorte, leuchtendrot. Die Berberitze bietet
herrliches, farbenfrohes Material für Silhou-
etten und läßt sich in modernen Arrangements wirkungsvoll mit Holz und Kiefernzapfen kombinieren. Im Herbst ist das
Laub am schönsten. Man kann es an der
Luft trocknen.

Neuseeländer Flachs
Phormium tenax › Purpureum ‹

Diese riemenförmigen, ledrigen Blätter
können rot oder grün gefärbt sein, manche
Sorten sind auch gelbgestreift. Sie werden
bis zu 3 m lang. Die jüngeren, kürzeren Blätter
sorgen in Arrangements für elegante Linien.
Sie sind das ganze Jahr hindurch schön
gefärbt, lassen sich aber nicht gut trocknen.
Frisch kann man sie dennoch für kurzlebige
Trockenarrangements verwenden.

Spitzahorn
Acer platanoides › Goldworth Purple ‹

Neben der intensiv violettrot belaubten
Sorte gibt es auch weißgeränderte, blaßgrüne
und rote Varietäten. Sie sind ausgezeich-
netes Füllmaterial, das sich gut mit großen
Blumen, wie gelben Tulpen und Chrysanthemen, verträgt. Die Blätter sind
im Herbst am schönsten und können mit
Glyzerin getrocknet werden.

Perückenstrauch
Cotinus coggygria

Die zarten, perückenartigen Fruchtstände,
die zwischen den Blattbüscheln erscheinen,
sind besonders in Arrangements japanischen Stils sehr effektvoll. Die Blätter färben
sich im Herbst tiefrot. Zum Trocknen sind
sie nicht geeignet.

Bluthasel
Corylus maxima › Atropurpurea ‹

Diese großen, runden Blätter wachsen
an schlanken, ausschwingenden Zweigen
und sind tiefviolett gefärbt. Sie eignen sich
gut für große Arrangements und passen
zu runden roten, violetten und malvenfarbenen Blumen. Am schönsten sind sie im
Herbst. Sie sind nur teilweise zum Trocknen
geeignet.

Fetthenne
Sedum telephium › Atropurpureum ‹

Die grünen und roten Blätter stehen mit
Büscheln winziger Blüten zusammen, die
ähnlich gefärbt sind. Man kann sie für frische
und getrocknete Blumenarrangements in
herbstlichen Farben verwenden, um diese
durch weitere Strukturen und Farben zu
ergänzen. Am schönsten sind sie während
des Spätsommers. Man kann sie an der Luft
trocknen.

Bronzefarbenes Laub

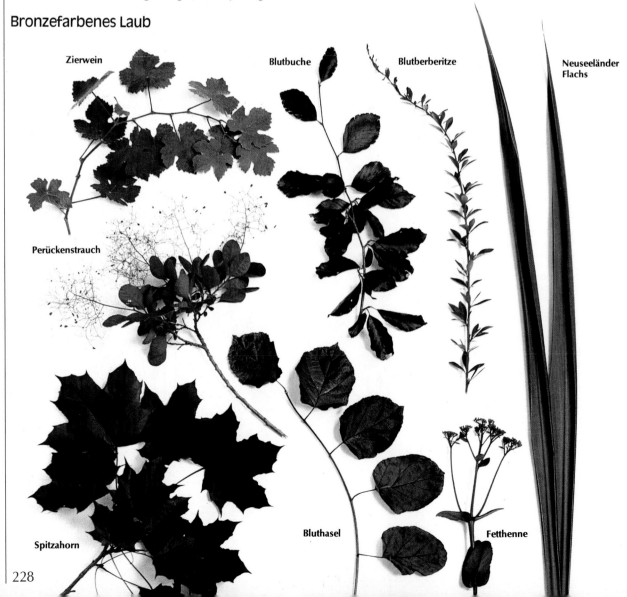

Zierwein • Blutbuche • Blutberberitze • Neuseeländer Flachs • Perückenstrauch • Spitzahorn • Bluthasel • Fetthenne

Trockenpflanzen-Ratgeber

Der Zauber getrockneter Pflanzen ist nicht von einer bestimmten Jahreszeit abhängig. Trockenpflanzen bieten eine reizvolle Palette zarter wie leuchtender Farben sowie strenger wie weicher Formen.

Nicht nur Blumen lassen sich trocknen. Man kann auch viele andere Arten getrockneten Pflanzenmaterials verwenden, das in einer großen Vielfalt an Formen, Strukturen und Farben zu finden ist. Die sanften, neutralen Töne von Gräsern und Getreiden bilden schöne Hintergründe für Blumen, die intensiven Färbungen des Herbstlaubes wiederum lassen sich gut mit Blüten und Gräsern mischen, und sowohl heimische als auch exotische Fruchtstände sorgen für ungewöhnliche Formen und Strukturen.

Auf den folgenden Seiten finden Sie eine nach Farben geordnete Auswahl an getrockneten Blumen, Blättern, Getreiden, Gräsern, Samenköpfen und anderen Fruchtständen, die alle verwendet werden können, um dekorative, haltbare Arrangements entstehen zu lassen. Darüber hinaus ist angegeben, wie man die einzelnen Pflanzen am besten verwendet und welche Trockenmethode für sie geeignet ist.

Getrocknete Blumen 1

Weiße und gelbe Töne

Dieses Farbspektrum, das von gedämpften grünweißen Tönen bis zu leuchtendweißen und lebendigen gelben Färbungen reicht, bringt in jedes Arrangement Licht und Frische. Die Töne lassen sich wunderschön mit anderen Farben kombinieren. Ergänzt mit kräftigen Farben anderer Trockenpflanzen, erinnern sie an Sonne und Sommer, gemischt mit rotbraunen Blumen, Gräsern und Blättern, an die gedämpften Farben des Herbstes.

Konservierung
Luft Glyzerin Silikagel/Borax Pressen

Frauenmantel
Alchemilla mollis
Die zarten gelbgrünen Blüten harmonieren gut mit Gräsern, Getreiden und Fruchtständen.

Fuchsschwanz
Amaranthus sp.
Diese grünen Blütenstände eignen sich sowohl für Blumen- wie für Laubarrangements.

Chrysanthemen
Chrysanthemum-Indicum-Hybriden
Nach dem Entfernen der Blütenblätter kann der mittlere Teil beliebig gefärbt werden.

Meerlavendel
Limonium sinuatum
Dicke Sträuße von gelben, weißen, violetten, rosa oder roten Blüten sehen in Tongefäßen besonders schön aus.

Rainfarn
Chrysanthemum vulgare
Die leuchtendgelben, knopfartigen Blüten sind hübsche Farbakzente in Arrangements.

Sonnenflügel
Helipterum roseum
Weiße Blüten mit gelben Augen vervollständigen kleine Arrangements in zarten Farben.

Gartenstrohblume
Helichrysum bracteatum
Die gelben, weißen, orangefarbenen oder roten Korbblüten
sollten vor dem Trocknen angedrahtet werden.
〔§§§〕

Sonnenflügel
Helipterum sp.
Diese dekorativen hellgelben
Blüten bringen Farbe in Winterarran-
gements.
〔§§§〕

Perlpfötchen,
Silberimmortelle
Anaphalis margaritacea
Die elfenbeinfarbenen Blüten-
stände können für Gestecke
gefärbt oder besprüht werden.
〔§§§〕

Färberkamille
Anthemis tinctoria
Vielseitig verwendbare gelbe Blüten,
die in jeder beliebigen Farbe gefärbt
oder besprüht werden können.
〔§§§〕 〔▲〕

Goldgarbe
Achillea filipendulina
Die flachen, gelben Blütenstände sind schöne Mittelpunkte
für Arrangements.
〔§§§〕

Schleierkraut
Rispiges Gips-
kraut
*Gypsophila
paniculata*
Die weißen oder
rosa Blüten wer-
den entweder
allein oder für
Sträuße und Krän-
ze verwendet.
〔§§§〕

Getrocknete Blumen 2

Rosa, rote und orange Töne

In dieser Gruppe reichen die Farben von blassen Zartrosatönen bis Tiefrot und Feuerorange. Rote Blüten sind besonders auffallend und aufregend, vor allem auch, wenn man die kräftigen Farben mit weichen Braun- und Gelbtönen dämpft. Rosaschattierungen verleihen Arrangements Helligkeit und Zartheit und bilden hübsche Kontraste zu Weiß und Grün. Sattorange Blüten wirken in Kombination mit den Gelb- und Rottönen des Herbstlaubes besonders attraktiv.

Rose
Rosa sp.
Zu Sträußen gebundene Rosen in niedrigen Körben oder hohen Gefäßen bilden einen farbenfrohen Blickfang.

Saflor
Carthamus tinctorius
Orangerote Blüten und graugrüne Blätter bilden bei Gestecken strenge Umrißformen.

Gartenstrohblume
Helichrysum bracteatum
Die orangefarbenen Blüten sollten vor dem Trocknen angedrahtet werden.

Meerlavendel
Limonium suworowii
Die langen, schmalen rosaroten Blütenähren geben jedem Arrangement eine besondere Note.

Hahnenkamm
Celosia argentea var. cristata
Violette oder rosa Blütenkämme mit moosartiger Struktur, die in jedem Arrangement den Blick auf sich ziehen.

Lampionblume
Physalis alkekengi
Die orangen und grünen Blütenkelche sehen allein als Strauß ebenso schön aus wie als Ergänzung eines Herbstgestecks.

Konservierung

Luft Glyzerin Silikagel/Borax Pressen

〽 ▣ ▲ ▤

Zylinderputzer
Callistemon citrinus
Die hellroten Blüten-
ähren eignen sich
sowohl für Blumen-
als auch für Laub-
arrangements.
〽

Meerlavendel
Limonium sinuatum
Die rosa, violetten, gelben,
weißen oder roten Blüten
kommen als große Sträuße
in Tongefäßen sehr gut zur
Geltung.
〽

Sonnenflügel
Helipterum roseum
Rosa Blüten mit gelber Mitte, die
kleine Sträuße und Kränze in zarten
Farben ergänzen.
〽

Zierlauch
Allium sp.
Die Blüten sind rosa, blau und
gelb. Dicke Sträuße in hohe Gefäße
stellen.
〽

Ackerrittersporn
Delphinium consolida
Rosa, malvenfarbene, blaue oder weiße
Blüten, die zarten Blumenarrangements Höhe
verleihen und sich für kleine Kränze eignen.
〽 ▲

Kugelamarant, Rote Immor-
telle
Gomphrena globosa
Die zarten, kleeartigen Blütenstände vor dem Trocknen
andrahten.
〽

Gartenstrohblume
Helichrysum bracteatum
Die rosa Korbblüten vor dem
Trocknen andrahten.
〽

Wasserdost
*Eupatorium
purpureum*
Diese zarten, rosa-
roten Blüten als
Füllmaterial für
größere Blumen-
arrangements ver-
wenden.
〽

Alpen-Gänsekresse
Arabis alpina ›Rosea‹
Die zarten Blüten eignen sich für Buketts und
Kränze, sehen aber in grazilen Gefäßen auch
allein hübsch aus.
〽

Getrocknete Blumen 3

Blaue und purpurrote Töne

Bei den hier gezeigten Trockenblumen reicht die Farbpalette von kühlem silbrigen Blau bis zu malvenfarbenen und purpurnen Tönen. Diese kühlen Farben können leuchten und stimulieren, wenn man sie mit ihren Komplementärfarben Gelb und Orange kombiniert. Man kann sie jedoch auch zusammen mit weißen Pflanzen oder für einfarbige Arrangements verwenden. Malvenfarbene oder purpurne Blumen, arrangiert mit roten Blüten oder Blättern, schaffen ein warmes, verschwenderisches Ambiente.

Konservierung
Luft · Glyzerin · Silikagel/Borax · Pressen

Rittersporn
Delphinium grandiflorum
Einzelne Blütentrauben verleihen einem Arrangement Höhe.

Prachtscharte
Liatris callilepsis
Diese langen, mit winzigen Blüten besetzten Ähren eignen sich zum Abstecken der Silhouette eines Arrangements.

Hortensie
Hydrangea macrophylla
Kompakte blaue, weiße oder rosa Blütendolden für Kränze und Blumengewinde oder für Trockenblumensträuße in weithalsigen Flaschen.

Ackerrittersporn
Delphinium consolida
Blaue, malvenfarbene, rosa oder weiße Blüten, die zarten Blumenarrangements Höhe geben und sich ausgezeichnet für kleine Kränze eignen.

Astilbe
Astilbe japonica
Diese fiedrigen Blütenrispen sehen in Blumen- oder Grasarrangements sehr hübsch aus. Das dekorative Laub kann gepreßt werden.

Meerlavendel
Limonium suworowii
Die langen, schmalen rosaroten Blütenähren geben jedem Arrangement eine besondere Note.

Sauerampfer
Rumex acetosa
Diese rostroten Pflanzen eignen
sich ausgezeichnet als Füllmaterial
sowie für Bauernsträuße in Binsen-
körben.

Kugeldistel
Echinops ritro
Die runden zartvioletten Köpfe
harmonieren gut mit gelben Blüten.

Kugelamarant
Gomphrena globosa
Die zarten, kleeartigen Blüten
vor dem Trocknen andrahten.

Papierblume
Xeranthemum annuum
Diese purpurnen, fliederfarbenen,
weißen oder rosa Blüten sollte man
in Büscheln andrahten.

Stranddistel
Eryngium maritimum
Die silbergrauen Stengel und
Blüten verleihen Gestecken
Struktur.

Lavendel
Lavandula officinalis
Die duftenden violetten Blüten lassen sich für Buketts, Kränze und Duftkissen verwenden.

Grasnelke
Armeria maritima
Ballförmige, silberrosa Blüten,
die hübsche Mittelpunkte in
Arrangements bilden.

Getrocknete Blätter, Getreide und Gräser

L aub, Getreide und Gräser sind unentbehrliche Elemente für Trockengestecke. Nur wenige Arrangements entstehen ohne eines oder mehrerer dieser Materialien, die die Bandbreite an Formen, Farben und Strukturen um vieles bereichern. Doch diese Pflanzen sind nicht nur Hintergrund für leuchtendfarbene Blumen. Mit etwas Phantasie lassen sie sich auch allein zu dekorativen Gestecken arrangieren.

Straußgras
Agrostis sp.
Das blasse Gras läßt leichte und duftige Gras- und Laubgestecke entstehen.

Hasenschwanzgras
Lagurus ovatus
Zartes Gras, das zusammen mit Blumen oder Blättern, Fruchtständen und anderen Gräsern verwendet werden kann.

Zittergras
Briza media
Die zarten, nickenden Blütenköpfe lassen duftige, kleine Sträuße entstehen.

Grevillea
Grevillea triternata
Ungewöhnliche, farnartige Blätter, die interessante Variationen in Arrangements bringen.

Platylobium
Platylobium angulare
Das ungewöhnliche Laub eignet sich als Hintergrundmaterial für zarte Blumengestecke.

Rohrkolben
Typha latifolia
Die Kolben dieses Verwandten der Flechtbinse sind in großen Gestecken sehr wirkungsvoll.

Eukalyptus,
Fieberbaum
Eucalyptus sp.
Seine roten oder braunen Blätter verleihen Laubarrangements markante Formen und Färbungen.

Pampasgras
Cortaderia selloana
Reizvolles Hintergrundmaterial für große Gestecke. Auch allein in schönen Gefäßen kommt Pampasgras gut zur Geltung.

Konservierung
Luft Glyzerin Silikagel/Borax Pressen

Trespe
Bromus sp.
Dieses Wildgras ergänzt reizvoll
jedes Trockengesteck durch sein
fiedriges Aussehen.

Rotbuche
Fagus sylvatica
Dekorative, kupferfarbene Blätter,
die sich ausgezeichnet als Hintergrund für große Gestecke eignen.

Gerste
Hordeum vulgare
Ein Gras, das traditionelle Gestecke
mit einer neuen Variante inter-
essanter Formen und Strukturen
bereichert.

Hafer
Avena sp.
Dieses blaßgrüne Gras
läßt sich hübsch mit anderen Gräsern und Laub kom-
binieren oder in Blumen-
arrangements verwenden.

Straußgras
Agrostis curtisii
Dieses graugrüne Gras hat kompakte
Blütenköpfe, die sich für viele
Gestecke und auch Kränze eignen.

Adlerfarn
Pteridium aquilinum
Alle Farne ergänzen Trockengestecke
durch zarte Konturen.

Getrocknete Fruchtstände und Früchte

Die große Vielfalt an Trockenpflanzen umfaßt nicht nur Blumen, Gräser und Laub, sondern auch Fruchtstände und Früchte. Viele Pflanzen entwickeln dekorative Samenstände, die sich aber erst zeigen, wenn die Blüten schon verwelkt sind. Sie bieten viele Möglichkeiten für aufregende Variationen in Formen, Farben und Strukturen. Früchte können, angedrahtet, in Gestecken verwendet oder aber um Gefäße herum arrangiert werden, und zwar als Ergänzung eines Gefäßes, einer einzelnen Pflanze oder aber einer ganzen Komposition.

Zierkürbis
Cucurbita pepo
In vielen Farben, Formen und Strukturen erhältlich. Getrocknete Früchte können, gewachst oder lackiert, in eine Schale gelegt oder mit echten Früchten arrangiert werden. Lackiert behalten Kürbisse ihre Form.

Mohn
Papaver sp.
Es ist ein großes Sortiment unterschiedlich geformter Kapseln im Handel. Sie können angedrahtet und für Kränze verwendet werden.

Schimmerbaum
Protea sp.
Sie eignen sich für große, effektvolle Gestecke. Mehrere Proteen zusammen in einem Binsenkorb sind besonders wirkungsvoll.

Baumwolle
Gossypium sp.
Diese flaumigen, weißen Haarschöpfe sind eine ungewöhnliche und interessante Ergänzung für Gras- und Laubgestecke.

Banksia
Banksia menziesii
Tiefbraune Fruchtstände, die sich ausgezeichnet für moderne, abstrakte Gestecke eignen.

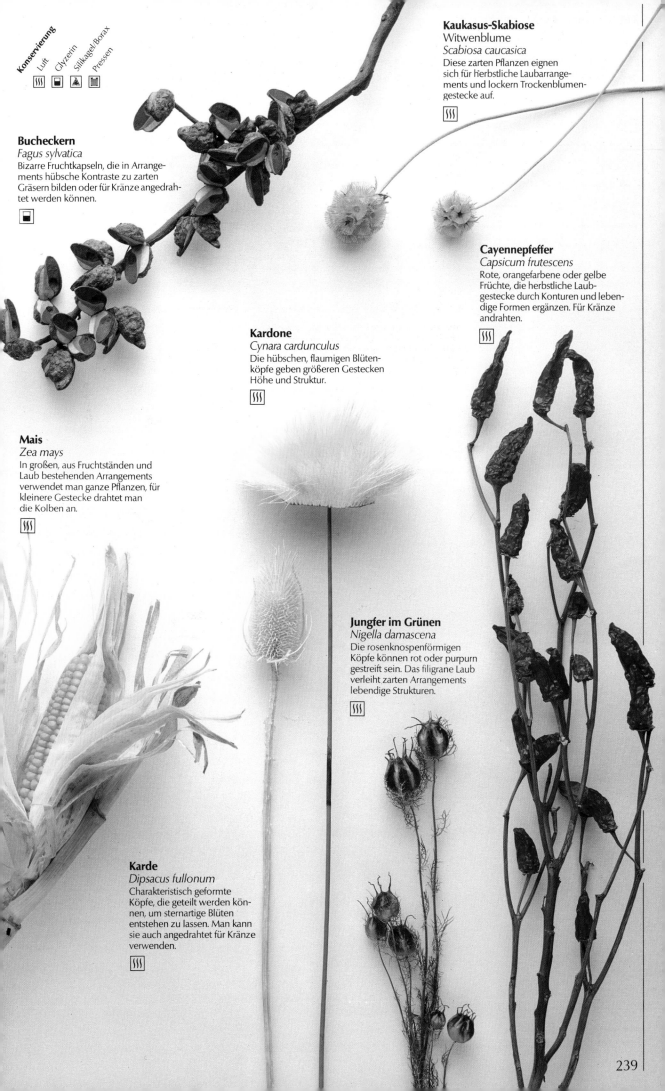

Kaukasus-Skabiose
Witwenblume
Scabiosa caucasica
Diese zarten Pflanzen eignen
sich für herbstliche Laubarrangements und lockern Trockenblumen-
gestecke auf.

⧚

Bucheckern
Fagus sylvatica
Bizarre Fruchtkapseln, die in Arrange-
ments hübsche Kontraste zu zarten
Gräsern bilden oder für Kränze angedrah-
tet werden können.

▣

Cayennepfeffer
Capsicum frutescens
Rote, orangefarbene oder gelbe
Früchte, die herbstliche Laubgestecke durch Konturen und lebendige Formen ergänzen. Für Kränze
andrahten.

⧚

Kardone
Cynara cardunculus
Die hübschen, flaumigen Blüten-
köpfe geben größeren Gestecken
Höhe und Struktur.

⧚

Mais
Zea mays
In großen, aus Fruchtständen und
Laub bestehenden Arrangements
verwendet man ganze Pflanzen, für
kleinere Gestecke drahtet man
die Kolben an.

⧚

Jungfer im Grünen
Nigella damascena
Die rosenknospenförmigen
Köpfe können rot oder purpurn
gestreift sein. Das filigrane Laub
verleiht zarten Arrangements
lebendige Strukturen.

⧚

Karde
Dipsacus fullonum
Charakteristisch geformte
Köpfe, die geteilt werden können, um sternartige Blüten
entstehen zu lassen. Man kann
sie auch angedrahtet für Kränze
verwenden.

⧚

239

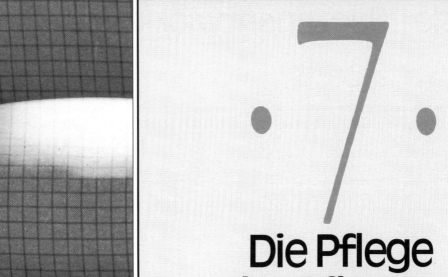

7.

Die Pflege der Pflanzen

Im Garten wachsen Pflanzen meist von allein, und nur gelegentlich sind Pflegemaßnahmen erforderlich. Anders ist es jedoch im Haus; hier kommen die Pflanzen nicht ohne Pflege aus. Wir entscheiden, wieviel Licht sie erhalten, wie hoch die Luftfeuchtigkeit ist, wieviel und wie regelmäßig gegossen und gedüngt wird, wieviel Platz ihre Wurzeln haben und bei welcher Temperatur sie überwintern.

Von erfolgreichen Gärtnern und Zimmerpflanzenfreunden sagt man, sie besäßen einen grünen Daumen, und tatsächlich scheinen manche Menschen ein angeborenes Gespür dafür zu haben, was eine Pflanze braucht und wie sie gepflegt werden muß, während andere überhaupt nicht mit Gewächsen zurechtkommen. Doch eine erfolgreiche Pflanzenhaltung ist keine Hexerei. Jeder, der bereit ist, auf die Ansprüche einzelner Pflanzen einzugehen und sie regelmäßig zu pflegen, wird sich an ihrer Schönheit erfreuen. Vergessen Sie nie, daß auch Pflanzen Lebewesen sind. Kränkelnde Exemplare sind ein trauriger Anblick und klagen uns an, ihnen nicht genügend Aufmerksamkeit geschenkt zu haben.

Wenn die Pflanzen mit Bedacht ausgewählt werden, sollte ihre Pflege Freude machen und keine lästige Pflicht sein. Natürlich sind ihre dekorativen Eigenschaften wichtig, aber Sie müssen auch bereit sein, Ihre Pflanzen richtig zu versorgen und ihnen in Ihrem Heim eine Umgebung zu bieten, in der sie wachsen und gedeihen können.

Das Eintopfen von Pflanzen

Die Pflege von Pflanzen muß weder schwierig noch zeitraubend sein. Jungpflanzen, wie diese Pelargonien (*Pelargonium* Hybriden) lassen sich einfach und rasch eintopfen, und wenn man die richtige Topfgröße und das richtige Substrat verwendet, werden sie sich auch gesund entwickeln.

Gesunde Pflanzenentwicklung

Unsere Zimmerpflanzen stammen aus gemäßigten, subtropischen und tropischen Regionen, wo sehr unterschiedliche Wachstumsbedingungen herrschen. So sind einige der Pflanzen in ihrer Heimat direkt der Sonne ausgesetzt, andere werden durch Nachbarpflanzen vor den erbarmungslosen Strahlen der Tropensonne geschützt und manche durch überhängende Bäume beschattet, doch die Mehrzahl wächst auf dem Waldboden, wo es recht schattig ist. Und diese Vielfalt der natürlichen Lebensräume erklärt, warum verschiedene Pflanzen im Haus unterschiedliche Wachstumsbedingungen erfordern.

Dennoch liegt ein wesentlicher Grund für die Popularität vieler Zimmerpflanzen in ihrer Fähigkeit, sich ungewohnten Bedingungen anpassen zu können. Am wenigsten vertragen sie schwankende Temperaturen, obwohl ein Absinken der Temperatur bei Nacht natürlich und deshalb für viele Zimmerpflanzen sehr zuträglich ist. Kalte Tagestemperaturen dagegen, möglicherweise durch Abschaltung der Heizung bedingt, denen warme Abende mit eingeschalteter Heizung folgen, entsprechen nicht den natürlichen Bedingungen.

Die Zucht und Pflege von Zimmerpflanzen kann viel Freude bringen, und es sind keineswegs schwierige oder zeitraubende Techniken erforderlich, wenn man schöne, gesunde Pflanzen halten will, sondern lediglich Vernunft und Sensibilität im Umgang mit ihren Bedürfnissen. Um zu gedeihen, brauchen Pflanzen Licht einer bestimmten Intensität und Dauer, eine entsprechende Temperatur und die richtige Luftfeuchtigkeit. Wenn ihre Erde trocken zu werden beginnt, benötigen sie Wasser, und einige Pflanzen müssen während des Winters eine Ruheperiode einlegen, in der sich ihr Wasserbedarf erheblich reduziert. Häufig ist diese Phase zur Entwicklung von Blüten notwendig. Darüber hinaus benötigen Zimmerpflanzen ein bestimmtes Pflanzsubstrat, müssen gedüngt und bei Bedarf in ein größeres Gefäß umgetopft werden. Auf diese und andere Erfordernisse wird auf den folgenden Seiten näher eingegangen.

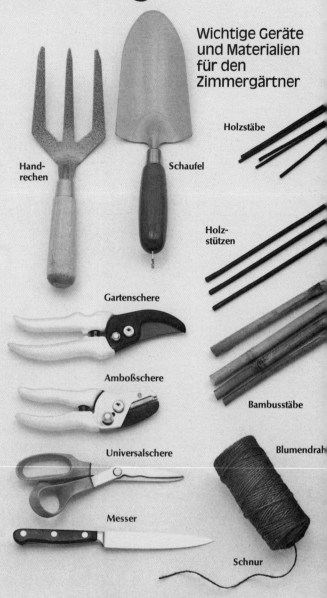

Wichtige Geräte und Materialien für den Zimmergärtner

Handrechen

Schaufel

Holzstäbe

Holzstützen

Gartenschere

Amboßschere

Bambusstäbe

Universalschere

Blumendraht

Messer

Schnur

Photosynthese

Die Photosynthese ist ein Prozeß, der in allen Pflanzenteilen stattfindet, die das grüne Pigment Chlorophyll enthalten. Bei diesem Prozeß werden mit Hilfe des Lichts aus Wasser und Kohlendioxid Kohlenhydrate hergestellt. Während des Tages wird durch die Spaltöffnungen (Stomata) der Blätter – die hauptsächlich an den Blattunterseiten liegen – Kohlendioxid aufgenommen. Die Photosynthese findet statt, wenn das Licht auf das Chlorophyll in den Blättern einwirkt. Die Lichtenergie bewirkt die Spaltung der Wassermoleküle in Sauerstoff und Wasserstoff. Der Wasserstoff verbindet sich dann mit dem durch die Spaltöffnungen aufgenommenen Kohlendioxid zu Kohlenhydraten, wie Glucose, die die Nahrung für die Pflanze bilden. Damit diese komplizierten chemischen Abläufe stattfinden können, sind bestimmte Mineralstoffe notwendig, die über die Wurzeln aufgenommen werden.

Lebenswichtige Prozesse

Die Photosynthese findet während des Tages statt oder wann immer den grünen Pflanzenteilen Licht zur Verfügung steht. Diese Abbildung zeigt den Weg von Kohlendioxid, Sauerstoff, Wasser und Mineralstoffen im Verlauf dieses Prozesses. In der Dunkelheit findet keine Photosynthese statt, dann kehrt sich der Kreislauf von Sauerstoff und Kohlendioxid um, und die Pflanze atmet.

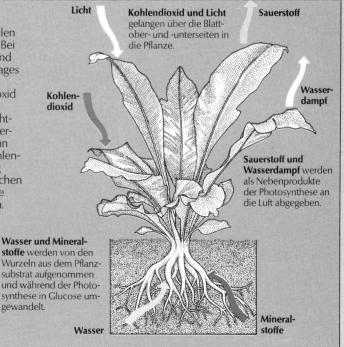

Licht

Kohlendioxid und Licht gelangen über die Blattober- und -unterseiten in die Pflanze.

Sauerstoff

Kohlendioxid

Wasserdampf

Sauerstoff und Wasserdampf werden als Nebenprodukte der Photosynthese an die Luft abgegeben.

Wasser und Mineralstoffe werden von den Wurzeln aus dem Pflanzsubstrat aufgenommen und während der Photosynthese in Glucose umgewandelt.

Wasser

Mineralstoffe

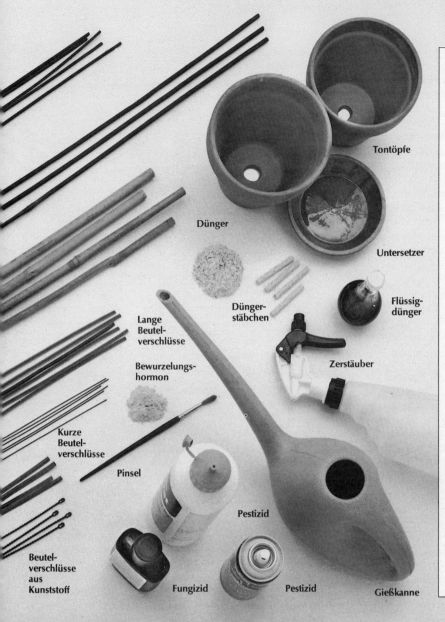

Tontöpfe

Dünger

Untersetzer

Düngerstäbchen

Flüssigdünger

Lange Beutelverschlüsse

Bewurzelungshormon

Zerstäuber

Kurze Beutelverschlüsse

Pinsel

Pestizid

Beutelverschlüsse aus Kunststoff

Fungizid

Pestizid

Gießkanne

Symptome falscher Behandlung

Langsames und stagnierendes Wachstum
Symptome während der Sommermonate.
Gießen Sie zuviel? (s. S. 251)
Düngen Sie zuwenig? (s. S. 252)
Muß die Pflanze umgetopft werden? (s. S. 257)
Wenn die Symptome während der Wintermonate auftreten.
Handelt es sich um eine natürliche Ruheperiode?

Welken
Ist das Substrat sehr trocken? (s. S. 251)
Gießen Sie zuviel? (s. S. 251)
Ist die Drainage unzureichend? (s. S. 255)
Ist der Standort zu sonnig? (s. S. 245)
Ist die Temperatur zu hoch? (s. S. 246)

Herabhängende Blätter und nasse Erde
Gießen Sie zuviel? (s. S. 251)
Ist die Drainage unzureichend? (s. S. 255)

Braune Blattspitzen und fleckige Blätter
Gießen Sie zuviel? (s. S. 251)
Steht die Pflanze in praller Sonne oder zu dicht an einer Heizung? (s. S. 246)
Ist die Luftfeuchtigkeit zu gering? (s. S. 247)
Ist der Standort zugig? (s. S. 252)

Blüten, Blätter und Knospen fallen ab
Gießen Sie zuviel? (s. S. 251)
Düngen Sie zuwenig? (s. S. 251)
Schwankt die Temperatur? (s. S. 246)
Ist das Licht unbeständig? (s. S. 245)
Ist die Luftfeuchtigkeit zu gering? (s. S. 247)

Panaschierte Blätter werden grün
Ist das Licht ausreichend? (s. S. 245)

Fäule in den Blattachseln
Steht Wasser in den Achseln? (s. S. 249)

Blätter werden gelb
Wenn der Wuchs spärlich ist.
Gießen Sie zuviel? (s. S. 251)
Ist das Licht ausreichend? (s. S. 245)
Ist die Temperatur zu hoch? (s. S. 246)
Düngen Sie zuwenig? (s. S. 252)
Muß die Pflanze umgetopft werden? (s. S. 257)
Wenn die Blätter abfallen.
Gießen Sie zuviel? (s. S. 251)
Ist der Standort zugig? (s. S. 252)
Ist die Luftfeuchtigkeit zu gering? (s. S. 247)
Ist die Temperatur zu niedrig? (s. S. 246)

Anpassungen an die Umwelt

Dünne und zarte Blätter
Pflanzen mit solchem Laub kommen meist aus tropischen Gegenden, wo sie vor extremer Hitze oder Kälte geschützt sind.

Ledrige oder wachsartige Blätter
Diese Pflanzen stammen meist aus heißen, trockenen Gegenden. Sie können Wasser gut speichern.

Dornen oder flaumige Behaarung
Diese Pflanzen sind hauptsächlich in Wüstengebieten heimisch, wo Stacheln oder Haare die heiße Wüstensonne abschirmen.

Licht

Licht ist für alle Pflanzen lebenswichtig. Ohne ausreichendes Licht leidet das Wachstum, und die Blätter werden klein und blaß. Eine gesunde Pflanzenentwicklung hängt von der Photosynthese ab, einem Prozeß, der in Gang gesetzt wird, wenn Licht auf das grüne Pigment Chlorophyll einwirkt. Dieses Pigment kommt nicht nur in grünen Blättern vor, sondern auch in rotem, bronzefarbenem, violettem und grauem Laub. Bei letzterem überdeckt lediglich eine andere Farbe das darunter befindliche Grün. Benachteiligt sind jedoch oft die panaschierten Pflanzen, denn ihre gelben, cremefarbenen oder weißen Blattflächen enthalten kein Chlorophyll. Aus diesem Grund benötigen Pflanzen mit panaschiertem Laub generell mehr Licht, wenn ihre kräftige Blattzeichnung erhalten bleiben soll.

Die Lichtqualität im Haus

An ihren heimischen Standorten passen sich Pflanzen sehr unterschiedlichen Lichtverhältnissen an, im Haus sollte man jedoch versuchen, die Lichtansprüche einer jeden Pflanze zu berücksichtigen. Dazu ist erforderlich, die Lichtqualität in jedem Bereich eines Raumes zu bestimmen (s. Abb. oben rechts). Das menschliche Auge nämlich kann den Helligkeitsgrad nur schlecht einschätzen, weil es unterschiedliche Lichtqualitäten ausgleicht und den Eindruck einer gleichmäßigen Beleuchtung entstehen läßt. Zuverlässig kann die Beleuchtungsstärke nur mit einem kleinen photographischen Belichtungsmesser festgestellt werden. Die Lichtverhältnisse im Haus sind meist schlechter, als wir annehmen. An einem Südfenster erhalten Ihre Pflanzen nur halb so viel Licht wie im Freien, weil die Fensterscheibe das Licht reflektiert. Einen Meter vom Fenster entfernt, ist die Helligkeit bereits um 25 Prozent reduziert. Glücklicherweise sind die meisten Zimmerpflanzen außerordentlich tolerant.

Die Tageslänge

Neben der Lichtstärke spielt auch die Beleuchtungsdauer, das heißt die Tageslänge, eine wichtige Rolle, wenn man wissen möchte, wieviel Licht eine Pflanze erhält. Die meisten Pflanzen benötigen etwa 12 bis 16 Stunden Tageslicht, um gut wachsen zu können. Bei Blattpflanzen unterscheidet man zwischen zwei Hauptgruppen: Die der einen stellen mit dem Herbstende ihr Wachstum ein und brauchen Winterruhe, die der anderen wachsen auch im Winter weiter und bleiben dekorativ. Blattpflanzen aus den Tropen, die in der Natur ganzjährig pro Tag etwa 12 Stunden Sonne erhalten, wachsen in gemäßigten Zonen nur dann das ganze Jahr hindurch, wenn ihnen im Winter mit künstlicher Beleuchtung optimale Lichtbedingungen und ein warmer Raum geboten werden. Pflanzen aus gemäßigten Zonen stellen dagegen das Wachstum ein oder verlangsamen es zumindest beträchtlich, wenn die Tage kürzer werden und der Winter vor der Türe steht.

Im allgemeinen brauchen Blütenpflanzen mehr Licht als Blattpflanzen für Knospenbildung und Entwicklung. Bei vielen Pflanzen ist die Bildung von Blütenknospen von der Tageslänge abhängig. Auch hier unterscheidet man wiederum zwischen zwei Gruppen: den Langtagpflanzen und den Kurztagpflanzen. Langtagpflanzen blühen, wenn sie über einen bestimmten Zeitraum hinweg täglich mehr als 12 Stunden Licht erhalten haben. Dabei spielt es keine Rolle, ob es sich um natürliches oder künstliches Licht handelt. Usambaraveilchen können beispiels-

Geographische Ausrichtung und Lichtqualität

Die Lichtverhältnisse im Haus sind abhängig von den Himmelsrichtungen. Der hellste Bereich auf der Abbildung entspricht dem stärksten Licht, der dunkelste dem schwächsten (vorausgesetzt, das Sonnenlicht kommt von Süden).

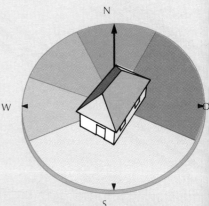

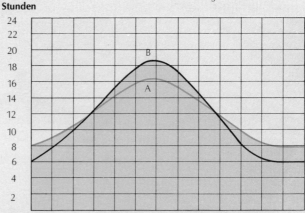

Tageslichtmengen
Im Sommer erhalten Pflanzen in nördlichen Regionen (B) mehr, aber weniger intensives Tageslicht als in südlicheren Breiten (A). Im Winter sind die Lichtverhältnisse im Norden schlechter.

weise zu jeder Jahreszeit durch Kunstlicht zur Blüte angeregt werden. Kurztagpflanzen hingegen blühen, wenn sie über einen bestimmten Zeitraum hinweg weniger als 12 Stunden Licht pro Tag bekommen. So sind Weihnachtssterne, Chrysanthemen, Azaleen und Weihnachtskakteen Kurztagpflanzen, die natürlicherweise im Herbst blühen. Chrysanthemen aber bekommt man heute das ganze Jahr hindurch, weil die Anbauer Kurztagbedingungen simulieren, indem sie die Pflanzen tagsüber so viele Stunden wie notwendig mit schwarzer Folie abdecken. Andere Pflanzen haben hinsichtlich der Tageslänge offenbar keine Ansprüche und blühen fast das ganze Jahr hindurch. Man bezeichnet sie dann als tagneutrale Pflanzen.

Wie Pflanzen zum Licht streben

Alle Pflanzen wenden ihre Blätter der Lichtquelle zu, ausgenommen Arten mit steifen Blättern, wie der Bogenhanf, zahlreiche Palmen und Drachenbäume sowie rosettenförmige Bromelien. Räume mit weißen oder hellen Wänden reflektieren Licht, das den Pflanzen zugute kommt, dunklere Farben absorbieren dagegen Licht, und als Folge drehen sich die Pflanzen dem Fenster zu. Um dieser natürlichen Tendenz entgegenzuwirken und einen gleichmäßigen, aufrechten Wuchs zu fördern, sollten Sie deshalb die Töpfe regelmäßig drehen.

Die Lichtansprüche der verschiedenen Pflanzen

Im Pflanzen-Ratgeber findet sich bei jeder Pflanzenbeschreibung eines von drei Symbolen, das das von der Pflanze bevorzugte Licht angibt. Die genaue Bedeutung der Symbole ist auf der folgenden Seite erklärt.

Sonnig

Als sonnig gilt ein Standort, der den ganzen Tag oder einen Teil des Tages direktes Sonnenlicht erhält. Südfenster erhalten über längere Zeit des Tages Sonnenlicht, Ostfenster einige Stunden am Morgen und Westfenster einige Stunden am Nachmittag. Die Stärke der Sonneneinstrahlung hängt von der Jahreszeit und der geographischen Lage des Raumes ab. Südfenster erhalten intensiveres Licht, doch fällt die Sonne im Sommer nicht so tief in den Raum wie bei nach Osten oder Westen liegenden Räumen. In südlicheren Breiten oder an der Küste, wo das Licht aufgrund der Reflektion durch das Meer stärker ist, kann an großen Südfenstern im Sommer eine Schattiervorrichtung notwendig werden, damit die Blätter keine Verbrennungen erleiden und das Substrat nicht zu rasch austrocknet. Dieses starke Licht eignet sich für Pflanzen wie Wüstenkakteen und Sukkulenten, die in offenem Buschland oder der Savanne heimisch sind, oder für in Baumkronen wachsende hartlaubige Bromelien und verschiedene sonnenhungrige Blütenpflanzen.

Indirekte Sonne

Unter indirekter Sonne versteht man das durch einen transparenten Vorhang oder eine Jalousie fallende, beziehungsweise von einem Baum oder einem Gebäude abgeschirmte Sonnenlicht. Die gleiche Lichtqualität findet man 1 bis 1,5 m von Fenstern entfernt, durch die den ganzen Tag oder einen Teil des Tages pralle Sonne scheint. Auch wenn diese Plätze nicht direkt in der Sonne liegen, sind sie dennoch sehr hell. Indirekte Sonne entspricht etwa 50 bis 70 Prozent der Beleuchtungsstärke direkter Sonne. Sind Sie sich über die Lichtbedürfnisse Ihrer Pflanzen nicht im klaren, so stellen Sie sie besser an einen Platz mit indirekter Sonne, denn nur wenige Pflanzen mögen pralle Sommersonne. Im allgemeinen ist etwas zu wenig Sonnenlicht besser als etwas zuviel. Indirektes Licht wird von Palmen, Pflanzen aus den tropischen Regenwäldern und Sträuchern, darunter Drachenbäume, Keulenlilien und Fingeraralien, sowie Bromelien, wie Guzmanien und Flammendes Schwert, bevorzugt; es entspricht dem Licht ihres natürlichen Lebensraums.

Schattig

Ein schattiger Standort erhält weder direktes noch indirektes Sonnenlicht, doch sind die Lichtverhältnisse nicht ungünstig. Diese Lichtqualität findet man an oder dicht bei hellen Nordfenstern sowie in schattigen Bereichen sonniger Räume – beispielsweise an den Seitenwänden –, wo die Pflanzen zwar nicht in Reichweite der Sonne stehen, aber auch nicht weiter als 1,5 bis 2 m von einem sonnigen Fenster entfernt. Als schattig bezeichnete Standorte erhalten etwa 25 Prozent der Lichtmenge eines sonnigen Platzes. Dies entspricht den Bedürfnissen von Pflanzen, die tief unter dem Blätterdach des Dschungels zu Hause sind, wo sie Schutz vor direkter Sonnenbestrahlung haben. Allerdings sind die Tage im tropischen Dschungel sehr viel länger als in den Wintern der Nordhalbkugel. Deshalb müssen Sie schattenliebende Pflanzen in den Wintermonaten unter Umständen näher an die Lichtquelle rücken. Blütenpflanzen und Gewächse mit panaschierten Blättern fühlen sich an schattigen Standorten nicht wohl.

Unterschiedliche Lichtverhältnisse in einem Raum

Die Abbildung verdeutlicht die in einem typischen Raum anzutreffenden unterschiedlichen Lichtqualitäten während eines Sommers auf der nördlichen Halbkugel. In südlicheren Breiten wäre das Licht heller, fiele jedoch nicht so tief in den Raum. Die Lichtmenge wird auch von Zahl und Größe der Fenster beeinflußt.

Vorhänge absorbieren Licht und verschlechtern die Lichtqualität zu beiden Seiten des Fensters.

Nestfarn
Asplenium nidus

Schattierrollos schützen Pflanzen auf der Fensterbank vor direkter Sommersonne.

Ost- und Westfenster erhalten den ganzen Tag über gutes Licht und auch einige Stunden direkte Sonne.

Südfenster liegen über längere Zeit des Tages in der Sonne.

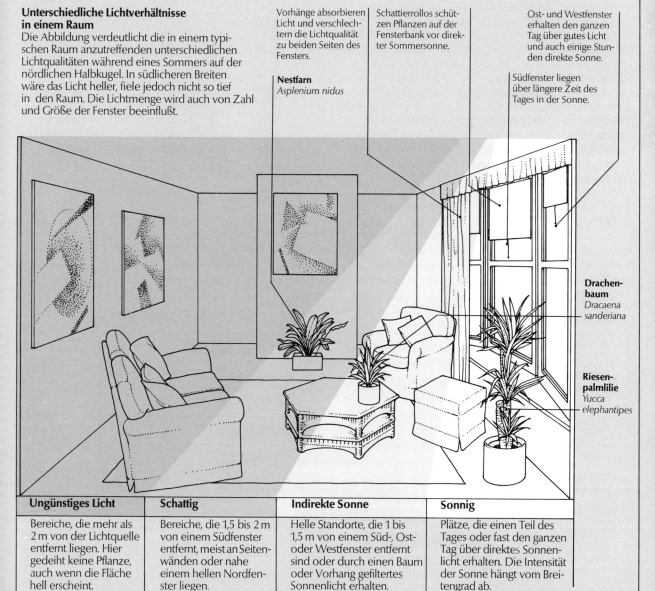

Drachenbaum
Dracaena sanderiana

Riesenpalmlilie
Yucca elephantipes

Ungünstiges Licht	Schattig	Indirekte Sonne	Sonnig
Bereiche, die mehr als 2 m von der Lichtquelle entfernt liegen. Hier gedeiht keine Pflanze, auch wenn die Fläche hell erscheint.	Bereiche, die 1,5 bis 2 m von einem Südfenster entfernt, meist an Seitenwänden oder nahe einem hellen Nordfenster liegen.	Helle Standorte, die 1 bis 1,5 m von einem Süd-, Ost- oder Westfenster entfernt sind oder durch einen Baum oder Vorhang gefiltertes Sonnenlicht erhalten.	Plätze, die einen Teil des Tages oder fast den ganzen Tag über direktes Sonnenlicht erhalten. Die Intensität der Sonne hängt vom Breitengrad ab.

Temperatur und Luftfeuchtigkeit

Temperatur

Für jede Zimmerpflanze gibt es einen Temperatur-bereich, in dem sie besonders gut gedeiht, und einen, den sie noch toleriert. Die meisten der populären Zimmerpflanzen stammen aus tropischen und subtropischen Gegenden und fühlen sich bei Temperaturen zwischen 15 und 21°C am wohlsten. Samen keimen im allgemeinen bei 18°C und darüber am besten, Kopfstecklinge und abgetrennte Pflanzenteile bewurzeln sich gut bei 18 bis 21°C. Andere Pflanzen, hauptsächlich immergrüne und blühende Arten der gemäßigten Zone, stehen lieber kühler, etwa bei 10 bis 15°C. Dies sind die beiden Temperaturbereiche, die in den Kleinklima-angaben des Pflanzen-Ratgebers als »warm« und »kühl« bezeichnet werden. Diese Bedingungen sind für Pflanzen zwar ideal, aber sie vertragen auch, zumindest zeitweise, etwas höhere oder niedrigere Temperaturen. Pflanzen, die normalerweise an kühlen Standorten wachsen, entwickeln sich bei höheren Temperaturen schneller. Manche passen sich an und gedeihen üppig – für Zimmerverhältnisse eventuell zu üppig –, obwohl sich bei einigen blühenden Pflanzen die Blütezeit stark verkürzt, wenn sie mehr Wärme erhalten, als sie benötigen. Dagegen gedeihen Pflanzen aus warmen Gegenden unter sehr viel kühleren Bedingungen nicht gut. Ein nächtliches Absinken der Temperatur zwischen 2 und 5°C ist in der Natur normal und im Haus ratsam. Manche Pflanzen, wie Kakteen, vertragen auch größere Temperaturschwankungen, doch sollte der Unterschied zwischen Tag und Nacht möglichst nicht mehr als 8 bis 10°C betragen.
Im Winter und Frühjahr blühende Zwiebelblumen brauchen eine Ruhezeit bei 7 bis 10°C, während der die Wurzelbildung angeregt, das Austreiben aber unterdrückt wird. Andere Zimmerpflanzen wiederum benötigen eine winterliche Ruheperiode außerhalb der meist gleichbleibenden Wärme im häuslichen Bereich. Wenn möglich, stellt man sie in einen Raum, der mehrere Monate lang kühl gehalten werden kann.

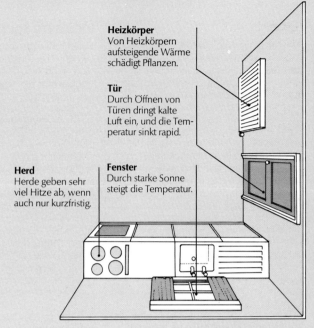

Heizkörper
Von Heizkörpern aufsteigende Wärme schädigt Pflanzen.

Tür
Durch Öffnen von Türen dringt kalte Luft ein, und die Temperatur sinkt rapid.

Herd
Herde geben sehr viel Hitze ab, wenn auch nur kurzfristig.

Fenster
Durch starke Sonne steigt die Temperatur.

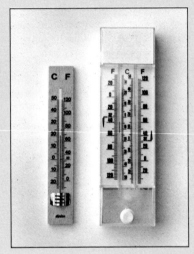

Schwankende Temperaturen (oben)
In dieser typischen Küche ist die Temperatur nicht gleichmäßig, was bei der Pflanzenplazierung berücksichtigt werden muß.

Temperatur-überwachung (links)
Das Foto zeigt ein einfaches und ein Minimum-Maximum-Thermometer, das die tägliche Temperaturschwankung mißt, indem es den höchsten und den tiefsten Wert festhält.

Temperaturtabelle Günstige Temperaturen für die im Pflanzen-Ratgeber aufgeführten Gewächse.

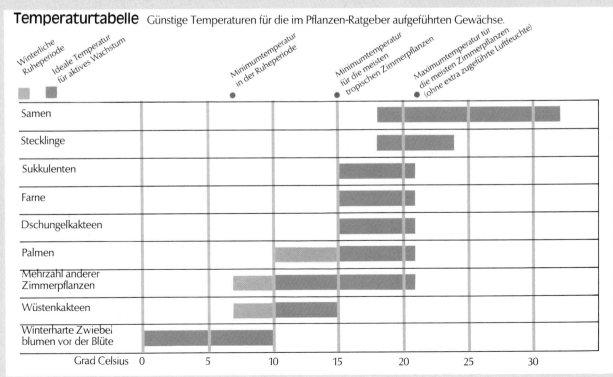

Winterliche Ruheperiode

Ideale Temperatur für aktives Wachstum

Minimumtemperatur in der Ruheperiode

Minimumtemperatur für die meisten tropischen Zimmerpflanzen

Maximumtemperatur für die meisten Zimmerpflanzen (ohne extra zugeführte Luftfeuchte)

- Samen
- Stecklinge
- Sukkulenten
- Farne
- Dschungelkakteen
- Palmen
- Mehrzahl anderer Zimmerpflanzen
- Wüstenkakteen
- Winterharte Zwiebelblumen vor der Blüte

Grad Celsius 0   5   10   15   20   25   30

Luftfeuchtigkeit

Die Luftfeuchtigkeit zeigt die Menge des in der Luft enthaltenen Wasserdampfes an. Sie wird durch die Temperatur beeinflußt: Warme Luft kann mehr Feuchtigkeit aufnehmen als kalte Luft und hat zur Folge, daß aus allen vorhandenen Quellen Wasser verdunstet, auch aus den Blättern von Pflanzen. Die in der Luft enthaltene Wassermenge wird mit Hygrometern gemessen. Interessant ist die »relative Luftfeuchtigkeit«, die angibt, wieviel Wasser die Luft bei einer bestimmten Temperatur enthält, verglichen mit der maximal aufnehmbaren Menge (Sättigungsmenge). 0 Prozent entspricht absolut trockener Luft, 100 Prozent entsprechen vollkommen gesättigter Luft. Für die meisten Pflanzen ist eine relative Luftfeuchte von mindestens 40 Prozent notwendig. Um eine bestimmte Luftfeuchtigkeit zu halten, ist bei warmer Luft eine größere Wassermenge erforderlich als bei kälterer Luft.

Kakteen und Sukkulenten brauchen 30 bis 40 Prozent Luftfeuchtigkeit, die durchschnittliche, tolerante Zimmerpflanze aber gedeiht bei etwa 60 Prozent am besten. Dünnblättrige Dschungelpflanzen, wie Frauenhaarfarne und einige Buntnesseln, fühlen sich bei einer Luftfeuchte von fast 80 Prozent wohl. Diese drei Werte entsprechen den Angaben »niedrig«, »mittel« und »hoch«, die als Empfehlung für die Luftfeuchtigkeit im Pflanzen-Ratgeber gegeben wurden. Die relative Luftfeuchtigkeit eines durchschnittlich beheizten Wohnzimmers, in dem kein Luftbefeuchter aufgestellt wurde, liegt bei 15 Prozent. Daher ist die Luft in Badezimmern und Küchen für die meisten Pflanzen besser geeignet.

Anzeichen für zu geringe Luftfeuchte

Es gibt eine Reihe von Anzeichen, die darauf hinweisen, daß eine Pflanze unter mangelnder Luftfeuchtigkeit leidet: Blätter beginnen zu schrumpeln oder zu verdorren; Knospen fallen ab; oder Blüten welken vorzeitig.

Pflanzen verdunsten aus winzigen Spaltöffnungen (Stomata) in den Blättern Feuchtigkeit. Diese Stomata öffnen sich während des Tages, um Kohlendioxid aus der Luft aufzunehmen, doch gleichzeitig wird Wasser aus dem Blattgewebe abgegeben. Diesen Prozeß bezeichnet man als Transpiration. Eine geringe Luftfeuchtigkeit hat zur Folge, daß die Pflanzen während dieses Vorgangs zuviel Feuchtigkeit abgeben. Daher sind in warmen Räumen gehaltene Zimmerpflanzen großen Nachteilen ausgesetzt: Die warme Luft beschleunigt ihr Wachstum, entzieht aber gleichzeitig den Blättern Feuchtigkeit. Infolgedessen wird das Wasser aus der Blumenerde rascher aufgenommen, und es muß häufiger gegossen werden. Diesem Ablauf kann man durch Erhöhen der Luftfeuchtigkeit entgegenwirken.

Verbesserung der Luftfeuchtigkeit

Der Handel bietet tragbare elektrische Luftbefeuchter an, die sehr zweckmäßig sind. In geheizten Räumen sorgen sie für eine Luftfeuchtigkeit zwischen 30 und 60 Prozent. Auch wenn man mehrere Pflanzen dicht zusammenstellt, erhöht sich die Luftfeuchtigkeit um sie herum, weil das von der einen Pflanze abgegebene Wasser die Luftfeuchte der anderen erhöht. Man kann die Luftfeuchtigkeit aber auch durch Besprühen erhöhen oder indem man die Pflanzen auf mit nassem Kies gefüllte Untersetzer stellt.

Erhöhung der Luftfeuchtigkeit

Besprühen (links)
Mit einem Wasserzerstäuber ein- oder zweimal täglich Blätter und Triebe besprühen. Durch das Besprühen werden auch Staub abgewaschen und bestimmte Schadinsekten ferngehalten.

Mit nassem Kies gefüllte Untersetzer (rechts)
Das Wasser wird an die Luft der Umgebung abgegeben.

Töpfe in Torf setzen (unten)
Töpfe bis zum Rand in ein größeres Gefäß mit feuchtem Torf setzen.

Ampeln auskleiden (rechts)
Ampeln mit Moos auslegen und dieses durch regelmäßiges Besprühen gut feucht halten (s. S. 54–55). Den Ampelboden gelegentlich in Wasser tauchen.

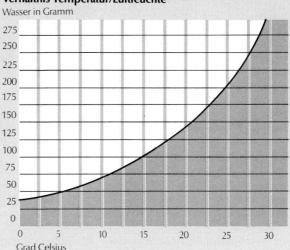

Verhältnis Temperatur/Luftfeuchte

Wasser in Gramm

Grad Celsius

Bewässerung 1

In der Natur werden Pflanzen durch Regen, Dunst oder Nebel bewässert. Sie nehmen die Feuchtigkeit hauptsächlich über das Wurzelsystem auf. Im häuslichen Bereich sind sie darauf angewiesen, daß wir ihnen das notwendige Wasser zuführen. Ohne Wasser sterben alle Pflanzen. Bei Sämlingen dauert es nur einen Tag, bei Sukkulenten mitunter mehrere Monate, doch irgendwann gehen sie unweigerlich ein. Wasser dient – ähnlich wie Blut – als Transportmedium und spielt darüber hinaus bei der Photosynthese und somit bei der Bereitstellung von Nährstoffen eine wichtige Rolle. Im Pflanzsubstrat vorhandenes Wasser wird über die Wurzeln in sämtliche Teile der Pflanze geleitet und führt alle Substanzen mit sich, die für die Ernährung der Pflanze wichtig sind. Das Wasser steigt in Stengel und Blätter und kräftigt sie. Ohne Wasser könnten sie gar nicht aufrecht stehen. Wassermangel führt dazu, daß Blätter und Stengel kraftlos werden und herabhängen, Blüten rasch welken und Knospen abfallen, bevor sie sich öffnen können. Eine vorübergehende Trockenheit hat oft zur Folge, daß die Blätter schrumpfen und braune Ränder und Spitzen bekommen.

Wann wird gegossen

Es ist schwierig, genau zu sagen, wann gegossen werden muß. Als Faustregel gilt, Topfpflanzen dann zu wässern, wenn sie es brauchen. Das klingt stark vereinfacht, trifft aber zu. Das eigentliche Problem ist, diesen Zeitpunkt zu erkennen. Herabhängende Blätter und kraftlose Stengel sind offensichtliche Zeichen, doch sollte man mit dem Gießen nicht so lange warten. Es gibt bereits früher Hinweise auf Wassermangel: Bei manchen Pflanzen wirken die Blätter blaß und durchscheinend, bei anderen werden die Blütenknospen trocken und schrumpfen. Der Wasserbedarf einer jeden Pflanze hängt von ihrer Größe, der ursprünglichen Heimat und insbesondere vor der Jahreszeit ab. Während der Wachstumsperiode brauchen Pflanzen sehr viel Wasser, in der winterlichen Ruhezeit dagegen kommen sie mit erheblich weniger aus. Wässern Sie nie routinemäßig, auch wenn man Ihnen das geraten hat. Prüfen Sie vielmehr zunächst das Pflanzsubstrat, um festzustellen, ob eine Pflanze wirklich Wasser braucht. Sie können den Topf auch regelmäßig in der Hand wiegen, um anhand des Gewichts die Feuchte der Erde abzuschätzen. Nasse Erde wiegt sehr viel mehr als trockene. Diese Methode ist zuverlässig, bedarf jedoch einiger Erfahrung und eignet sich vor allem nicht bei größeren Pflanzen in großen Töpfen. Der Handel bietet Feuchtigkeitsmesser an, mit denen der genaue Grad der Erdfeuchtigkeit festgestellt werden kann. Es gibt recht einfache kleine Geräte, deren Sonden man in die Erde spießt. Der Feuchtigkeitsgrad wird dann auf einer Farbskala angezeigt. Im Zweifelsfall sollte man eher noch einen Tag warten, bevor man gießt.

Wieviel wird gegossen

Die meisten Pflanzen bevorzugen eine gründliche Bewässerung, doch sollte dann die Erde vor dem nächsten Gießen zuerst wieder trocken werden. Wenig und oft gießen ist schlecht, weil das Wasser nie die unteren Erdschichten erreicht, die sich dann um die Wurzeln verhärten. Wird zu häufig und zuviel gegossen, staut sich die Nässe, und die Luft wird aus dem Substrat gedrückt. Dadurch entstehen ideale Bedingungen für Pilze und Bakterien, die die Wurzeln faulen lassen.

Welches Wasser ist geeignet

Für die meisten Pflanzen reicht durchaus Leitungswasser, auch wenn es mitunter kalkhaltig ist. Nach Möglichkeit sollte man es lauwarm oder zumindest mit Raumtemperatur verwenden. Wenn man es in einer Gießkanne über Nacht im gleichen Raum wie die Pflanzen stehen läßt, erwärmt es sich auf Zimmertemperatur; darüber hinaus verflüchtigt sich ein Teil des Chlors. Die richtige Wassertemperatur ist sehr wichtig; denn kaltes Wasser direkt aus der Leitung ist ebenso schädlich wie beispielsweise auf 30° aufgewärmtes. In beiden Fällen wird die Temperatur im Topf verändert. Das Wasser sollte auch möglichst wenig Kalk enthalten. Wer in ländlichen Gegenden lebt, kann Regenwasser benutzen, in dichtbesiedelten Gebieten ist es jedoch oft verschmutzt. Für echte Kalkflieher, wie Azaleen, können Sie abgekochtes (und abgekühltes) Wasser verwenden. Auch destilliertes Wasser ist kalkfrei, doch sehr teuer und daher nur bei wirklich kostbaren Pflanzen vertretbar.

Bewässerungstabelle

Pflanzen mit hohem Wasserbedarf

- Pflanzen in der Wachstumsphase.

- Pflanzen mit zarten, dünnen Blättern wie die Buntwurz.

- Pflanzen in sehr warmen Räumen oder solche, die im Sommer nahe bei einem Fenster stehen.

- Pflanzen mit vielen großen Blättern und hoher Transpiration.

- Pflanzen, die ihren Topf mit einem gesunden Wurzelgeflecht ausfüllen.

- Pflanzen, die in relativ kleinen Töpfen wachsen, wie Usambaraveilchen.

- Pflanzen, die in trockener Luft stehen.

- Pflanzen, die in Sümpfen oder Mooren heimisch sind, wie etwa das Zypergras.

- Pflanzen, die in durchlässigen Substraten (z. B. Torfsubstrat) wachsen.

- Pflanzen in Tontöpfen.

- Pflanzen mit Blatt- oder Blütenknospen.

Pflanzen mit geringerem Wasserbedarf

- Ruhende Pflanzen und solche ohne Blüten und Knospen.

- Pflanzen mit dicken, ledrigen Blättern, wie der Gummibaum.

- Pflanzen, die – insbesondere im Winter – in einem kühlen Raum stehen.

- Sukkulente Pflanzen, die von Natur aus Wasser speichern, wie Kakteen, und weniger Wasser verdunsten als Laubpflanzen.

- Pflanzen, die umgetopft wurden und noch nicht das ganze Substrat durchwurzelt haben.

- Pflanzen, die in hoher Luftfeuchtigkeit wachsen, wie Farne oder Gewächse an schattigen Standorten beziehungsweise in Flaschengärten und Terrarien.

- Pflanzen in Substraten, die das Wasser gut halten, wie Lehmsubstrate.

- Pflanzen in Kunststofftöpfen oder glasierten Tongefäßen.

- Pflanzen mit dicken, fleischigen Wurzeln oder wasserspeicherndem Gewebe an den Wurzeln, wie Grünlilie und Federspargel.

Verschiedene Methoden der Bewässerung

Von oben gießen (links)
Die Wassermenge kann kontrolliert werden, und überschüssige Salze werden ausgeschwemmt.

Von unten gießen (rechts)
Das Wasser im Untersetzer wird von der Erde aufgesaugt und die Mineralsalze in die obere Erdschicht transportiert. Die Salze lassen sich aber auswaschen, wenn man gelegentlich von oben wässert.

Bromelien gießen
Das Wasser mit einer Tülle in den Pflanzentrichter gießen.

Individueller Wasserbedarf

Es ist sehr wichtig, die richtige Menge Wasser zu geben, denn zu wenig Wasser kann die Pflanzen ebenso schädigen wie zuviel (s. a. S. 250–251). Eine Überwässerung allerdings hat meist schwerwiegendere Folgen. Im Pflanzen-Ratgeber zeigen (auf S. 160/161 erläuterte) Symbole den jeweiligen Wasserbedarf der Pflanzen an, das heißt, ob »reichlich«, »mäßig« oder »wenig« gewässert werden muß. Nachfolgend finden Sie in Text und Bild die genaue Erklärung dieser drei Stufen, und zwar beim Gießen von oben wie beim Gießen von unten.

»Wenig« wässern
Bei jedem Gießen nur soviel Wasser geben, daß die Erde nur leicht feucht ist; das Wasser außerdem in mehreren kleinen Dosen verabreichen. Nie so viel gießen, daß Wasser aus dem Abzugsloch austritt. Wässert man von unten, füllt man nicht mehr als 1 cm Wasser in den Untersetzer. Falls notwendig, wiederholen.

1 Das Pflanzsubstrat mit einem Stab prüfen. Wenn etwa zwei Drittel trocken sind, muß gewässert werden.

2 Nur so viel Wasser auf das Substrat gießen, wie einsickern kann; es darf nicht in den Untersetzer laufen.

3 Die Erde wieder prüfen und die noch trockenen Stellen anfeuchten. Keinesfalls Wasser im Untersetzer stehenlassen.

»Mäßig« wässern
Das Substrat wird ganz durchfeuchtet. Die oberen 1 bis 3 cm aber müssen vor jedem erneuten Wässern trocken sein. Wässert man von unten, füllt man 1 cm hoch Wasser in den Untersetzer und wiederholt dies so lange, bis die Oberfläche des Substrats feucht wird.

1 Fühlt sich das Pflanzsubstrat trocken an, gießen Sie zunächst mäßig.

2 Falls notwendig, so lange wiederholen, bis das gesamte Substrat feucht, aber nicht naß ist.

3 Sobald Wasser aus dem Abzugsloch tritt, aufhören zu gießen und überschüssiges Wasser wegschütten.

»Reichlich« wässern
Das gesamte Pflanzsubstrat muß feucht gehalten werden, auch die Oberfläche darf nicht austrocknen. So viel Wasser geben, daß es aus dem Abzugsloch wieder herausläuft. Wässert man von unten, füllt man so lange Wasser in den Untersetzer, bis keines mehr aufgenommen wird. Im allgemeinen dauert das eine halbe Stunde.

1 Fühlt sich das Pflanzsubstrat trocken an, gibt man der Pflanze reichlich Wasser.

2 Wasser nachgießen, bis es zum Abzugsloch herausfließt.

3 Sobald alles überschüssige Wasser aus dem Substrat herausgelaufen ist, den Untersetzer leeren.

Bewässerung 2

In Urlaub zu gehen kann zum Problem werden, wenn eine Anzahl schöner, gesunder Zimmerpflanzen versorgt werden muß. Sind Sie nur wenige Tage außer Haus, werden Ihre Pflanzen, sofern sie, ausreichend bewässert, in einem kühlen Raum stehen, nicht darunter leiden. Oft ist es auch hilfreich, auf die eine oder andere Weise die Luftfeuchtigkeit zu erhöhen (s. S. 247). Bei längerer Abwesenheit aber ist ein Dauerbewässerungssystem notwendig, damit Ihre Pflanzen keinen Schaden nehmen. Einige der hier gezeigten Methoden sind hauptsächlich für Pflanzen in Kunststoffgefäßen empfehlenswert, andere wiederum für Gewächse in Tontöpfen, die öfter und regelmäßiger gegossen werden müssen. Ungeeignet sind automatische Bewässerungsmethoden für Pflanzen, deren Gefäße keine Abzugslöcher besitzen, weil das Pflanzsubstrat leicht zu naß wird. Diese Gefäße sind allerdings meist glasiert, und das Wasser verdunstet nicht so rasch wie bei porösen Tontöpfen. In diesem Fall sollten die Pflanzen vor der Abreise gründlich gewässert an einen schattigen Platz gestellt und auf einen mit nassen Kieseln gefüllten Untersetzer gestellt werden oder sogar auf ein dickes Polster nasser Zeitungen. Dadurch erhöht sich die Luftfeuchtigkeit, und die Pflanzen können Trockenperioden länger überstehen.

Kapillarmatten
Die Kapillarmatte neben ein Spülbecken oder in eine flache Wanne legen und mindestens zur Hälfte in das mit Wasser gefüllte Becken oder einen Wasserbehälter hängen lassen. Da diese Matten aus einem saugfähigen Material bestehen, wird das Wasser auf kapillarem Weg zu den Pflanzen transportiert, die das benötigte Wasser aufnehmen. Kapillarmatten eignen sich für dünnwandige Kunststoffgefäße mit zahlreichen Abzugslöchern im Boden, durch die das Wasser leicht nach oben steigen kann. Tongefäße sind zu dick und außerdem porös.

Transparente Abdeckungen
(rechts)
Durch die Transpiration bildet sich innen an der Tüte Wasser. Dieses Verfahren ist aber für längere Zeit nicht empfehlenswert, weil die Pflanzen faulen.

Dochtbewässerung (links)
Einfache Dochte, die zur Überbrückung kurzer Zeit, etwa ein verlängertes Wochenende, geeignet sind, werden aus saugfähigem Material gemacht. Das eine Ende in einen Wasserbehälter hängen und das andere fest in die Erde drücken. Der Kapillareffekt besorgt den Rest.

Dauerbewässerung mit Docht

Dieser Docht gleicht dem provisorischen, doch weil er direkt in die Erde eingebettet wird, eignet er sich auch für längerfristigen oder dauerhaften Gebrauch. Manche Pflanzenfreunde bewässern ihre Pflanzen das ganze Jahr hindurch auf diese Weise. Sie ermöglicht den Gewächsen, ihren Wasserbedarf auf kapillarem Weg zu decken. Allerdings sollte regelmäßig überprüft werden, ob die richtige Menge Wasser zugeführt wird. Dieses Verfahren eignet sich für Ton- wie für Kunststoffgefäße. Der Wassertank wird abgedeckt und für den Docht ein Loch gebohrt, damit das Wasser nicht verdunstet. Als Wasserbehälter eignen sich alle Gefäße, die dem Gewicht von Pflanze und Topf standhalten.

 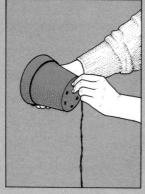  

1 Die Pflanze vorsichtig aus dem Topf nehmen. Darauf achten, daß der Wurzelballen nicht beschädigt wird.

2 Aus einem Streifen Baumwoll- oder Nylongewebe einen Docht herstellen und diesen durch ein Loch im Topfboden stecken.

3 Das Dochtende vorsichtig mit einem dünnen Bambusstab oder Stift in den Wurzelballen drücken.

4 Die Pflanze wieder in den Topf setzen und das Ganze so auf den Wasserbehälter stellen, daß das andere Dochtende im Wasser hängt.

Bewässerungsprobleme

Sofern die im Pflanzen-Ratgeber verzeichneten Anleitungen zur Bewässerung befolgt werden, sollten Ihre Pflanzen die Wassermenge erhalten, die für eine gesunde Entwicklung notwendig ist. Dennoch können durch zu sparsame oder zu reichliche Bewässerung Probleme auftreten, vor allem während der winterlichen Ruheperiode.

Bewässerung im Winter

Im Verlauf eines Jahres benötigt fast jede Pflanze eine Ruhezeit. Die meisten sollten dann sparsamer als sonst gegossen und gedüngt werden; manche können ganz darauf verzichten. Die Ruheperiode wird auf natürliche Weise dadurch ausgelöst, daß sich die Lichtverhältnisse verschlechtern (beispielsweise während des Winters auf der nördlichen Halbkugel). Wenn in dieser Zeit zu reichlich gegossen wird, entwickeln sich Triebe, die schwächlich und oft schimmelig sind und deren Blätter leicht braun werden und vorzeitig abfallen.

Wassermangel

Wassermangel kann auch dann auftreten, wenn zwar häufig, aber wenig gegossen wird, die Pflanze jedoch eine gründliche Durchfeuchtung des Wurzelballens benötigt. Wird das Erdsubstrat zu trocken, was insbesondere bei Torfsubstraten leicht passiert, kann es beträchtlich an Volumen verlieren, und zwischen Wurzelballen und Topfwand entsteht ein Hohlraum. Wird die Pflanze nun gegossen, fließt das Wasser einfach ab. In diesem Fall stellt man den Topf in ein Wasserbad, bis sich die Erde vollgesogen hat und den Hohlraum wieder ausfüllt. Die Anzeichen für Wassermangel sind leicht und meist auch so rechtzeitig zu erkennen, daß die Pflanze noch gerettet werden kann. Besonders anfällig für Wassermangel sind Pflanzen mit sukkulenten Trieben wie Buntnesseln, Fleißige Lieschen und alle Primeln.

Überwässerung

Bei Überwässerung werden Symptome unter Umständen erst sehr viel später sichtbar als bei Wassermangel. Auch hier kann häufiges, wenn auch sparsames Wässern die Ursache sein. Viele Pflanzen müssen vor jedem Wässern erst trocken werden, und wenn ein Substrat ständig naß ist, kann Staunässe entstehen. Als warnendes Zeichen gilt die Entwicklung von grünem Moos, das nur auf Erde wächst, die auf Dauer zu naß ist. Durch Überwässerung gehen viele Pflanzen ein. Erste Anzeichen sind das Abfallen oder Gelbwerden von Blättern oder schlechtes Wachstum. Bei schlechter Durchlüftung des Bodens und zuviel Nässe können auch die Wurzeln faulen, wodurch die Wasser- und Nährstoffversorgung der Pflanze unterbrochen wird. Um eine überwässerte Pflanze zu retten, nimmt man sie vorsichtig aus ihrem Topf und überprüft die Wurzeln. Wenn sie sich weich anfühlen und leicht abbrechen, sind sie faul und sollten entfernt werden. Die Pflanze mit neuem Substrat wieder in den Topf setzen und zur besseren Drainage mindestens 25 Prozent Sand zusetzen. Zu den Pflanzen, die auf Überwässerung sehr empfindlich reagieren, gehören viele Kakteen und Sukkulenten, die über wasserspeichernde Gewebe verfügen. Allgemein bedeutet das, daß der Wasserbedarf von Pflanzen, die entweder keine oder kleine, ledrige Blätter haben, nur gering ist.

Ausgetrocknete Pflanzen retten

Ist eine Pflanze ausgetrocknet und kraftlos, schneidet man am besten die oberirdischen Teile ab und wartet, bis sich neue Triebe entwickeln. Ist der Zustand der Pflanze noch nicht zu schlecht, kann man das nachfolgend beschriebene Verfahren anwenden.

Ausgetrockneter Wurzelballen

Verhärteter Wurzelballen

Probleme des Erdballens

Häufig entsteht zwischen Erdballen und Topfwand ein Hohlraum, durch den das Wasser einfach abläuft, oder das Substrat ist so hart geworden, daß kein Wasser mehr eindringen kann.

1 Diese Pflanze ist eindeutig welk, denn Blatt- und Blütenstiele hängen kraftlos herab.

2 Zunächst mit einer Gabel das ausgetrocknete Substrat lockern, ohne dabei die Wurzeln zu verletzen.

3 Den Topf so lange in einen wassergefüllten Eimer stellen, bis keine Blasen mehr aufsteigen. Die Blätter besprühen.

4 Überschüssiges Wasser ablaufen lassen und die Pflanze an einen kühlen Platz stellen. Nach wenigen Stunden sollte sie sich sichtbar erholen.

Gefahrenzeichen

Zuwenig Wasser

- Die Blätter werden rasch welk und kraftlos.
- Die Blattentwicklung verlangsamt sich.
- Die unteren Blätter rollen sich ein und werden gelb.
- Die unteren Blätter fallen vorzeitig ab.
- Die Blattränder werden braun und trocken.
- Die Blüten welken rasch und fallen ab.

Zuviel Wasser

- Auf den Blättern bilden sich weiche, faulende Stellen.
- Die Blätter entwickeln sich schlecht.
- Die Blattspitzen werden braun.
- Die Blätter rollen sich ein und werden gelb.
- Die Blüten schimmeln.
- Junge und alte Blätter fallen gleichzeitig ab.
- Die Wurzeln faulen.

Düngen

Pflanzen können nur wachsen, wenn sie ausreichend Licht, Nährstoffe und Wasser bekommen. Mineralstoffe sind in der Gartenerde und den meisten Pflanzsubstraten enthalten. Ebenso liefern handelsübliche Dünger eine Mischung von Mineralstoffen, die die Pflanzen benötigen, damit der lebenswichtige Prozeß der Photosynthese stattfinden kann. Mit Hilfe von Mikroorganismen werden diese organischen Substanzen in verwertbare Nährstoffe umgewandelt, die die Pflanzen für eine gesunde Entwicklung brauchen (s. S. 242). Bei Pflanzen, die eingetopft gekauft werden, sollten die in der Erde enthaltenen Nährstoffe mehrere Wochen ausreichen. Substrate auf Lehmbasis sind gewöhnlich sehr nährstoffreich. Ihr wichtigster Vorteil ist, daß sie die Nährstoffe über einen Zeitraum von mehreren Wochen abgeben, so daß die Pflanzen länger ohne zusätzliche Düngung auskommen als in Torfsubstraten. Der in Lehmsubstraten enthaltene Lehm aber kann einen sehr unterschiedlichen Nährstoffgehalt aufweisen.

Torfkultursubstrate wurden eingeführt, weil sie einfach und problemlos in der Anwendung sind. Es handelt sich hier um Torfmischungen, denen unterschiedliche Mengen an Nährstoffen zugesetzt werden. Es gibt auch Mischungen, die keine Pflanzennährstoffe enthalten. Dies können Sie anhand der Angaben auf der Verpackung feststellen. Meist werden Nährstoffe in Form eines Langzeitdüngers zugesetzt, der die Pflanzen etwa 8 Wochen versorgt. Manche Nährstoffe werden jedoch durch regelmäßiges Gießen schnell ausgewaschen oder von den Pflanzen rasch aufgenommen, so daß es ratsam ist, bei in Torfsubstrat wachsenden Pflanzen 6 Wochen nach dem Kauf beziehungsweise 8 Wochen nach dem Umtopfen mit der Düngung zu beginnen.

Anzeichen für Nährstoffmangel

Nährstoffmangel macht sich bei Pflanzen durch ungesundes Aussehen bemerkbar. Anzeichen für Mangelerscheinungen sind verlangsamtes oder stagnierendes Wachstum, schwächliche Stengel, kleine, blasse oder gelbe Blätter, das vorzeitige Abwerfen der unteren Blätter und die Entwicklung von nur wenigen oder gar keinen Blüten.

Wie oft wird gedüngt

Der Pflanzen-Ratgeber gibt für jede Pflanze eine Düngeempfehlung. Gedüngt werden sollte nur während der Wachstumsperiode. Während der Ruhezeit ist eine Düngung ohne Wirkung, weil der Dünger in der Regel von der Pflanze nicht aufgenommen wird.

Kontrolliste für die Düngung

Zuwenig Dünger

● Langsames Wachstum, geringe Widerstandskraft gegen Krankheiten und Schädlinge.

● Blasse Blätter, manchmal gelbgefleckt.

● Blüten fehlen ganz oder sind klein und blaß.

● Schwächliche Stengel.

● Untere Blätter fallen ab.

Zuviel Dünger

● Blätter welken oder verformen sich.

● Tontöpfe und Pflanzsubstrat sind weißverkrustet.

● Wintertriebe sind lang und dünn, Sommertriebe mitunter gestaucht.

● Blätter haben braune Flecken und verbrannte Ränder.

Viele Pflanzenhalter düngen bei jedem Gießen mit einer stark (auf die Hälfte bis ein Viertel) reduzierten Düngermenge. Auf diese Weise ist eine beständige, wenn auch geringe Nahrungszufuhr gewährleistet, was besonders bei Pflanzen wichtig ist, die in relativ kleinen Töpfen und ungedüngtem Torfsubstrat wachsen. Außerdem wird so verhindert, daß sich überflüssige, schädliche Nährstoffreserven ansammeln. Neue oder frisch umgetopfte Pflanzen brauchen eine Zeitlang keinen Dünger. In Lehmsubstrat wachsende Pflanzen kommen etwa 3 Monate ohne aus, Pflanzen in anderen Substraten (z. B. Torfsubstraten) ungefähr 6 Wochen.

Bei den im Pflanzen-Ratgeber aufgeführten Düngeempfehlungen wird davon ausgegangen, daß ein optimales, kräftiges Wachstum erwünscht ist. In einigen Fällen möchte man eine Pflanze zwar gesund erhalten, aber auf eine bestimmte Größe beschränken. In diesem Fall reichen drei Düngungen während der Wachstumsperiode (etwa Mitte März, Mitte Juni und Mitte September) im allgemeinen aus.

Richtlinien für die Düngung

● Dünger ist keine Medizin für eine kränkelnde oder von Schädlingen befallene Pflanze. Durch Düngen werden die Symptome oft sogar noch verschlimmert. Sieht eine Pflanze krank aus, untersuchen Sie sie zunächst nach Schädlingen und Krankheiten, bevor Sie ihr Dünger verabreichen.

● Zuviel Dünger kann ebenso Schaden anrichten wie zuwenig. Verwenden sie nur die in der Gebrauchsanweisung angegebene Düngermenge (oder weniger).

● Düngen Sie nicht öfter als in der Gebrauchsanweisung oder im Pflanzen-Ratgeber empfohlen.

Wie Dünger wirken

Dünger	angewandt als	Wirkung	Verwendung
N Stickstoff	Nitrate	Bildung von Chlorophyll. Gute Blatt- und Triebentwicklung	Für alle Zimmer-Blattpflanzen, besonders zu Beginn der Wachstumsperiode
P Phosphor	Phosphorsäure P_2O_5	Gesunde Wurzelentwicklung und Blütenknospenbildung	Für alle Zimmerpflanzen, besonders Blütenpflanzen
K Kalium	Kali K_2O	Gesunde Entwicklung von Blättern, Blüten und Früchten	Für alle blühenden Zimmerpflanzen, Zwiebelblumen und fruchttragende Pflanzen
Spurenelemente	Eisen, Zink, Kupfer, Mangan, Magnesium	Lebenswichtig für Prozesse wie Photosynthese und Atmung	Für alle Zimmerpflanzen

Verschiedene Düngersorten

Dünger ist in vielen Formen erhältlich: als Flüssigpräparat, lösliches Pulver und Granulat, Tabletten oder Stäbchen. Konzentrierte Flüssigdünger sind problemlos aufzubewahren, und sie brauchen nur mit Wasser verdünnt zu werden. Wasserlösliche Pulver und Granulate sind ebenfalls leicht zu handhaben und müssen lediglich in der angegebenen Wassermenge gut aufgerührt werden, bis sie sich vollkommen aufgelöst haben. Düngerstäbchen sind mit chemischen Substanzen getränkt und geben beim Gießen nach und nach Nährstoffe ab. Man bezeichnet sie oft als Langzeitdünger, weil sie für einen Zeitraum von 3 bis 6 Monaten ausreichen und die enthaltenen Mineralstoffe nur langsam freisetzen. Nachteilig ist, daß in ihrer Umgebung leicht Nährstoffkonzentrationen entstehen, die in der Nähe befindliche Wurzeln zerstören können. Neben den Düngern, die in die Erde gegeben werden, gibt es noch sogenannte Blattdünger. Sie werden in Wasser aufgelöst und auf die Blätter von Pflanzen gespritzt, die Mineralstoffe nur schlecht über die Wurzeln aufnehmen. Blattdünger zeigen bei allen Pflanzen mit Mangelerscheinungen sofort Wirkung. Beachten Sie stets die Gebrauchsanweisung auf der Verpackung, denn zuviel Dünger kann Wurzeln und Blätter schädigen.

Zusammensetzung von Düngern

Ein ausgewogenes Wachstum beruht auf drei lebenswichtigen Mineralstoffen: Stickstoff (als Nitrate zugeführt) ist wesentlich für die Produktion von Chlorophyll sowie eine gesunde Entwicklung von Blättern und Trieben; Phosphor (als Phosphorsäure zugeführt) sorgt für eine gesunde Wurzelentwicklung; Kalium (als Kali zugeführt) ist für Blüte und Fruchtbildung sowie für die allgemeine Gesundheit der Pflanzen wichtig. Auf den Düngerpackungen sind die Mengen der drei Hauptnährstoffe in Prozenten angegeben sowie andere eventuell enthaltene Bestandteile, wie Eisen, Kupfer und Mangan, die oft unter dem Begriff »Spurenelemente« zusammengefaßt werden. Die Bezeichnungen Stickstoff, Phosphor und Kalium sind ausgeschrieben oder abgekürzt (N, P und K) aufgeführt. Manchmal werden auch nur Prozentzahlen angegeben, doch um Verwirrung zu vermeiden, ist die Reihenfolge stets gleich.

Welcher Dünger ist richtig

Für Zimmerpflanzen eignen sich hauptsächlich Dünger, die ausgewogene Anteile der lebenswichtigen Nährstoffe enthalten. Man bezeichnet sie als Voll- oder Universaldünger. Daneben gibt es noch Spezialdünger. Stickstoffreiche Dünger beispielsweise fördern eine gesunde Blattentwicklung und sind besonders für Blattpflanzen geeignet. Kaliumreiche Dünger sind für Zimmerpflanzen geeignet, um Blüten- und Fruchtentwicklung zu unterstützen. Phosphatreiche Dünger sorgen für die Ausbildung eines kräftigen, gesunden Wurzelsystems und fördern die Knospenbildung, verzögern aber etwas die Blattentwicklung. Es ist ratsam, während der Blütezeit einer Pflanze auch einen entsprechenden Dünger zu verwenden.

Wie wird gedüngt

Die Düngermethode hängt vom Pflanzentyp und vom Düngepräparat ab. Flüssigdünger, Pulver und Granulat werden nur ins Gießwasser gegeben. Bevor jedoch gedüngt wird, muß man sich vergewissern, daß das Pflanzsubstrat bereits feucht ist. Bei trockener Erde besteht die Gefahr, daß die Wurzeln aufgrund der hohen Mineralstoffkonzentration Verbrennungen erleiden. Blattdünger werden am besten mit einem Zerstäuber angebracht. Man stellt die Pflanzen zum Besprühen entweder ins Freie oder in die Badewanne, damit man den Dünger nicht einatmet oder Flecken auf die Möbel kommen. Diese Art von Pflanzennahrung wird rasch aufgenommen und wirkt bei einer Pflanze, deren Laub krank aussieht, sehr schnell. Auch Düngestäbchen sind einfach zu handhaben. Sie werden nur in das Pflanzsubstrat gesteckt, wo sie die Nährstoffe nach und nach abgeben. Düngestäbchen lassen sich darüber hinaus auch leicht wieder entfernen, wenn man feststellt, daß der Pflanze eine düngefreie Periode besser bekommt.

Düngestäbchen
Düngestäbchen schiebt man wegen der Gefahr einer Nährstoffkonzentration am besten am Topfrand in die Erde.

Blattdünger
Genau nach Gebrauchsanweisung verdünnen und dann mit einem Zerstäuber auf beide Seiten der Blätter sprühen.

Flüssigdünger
Flüssigdünger werden einfach dem Wasser zugesetzt, das sowohl von oben wie von unten gegossen werden kann.

Düngerzäpfchen
Sie sollten mit dem stumpfen Ende eines Stiftes tief in das Substrat geschoben werden. Nach Möglichkeit die Wurzeln dabei nicht verletzen.

Pflanzgefäße und Substrate

Gefäßtypen

Heute werden die meisten Zimmerpflanzen in Kunststofftöpfen verkauft, weil sie am preiswertesten sind. Daneben gibt es jedoch noch viele andere Arten von Pflanzgefäßen, wie die traditionellen Tontöpfe oder speziell hergestellte Keramik- und Porzellanbehälter. Für Pflanzen hergestellte Gefäße besitzen ein oder mehrere Abzugslöcher, durch die überschüssiges Wasser ablaufen kann. Man kann Pflanzen auch in Schalen oder andere Behälter ohne Abzugslöcher setzen, doch dann muß eine Schicht Drainagematerial auf dem Boden verteilt und vorsichtiger gegossen werden, damit die Wurzeln nicht zu faulen beginnen.

Die Topfform (links) Handelsübliche Blumentöpfe gibt es mit Durchmessern von 3 bis 30 cm, wobei der Durchmesser immer der Topfhöhe entspricht.

Scherben und Kies Sie verbessern die Drainage und sind besonders bei Gefäßen ohne Abzugslöcher wichtig.

Kies

Scherben

Kunststofftöpfe In ihnen bleibt die Feuchtigkeit lang erhalten, und es muß sparsamer gewässert werden.

Tontöpfe Pflanzen in Tontöpfen trocknen rascher aus, weil die Feuchtigkeit darin schneller verdunstet.

Die Höhe des Topfes Sie wird vom Boden bis zum Rand gemessen und entspricht dem Durchmesser.

Der Durchmesser des Topfes Er wird am oberen Rand gemessen und entspricht der Topfhöhe.

Standardgrößen

Standardtöpfe sind oben breiter als unten, und ihre Höhe entspricht dem Durchmesser. Meist sind die Töpfe rund, aber auch quadratische Töpfe erweisen sich als nützlich, wenn man mehrere Pflanzen zusammenstellen will.

10 cm

Flachtöpfe (unten) Flachtöpfe sind breiter als hoch und mit einem Durchmesser bis zu 30 cm erhältlich. Man verwendet sie zur Aussaat, zur Stecklingsbewurzelung und für flachwurzelnde Pflanzen.

Untersetzer Sie werden aus dem gleichen Material hergestellt wie die Töpfe. Es gibt sie auch in glasierter Ausführung.

Töpfe mit integriertem Untersetzer (unten) Bei manchen Ampeln aus Kunststoff ist der Untersetzer fest mit dem Topf verbunden.

Pflanzsubstrate

Gartenerde ist für in Töpfen wachsende Zimmerpflanzen vollkommen ungeeignet, denn sie enthält Bodenlebewesen, Krankheitskeime und alle möglichen Samen. Darüber hinaus sind Zusammensetzung und Beschaffenheit beliebig. Zimmerpflanzen sollten in fertig gekauften Substraten gezogen werden oder in selbst zubereiteten Erden, denen fertige Substrate als Ausgangsbasis dienen. Bei Substraten werden die Bestandteile sorgfältig auf ihre Eignung für bestimmte Pflanzen getestet und sterilisiert, um Krankheiten und Schädlingsbefall vorzubeugen. Das Angebot an Blumenerden mag groß erscheinen, doch für die in diesem Buch aufgeführten Pflanzen reicht eine kleine Auswahl von Substraten. Die beiden wichtigsten Erden sind Lehm- und Torfsubstrat. Obgleich Lehm sterilisiert wird, enthält er immer noch einige Mikroorganismen, die organische Substanzen in lebenswichtige Nährstoffe umwandeln und so die Bodenfruchtbarkeit bewahren. Torfsubstrate sind leichter und sauberer zu handhaben, enthalten aber häufig keine eigenen Nährstoffe, so daß eine regelmäßige Düngung erforderlich ist.

Die verschiedenen Substrate

Pflanzsubstrate werden im allgemeinen in Folienbeuteln verkauft. Als Grundlage dienen Lehm oder Torf, Spezialmischungen enthalten noch andere Zusätze. Letztere sind auch separat erhältlich, wenn man die Pflanzsubstrate selbst mischen will.

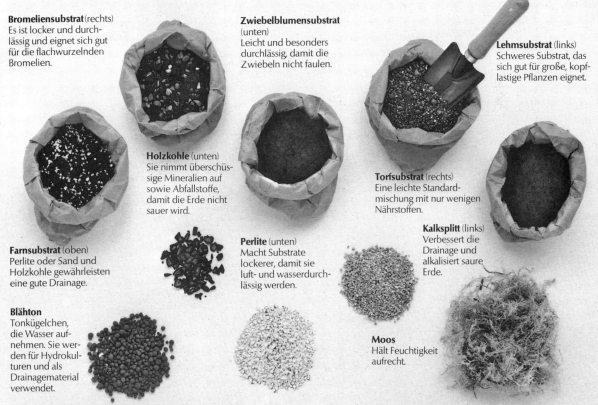

Bromeliensubstrat (rechts)
Es ist locker und durchlässig und eignet sich gut für die flachwurzelnden Bromelien.

Zwiebelblumensubstrat (unten)
Leicht und besonders durchlässig, damit die Zwiebeln nicht faulen.

Lehmsubstrat (links)
Schweres Substrat, das sich gut für große, kopflastige Pflanzen eignet.

Holzkohle (unten)
Sie nimmt überschüssige Mineralien auf sowie Abfallstoffe, damit die Erde nicht sauer wird.

Torfsubstrat (rechts)
Eine leichte Standardmischung mit nur wenigen Nährstoffen.

Kalksplitt (links)
Verbessert die Drainage und alkalisiert saure Erde.

Farnsubstrat (oben)
Perlite oder Sand und Holzkohle gewährleisten eine gute Drainage.

Perlite (unten)
Macht Substrate lockerer, damit sie luft- und wasserdurchlässig werden.

Blähton
Tonkügelchen, die Wasser aufnehmen. Sie werden für Hydrokulturen und als Drainagematerial verwendet.

Moos
Hält Feuchtigkeit aufrecht.

Rezepte für Pflanzsubstrate

Lehmsubstrat
Hauptsächlich für große Pflanzen geeignet. Eine gute Mischung besteht aus ⅓ sterilisiertem Lehm, ⅓ mittelgrobem Torf, Lauberde oder Rinde und ⅓ grobem Sand oder feinem Perlite. Ferner sollte ein ausgewogener Dünger zugegeben werden.

Torfsubstrat
Eine Mischung sollte ⅔ Torf und ⅓ groben Sand oder Perlite enthalten. Um den sauren Torf auszugleichen, pro ½ l Substrat 1 Teelöffel Dolomitkalk zugeben.

Bromeliensubstrat
Die Mischung muß locker sein, soll viel Humus, aber fast keinen Kalk enthalten. Ein geeignetes Substrat besteht aus ½ grobem Sand oder Perlite und ½ Torf. Berufsgärtner setzen noch weitere Bestandteile hinzu, wie teilweise verrottete Rindenstücke (wird in kleinen Beuteln angeboten) und Tannennadeln, damit überschüssiges Wasser rasch ablaufen kann.

Farnmischung
Die Mischung sollte humusreich und sehr durchlässig sein und aus ⅗ Torfsubstrat und ⅖ grobem Sand oder mittelgrobem Perlite bestehen. Pro 1 l der Mischung eine Tasse Holzkohlenstückchen zugeben sowie einen ausgewogenen Dünger in Granulat- oder Pulverform (nach Gebrauchsanweisung).

Zwiebelblumenmischung
Nur für Zwiebelblumen verwenden; für andere Topfpflanzen enthält sie zuwenig Mineralstoffe. Eine geeignete Mischung besteht aus sechs Teilen Torf, zwei Teilen zerstoßenen Eierschalen und einem Teil Holzkohle.

Weitere Zusätze

Lauberde
Sie enthält Nährstoffe und sorgt für Durchlässigkeit.

Stallmist
Kuhmist wird in Pulverform verwendet und ist sehr nährstoffreich.

Dolomitkalk
Macht saure Erde alkalischer.

Eierschalen
Machen saure Erde alkalischer und durchlässiger.

Kalksplitt
Macht saure Erde alkalischer und verbessert die Drainage.

Grober Sand
Macht Substrate durchlässiger und verbessert Lüftung.

Steinwolle
Hält die Feuchtigkeit und sorgt für Luftdurchlässigkeit.

Umtopfen

Im Garten können sich die Wurzeln der Pflanzen soweit wie notwendig ausbreiten, um an Wasser und Nahrung zu gelangen. Mit wenigen Ausnahmen (wie Bromelien und andere Epiphyten) besitzen wild-wachsende Pflanzen Wurzeln, die sich im Boden befinden, wo meist Feuchtigkeit und Nährstoffe vor-handen sind und die Temperatur kühl und verhältnismäßig konstant bleibt. Im Gegensatz dazu sind die Wurzeln der Zimmerpflanzen auf relativ kleine Gefäße beschränkt. Junge, gesunde Pflanzen füllen ihre Töpfe schnell mit Wurzeln aus und können diese schließlich nur noch durch das Abzugsloch oder aus der Erdoberfläche schieben. In sol-chen Fällen trocknet das Pflanz-substrat rasch aus, und es muß sehr häufig gewässert werden. Ein Zeichen, daß die Pflanzen einen größeren Topf brauchen.
Es ist nicht immer ohne weiteres festzustellen, ob Pflanzen umgetopft werden müssen. Man muß sie deshalb aus ihren Töpfen nehmen und den Wurzelballen prüfen. Stellen Sie fest, ob die Wurzeln das gesamte Substrat durchdringen. Wenn ja, dann benötigen die Pflanzen einen größeren Topf – meist in der nächsten Größe. Wenn nicht, setzt man sie in ihren alten Topf zurück. Manche Pflanzen gedei-hen gerade in kleinen Gefäßen gut. Dann sollten die Wurzeln über-prüft und die Pflanze mit frischem Substrat wieder in den alten Topf gesetzt werden.
Ist die maximale Topfgröße erreicht oder eine Pflanze zu groß geworden, kann man, statt umzutopfen, das Pflanzsubstrat teilweise erneuern. Dazu entfernt man die obere Schicht und ersetzt sie durch frische, mit Dünger versetzte Erde.
Da Umtopfen mitunter viel Schmutz macht, ist es ratsam, stets mehrere Pflanzen gleichzeitig umzutopfen und Möbel und Fußböden mit Zeitungspapier abzudecken. Halten Sie alles, was Sie brauchen (Pflanz-substrate, Töpfe, Dünger und Drai-nagematerial), griffbereit. Achten Sie darauf, daß sämtliche Pflanzgefäße sauber sind. Neue Tontöpfe müssen gewässert werden, bis keine Luft-blasen mehr aufsteigen. So wird vermieden, daß der Tontopf dem Substrat Wasser entzieht.

Pflanzen aus Töpfen nehmen

Diese Arbeit ist mitunter gar nicht einfach, wenn Pflanzen groß sind, einen ungewöhnlichen Wuchs oder spitze Dornen haben. Decken Sie die Arbeits-fläche mit Zeitungspapier ab und wässern Sie die Pflanzen eine Stunde vor dem Umtopfen. Sie lassen sich dann leichter aus dem Topf nehmen, ohne daß Wurzeln zu Schaden kommen. Die Pflanzen möglichst rasch wieder ein-topfen, damit die Wurzeln nicht austrocknen.

Pflanzen aus kleinen Töpfen nehmen

1 Die Hand so auf den Blumentopf legen, daß der Haupttrieb zwischen den Fingern sitzt.

2 Den Topf umdrehen und den Rand vorsich-tig gegen die Tischkante klopfen.

3 Der Wurzelballen sollte nun leicht heraus- und in Ihre Hand gleiten.

Pflanzen aus großen Töpfen nehmen

 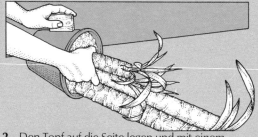

1 Die Schneide eines stumpfen Messers oder einen Spatel am Topf-rand vorsichtig um das Substrat führen.

2 Den Topf auf die Seite legen und mit einem Holzklotz daraufklopfen, um das Substrat zu lockern. Den Topf langsam drehen und dabei immer wieder auf die Topfwand klopfen. Die Pflanze mit der anderen Hand stützen.

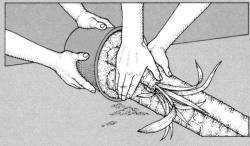

3 Vergewissern Sie sich, daß sich der Erdballen vollkommen gelöst hat, bevor Sie versuchen, die Pflanze herauszuneh-men. Bei sehr großen Pflanzen muß ein Helfer zupacken. Einer hält die Pflanze, der andere zieht den Topf ab.

Einen Kaktus aus dem Topf nehmen

1 Bei stacheligen und dornigen Pflanzen be-nutzt man gefaltetes Pa-pier, um die Hand zu schützen.

2 Das Papier um den Kaktus legen. Es muß so lang sein, daß man es gut halten kann.

3 Das Papier mit der Hand festhalten, mit der anderen vorsichtig den Topf abziehen.

In einen größeren Topf umpflanzen

Umgetopft werden sollte zu Beginn der Wachstumsperiode und nicht kurz vor oder während der Ruhezeit, da sich sonst keine neuen Wurzeln entwickeln und das neue Substrat durchdringen. Dann entsteht Staunässe, und die vorhandenen Wurzeln beginnen zu faulen. Topfen Sie außerdem nie eine kränkelnde Pflanze um (außer ihr Topf ist tatsächlich zu klein), weil es einen unnötigen Schock zur Folge haben könnte. Nach dem Umtopfen sollten Pflanzen vier bis sechs Wochen nicht gedüngt werden, damit sie, auf der Suche nach Nahrung, mit ihren neuen Wurzeln das frische Substrat durchwachsen.

Wann ist der Topf zu klein
Wenn ein Topf zu klein wird, erkennt man dies am ehesten daran, daß neue Wurzeln um den Wurzelballen herumwachsen. Sie bilden ein dichtes Geflecht und drehen sich am Boden des Topfes in einer dicken Spirale auf.

Dichtes Wurzelgeflecht auf der Außenseite des Wurzelballens.

Wurzeln beginnen sich zu einer Spirale aufzudrehen.

Wurzeln bilden ein dichtes Geflecht und wachsen aus dem Abzugsloch heraus.

1 Moos oder anderen grünen Belag von der Erdoberfläche entfernen.

2 Drainagematerial einfüllen und darauf achten, daß die Pflanze wieder in gleicher Höhe sitzt wie zuvor.

3 Den alten Topf in den neuen stellen und den Zwischenraum mit Pflanzsubstrat auffüllen.

4 Die Pflanze einsetzen und noch vorhandene Lücken mit Erde auffüllen. Die Erde vorsichtig andrücken.

Umpflanzen in Töpfe gleicher Größe

Nicht immer brauchen Pflanzen einen größeren Topf. Ist der Topf nicht zu klein, oder gedeiht eine Pflanze gerade in kleineren Gefäßen gut, so setzt man sie mit frischem Substrat in einen neuen Topf gleicher Größe um. Oft genügt es, einen Teil der alten Blumenerde zu entfernen und sie durch etwas frisches, nährstoffreiches Substrat zu ersetzen. Wächst eine Pflanze zu rasch oder ist sie bereits sehr groß, kann man die Wurzeln beschneiden, um Platz für frisches Substrat zu schaffen.

1 Die Pflanze vorsichtig aus dem Topf nehmen. Zuvor eine Stunde wässern, dann ist es einfacher.

2 Damit frisches Substrat Platz hat, eventuell Teile des Wurzelballens wegschneiden.

3 Die Pflanze in einen sauberen Topf gleicher Größe setzen. Frisches Substrat auffüllen und andrücken.

Die obere Erdschicht erneuern

Gutwachsende Pflanzen, die schon mehrfach umgetopft wurden, sind irgendwann zu groß, um noch weiter umgetopft zu werden. Dann muß man ihnen auf andere Weise die notwendigen Nährstoffe zuführen. Am besten erneuert man dann jedes Frühjahr die obere Erdschicht. Dieses Verfahren eignet sich auch für Zimmerpflanzen wie Amaryllis, die keine Wurzelstörung vertragen und ohnehin in kleinen Töpfen besser gedeihen. Verwenden Sie stets frisches Substrat mit einem nährstoffreichen Langzeitdünger.

1 Entfernen Sie mit einer alten Gabel vorsichtig einige Zentimeter des Pflanzsubstrats, ohne aber die Wurzeln dabei zu beschädigen.

2 Dann den Topf mit frischem Pflanzsubstrat so hoch wie zuvor auffüllen. Das Substrat andrücken, damit die Pflanze guten Halt im Topf bekommt.

Kunstlicht

Der Einsatz von Kunstlicht findet unter Zimmerpflanzenliebhabern immer mehr Verbreitung. Sie verwenden es als Ersatz beziehungsweise Ergänzung des natürlichen Lichts, oder aber um Pflanzen an Standorten zu beleuchten, die normalerweise nicht hell genug sind, um ein gesundes Pflanzenwachstum oder eine regelmäßige Blütenentwicklung zu gewährleisten.

Gängige Glühlampen können in unmittelbarer Nähe von Pflanzen Verbrennungen verursachen. In größerem, sicherem Abstand aber reicht ihre Lichtausbeute für die Pflanzenkultur nicht aus. »Flood«-Lampen mit einer Reflexschicht sind wirkungsvoller, da sie den Lichtstrahl bündeln. Aber auch sie eignen sich nur dazu, Pflanzenarrangements dekorativ hervorzuheben (s. S. 36/37). Am empfehlenswertesten und wirtschaftlichsten für die Kultur von Zimmerpflanzen sind Leuchtstoffröhren, die es in verschiedenen Lichtfarben gibt. Die Lichtfarbe entsteht durch Innenbeschlemmung der Röhre. Wenn Sie eine Fassung für zwei Röhren verwenden, so kommt eine Kombination der Lichtfarben »Natura« und »Tageslicht« dem natürlichen Licht am nächsten. Wichtig für Pflanzen sind der blaue und der rote Spektralbereich. Das bedeutet, das Licht der »Tageslicht«-Röhren liegt mehr im blauen und weniger im roten Spektralbereich, die Lichtfarben »Warmton« und »Natura« dagegen mehr im roten und weniger im blauen. Die einfachsten Leuchten bestehen aus einem Reflektor, in dem ein oder zwei Röhren sitzen, und Standbeinen. Hier können die Pflanzen direkt unter die Lampen gestellt werden.

Daneben gibt es aber auch Vorrichtungen aus Borden mit mehreren Röhren, die die Pflanzen darunter direkt beleuchten. Sie können Lampen für Pflanzen aber auch an Regalen, Borden oder unter Hängeschränken anbringen. Eigenkonstruktionen sollten Sie auf jeden Fall von einem Fachmann anschließen lassen.

In der Natur brauchen nicht alle Pflanzen gleich viel Licht (s. auch S. 244/245), und bei Kunstlicht ist das nicht anders. Wenn Pflanzen zu nah an einer Lichtquelle stehen, können ihre Blätter verbrennen, stehen sie zu weit entfernt, vergeilen sie. Und blühende Arten entwickeln weniger Blüten als sonst. Pflanzen, die man wegen ihrer Blüten hält, wie Usambaraveilchen (*Saintpaulia-Ionantha*-Hybriden), sollten in 20 bis 30 cm Abstand von den Röhren aufgestellt werden. Für die meisten Blattpflanzen aber sind 30 bis 40 cm empfehlenswerter. Stecklinge entwickeln sich bei Kunstlicht sehr gut, sofern der richtige Abstand eingehalten wird. Werden Pflanzen ausschließlich mit Kunstlicht gezogen, brauchen Blattgewächse pro Tag etwa 12 bis 14 Stunden Licht und blühende Arten 16 bis 18 Stunden, ausgenommen Kurztagpflanzen, wie der Weihnachtsstern (*Euphorbia pulcherrima*), die mit weniger Licht auskommen. Sie können auch eine elektrische Zeitschaltuhr installieren, damit sich die Lampen zur geeigneten Zeit einschalten. Werden die Lampen nur als zusätzliche Lichtquelle im Winter verwendet, sollten die Pflanzen möglichst viel normales Tageslicht bekommen und dann abends noch etwa 5 bis 6 Stunden beleuchtet werden.

Dekorativ und funktionell (links)
Diese kleine Leuchte ist mit einer Spezialbirne versehen, die ausreichend Licht für den Schwertfarn (*Nephrolepis exaltata* › Bostoniensis ‹) gibt. Ohne die Leuchte wäre der Platz zu dunkel, um ein gesundes Wachstum zu gewährleisten. Das Licht hat auch eine dekorative Funktion – es wirft einen hübschen Schatten auf die dahinterliegende Wand.

Lampentypen (unten)
Es gibt Leuchtstoffröhren mit unterschiedlicher Länge und Leistung; sie sind zur künstlichen Beleuchtung von Pflan-

zen am besten geeignet. Durch einen speziell zusammengesetzten Leuchtstoff wird das Wachstum von Pflanzen gefördert. Halogenlampen bringen Pflanzen sehr schön zur Geltung und sind darüber hinaus in verstellbaren Leuchten im Handel.

Einfach, aber wirksam (rechts)
Eine 2 m lange, von der Decke herabhängende Leuchtstoffröhre mit sehr weitem Ausstrahlungsbereich.

Zusätzliche Lichtquelle (rechts)
Eine einfache Lichtquelle, wie diese
an einem Holzbalken aufgehängte Leuchte, ist schnell und problemlos angebracht. Sie kann an Standorten, die sonst
für eine gesunde Pflanzenentwicklung
zu dunkel wären, einer großen Pflanzengruppe Licht spenden.

Unabhängige Beleuchtung (unten)
Diese Leuchte ermöglicht Pflanzen wie
Usambaraveilchen, die normalerweise im
September blühen, den ganzen
Winter hindurch Blüten hervorzubringen.

Hydrokultur

In Hydrokultur gezogene Pflanzen wachsen in Gefäßen, die zum Teil mit mit Nährstoffen angereichertem Wasser gefüllt sind. Ursprünglich bezeichnete man diese Methode als Hydroponik. In ihrer einfachsten Form findet man sie heute noch da, wo auf wassergefüllte Zwiebelgläser Hyazinthenzwiebeln (Hyacinthus orientalis) gesetzt werden, die ihre Wurzeln in das Wasser ausschicken. In den siebziger Jahren begannen dann Gärtner Zimmerpflanzen anzubieten, die in wasserdichten Spezialgefäßen wuchsen, welche zum Stützen der Pflanzenwurzeln mit einem besonderen Haltesubstrat gefüllt waren. Um die Nährstoffbedürfnisse der Pflanzen zu decken, setzte man dem Wasser Nährstoffe zu. Die Größe der Gefäße reicht von Behältern für einzelne Pflanzen bis zu Großgefäßen für ganze Pflanzengemeinschaften, die sich in Banken, Büchereien, Krankenhäusern und Ämtern großer Beliebtheit erfreuen, weil die Pflege der darin wachsenden Pflanzen relativ problemlos ist. Ganz allgemein erfordern die Pflanzen bei diesem Kulturverfahren zwar wenig Aufmerksamkeit, jedoch sind grundlegende praktische Kenntnisse erforderlich, um damit auch tatsächlich Erfolg zu erzielen. Zu den Vorteilen der Hydrokultur zählen noch ein gesundes, kräftiges Wachstum und das Nichtvorhandensein bodenabhängiger Krankheiten und Schädlinge.

Zu den Grundmaterialien für die Hydrokultur gehören das Halte- oder Füllsubstrat, das meist in Folienbeuteln abgepackt ist, und ein Hydrokulturtopf, der entweder einzeln oder mit einem Einsatz verwendet wird. Das Haltesubstrat muß sauber und reaktionsfrei sein. Man kann zwar Kies, Splitt oder Perlite verwenden, jedoch nimmt man heute den dafür speziell hergestellten Blähton. Bei letzterem handelt es sich um leichte Tonkügelchen unterschiedlicher Größen, die bei hohen Temperaturen unter Einwirkung von Preßluft in einem Ofen gebrannt werden. Diese im Innern wabenartig strukturierten Kügelchen haben den großen Vorteil, daß sie das Wasser aus dem Speicher am Gefäßboden nach oben leiten und auf diese Weise auch die Kügelchen der oberen Schicht befeuchtet werden. Ein weiterer wichtiger Faktor ist, daß zwischen den oberen Kügelchen, wo sich die meisten Pflanzenwurzeln befinden, die Luft gut zirkulieren kann.

Nährstoffversorgung

Um in Hydrokultur wachsende Pflanzen zu ernähren, wird dem Wasser ein Dünger zugesetzt. Es gibt hier verschiedene Möglichkeiten. Am einfachsten ist die, dem Wasser im Speicher einen normalen Flüssigdünger zuzusetzen, doch besteht bei dieser Methode die Gefahr, daß Nährstoffe, die von den Pflanzen nicht sofort gebraucht werden, auskristallisieren. Man verwendet daher einen speziellen Hydrokultur-Dünger mit Langzeitautomatik, einen sogenannten Ionenaustauscher, wie Lewatit HD5. Er hat den Vorteil, daß er die Nährstoffe nicht fortgesetzt wahllos abgibt, sondern nur dann, wenn dem Wasser ein bestimmtes Element fehlt. Es können sich daher auch keine schädlichen chemischen Substanzen ablagern.

Gefäße für die Hydrokultur

Im wesentlichen kann man hier zwischen zwei Typen unterscheiden: einzelne Gefäße und solche, die aus einem Übertopf und einem Einsatz bestehen (Topf-in-Topf-System). Einfache Gefäße können aus beliebigem wasserdichten Material sein (außer aus unbe-

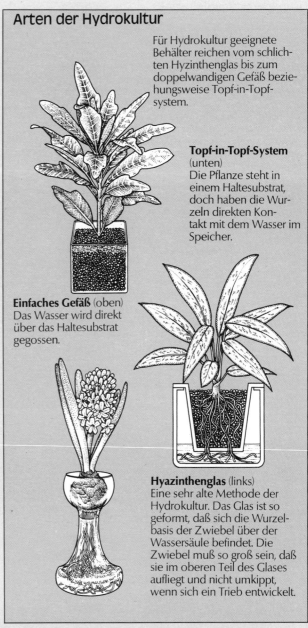

Arten der Hydrokultur

Für Hydrokultur geeignete Behälter reichen vom schlichten Hyzinthenglas bis zum doppelwandigen Gefäß beziehungsweise Topf-in-Topf-system.

Topf-in-Topf-System (unten)
Die Pflanze steht in einem Haltesubstrat, doch haben die Wurzeln direkten Kontakt mit dem Wasser im Speicher.

Einfaches Gefäß (oben)
Das Wasser wird direkt über das Haltesubstrat gegossen.

Hyazinthenglas (links)
Eine sehr alte Methode der Hydrokultur. Das Glas ist so geformt, daß sich die Wurzelbasis der Zwiebel über der Wassersäule befindet. Die Zwiebel muß so groß sein, daß sie im oberen Teil des Glases aufliegt und nicht umkippt, wenn sich ein Trieb entwickelt.

handeltem Metall, das von chemischen Substanzen angegriffen werden und rosten kann) und sollten eine stabile Standfläche haben. Empfehlenswert sind Töpfe aus Kunststoff, Keramik oder Naturstein. Die Glasgefäße auf den Illustrationen wurden nur aus demonstrativen Gründen gewählt. Denn Glas ist lichtdurchlässig und somit nachteilig für die Wurzeln, außerdem veralgen sie schnell. Beim Topf-in-Topf-System wird in ein wasserdichtes Mantelgefäß ein zweiter Topf eingesetzt, der das Haltesubstrat und die Pflanze beherbergt. Meist handelt es sich um einen Gitter- oder Anzuchttopf aus Kunststoff, der Luft und Wasser zwischen Kügelchen und Pflanzenwurzeln gut zirkulieren läßt.

In beiden Fällen sollte das Wasser nie im oberen, sondern stets im unteren Bereich sein (der optimale H_2O-Stand beträgt 3 cm). Bei einfachen Gefäßen wird etwa das untere Viertel oder Drittel des Substrats unter Wasser gesetzt, bei doppelwandigen Gefäßen reicht es in der Regel aus, wenn der innere, mit Substrat gefüllte Behälter direkten Kontakt mit dem Wasserspeicher hat. Ein Wasserstandsanzeiger gibt an, wann Wasser nachgefüllt werden muß.

Bewurzelte Stecklinge in Hydrotöpfe pflanzen

In Wasser bewurzelte Stecklinge werden fast auf die gleiche Weise in Hydrotöpfe gepflanzt wie normale Stecklinge in Erde. Halten Sie die Stecklinge aufrecht und verteilen Sie Haltesubstrat um die Wurzeln. Dann klopfen Sie leicht gegen das Gefäß, damit sich das Substrat setzt. Pflanzen Sie die Stecklinge nie tiefer als in Blumenerde und stellen Sie die Gefäße dann einige Tage schattig, damit sich die Stecklinge eingewöhnen können. Wenn sich kräftige Wurzeln entwickelt haben, kann man die Töpfe an ihren endgültigen Standort bringen.

Stecklinge bewurzeln
Stecklinge von Pflanzen wie Efeu, Tradeskantien und Zebrakraut können in kleinen Töpfen gezogen werden, die mit Haltesubstrat gefüllt sind und auf Untersetzern mit Wasser stehen. Dem Wasser wird etwa ¼ der empfohlenen Menge eines handelsüblichen Düngers zugesetzt.

Das Umtopfen von Hydrokultur-Pflanzen

Eine in Hydrokultur gezogene Pflanze wächst rasch und entwickelt ein sehr viel kompakteres Wurzelsystem als eine Pflanze in Erde. Sie muß daher auch nicht jedes Jahr umgetopft werden, sondern erst, wenn die Wurzeln das Gefäß ausfüllen. Das Verfahren unterscheidet sich nicht wesentlich vom Umtopfen mit Erde, läßt sich aber sauberer und rascher durchführen. Wichtig ist, beim Umtopfen wieder den gleichen Gefäßtyp zu verwenden. Bei doppelwandigen Gefäßen muß sowohl der äußere als auch der innere Behälter größer sein, damit das Größenverhältnis gleich bleibt.

1 Eine Schicht sauberes Haltesubstrat auf dem Boden des neuen Gefäßes verteilen. Die Pflanze aus dem alten Topf nehmen. Dabei nicht an den Wurzeln zerren, sonst brechen sie ab.

2 Die Pflanze in das neue Gefäß halten und darauf achten, daß sie sich wieder in der ursprünglichen Höhe befindet. Die Wurzeln ausbreiten und um sie herum frisches Haltesubstrat verteilen.

3 Wenn die Pflanze einen guten Halt hat, füllt man das Gefäß zu einem Drittel mit Wasser oder bis zu dem Punkt, an dem der Wasserstandsanzeiger auf »voll« steht.

Eine Pflanze von Blumenerde auf Hydrokultur umstellen

Eine gut- und vollentwickelte Pflanze auf Hydrokultur umzustellen, ist im allgemeinen nicht empfehlenswert, weil sie dadurch einen Schock erleidet. Dennoch ist es möglich. In diesem Fall benötigt die Pflanze 10 bis 12 Wochen Wärme und hohe Luftfeuchtigkeit, um sich wieder zu erholen. Ein beheizter Vermehrungskasten ist ideal, doch auch ein Warmhaus ist dafür geeignet, vorausgesetzt, man sorgt für die notwendige Luftfeuchtigkeit durch eine zeltartige Folienhaube, unter der die Temperatur konstant bleibt. Während dieser Übergangsperiode sterben alle alten, in der Erde entstandenen Wurzeln ab, und es entwickeln sich neue, die an Wasser angepaßt sind.

1 Die Pflanze aus dem Topf nehmen und darauf achten, daß der Wurzelballen nicht beschädigt wird. Bei seltenen oder wertvollen Pflanzen ist eine Umstellung nicht ratsam.

2 Während man die Pflanze mit einer Hand stützt, zieht man den Wurzelballen vorsichtig auseinander und entfernt möglichst viel Blumenerde, ohne Wurzeln abzubrechen.

3 Die Wurzeln unter einem weichen Wasserstrahl gründlich waschen. Das Wasser darf nicht zu kalt sein, weil die Pflanze sonst abermals geschockt wird.

Schneiden und Erziehen

Manche Zimmerpflanzen müssen regelmäßig geschnitten oder aber erzogen werden, damit sie eine gewünschte Form beibehalten oder annehmen. Zu eng stehende, querwachsende Triebe müssen herausgeschnitten und der Wuchs von Zweigen und Ästen in eine bestimmte Richtung gelenkt werden. Bei anderen Pflanzen ist es notwendig, die Vegetationspunkte auszuknipsen, damit sie statt langen, dünnen Trieben eine dichte, buschige Form entwickeln. Bei einigen Kletterpflanzen müssen neue Triebe gestützt werden, weil sie allein nicht aufrecht stehen können.

Richtig schneiden

Stets dort, wo sich ein neuer Trieb entwickeln soll, dicht über der Knospe einen Schnitt machen. Er muß von der Knospe weg schräg nach unten verlaufen. Der Stumpf darf nicht lang sein, weil er sonst fault.

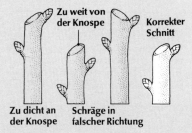

Zu weit von der Knospe

Korrekter Schnitt

Zu dicht an der Knospe

Schräge in falscher Richtung

Wann wird geschnitten

Fast alle Pflanzen sollten im Frühjahr geschnitten werden, da zu dieser Zeit die aktive Wachstumsphase wieder einsetzt. Allerdings kann man zu lange Triebe, die im Weg sind oder zu dicht stehen, im allgemeinen auch im Herbst schneiden.

Verschiedene Pflanzen entwickeln nur an neuen Trieben Blütenknospen, deshalb kann man im Frühjahr einen großen Teil der alten Triebe wegschneiden, ohne daß die Blüte der kommenden Saison darunter leidet. Bei Holzpflanzen allerdings ist es meist ratsamer, sie nur bis auf das letztjährige Holz zurückzuschneiden und nicht weiter.

Welches Werkzeug auch verwendet wird, es muß scharf sein, damit die Triebe nicht gequetscht oder auf andere Weise geschädigt werden. Für krautige Stengel eignet sich eine Rasierklinge, ein Skalpell oder ein skalpellähnliches Messer, bei buschigen Pflanzen kommt man mit einer spitzen Schere gut an die Blattachseln. Für holzige Stämme ist eine Gartenschere erforderlich.

Entfernung welker Blüten

Welke Blüten müssen entfernt werden, damit die Pflanzen ihre Kraft statt wie in der Natur auf die Samenentwicklung auf die Ausbildung neuer Blüten verwenden.

Blüten mit langen Stielen
Bei Pflanzen, deren Blütenstiele direkt aus der Pflanzenbasis wachsen, dreht oder knipst man welke Blüten mit dem ganzen Stiel ab.

Blüten mit kurzen Stielen
In Büscheln oder an kurzen Stielen stehende, welke Blüten werden entfernt, indem man sie mit Daumen und Zeigefinger ausknipst.

Zurückschneiden

Der Rückschnitt ist die wohl drastischste Form des Schneidens, doch in der Regel verschönt er die Pflanzen. Dabei werden alle unerwünschten Triebe entfernt und schöne Pflanzen, die andernfalls für die Zimmerhaltung zu groß würden, in der Größe entsprechend reduziert. Ein drastischer Rückschritt fördert oft das Wachstum, weil man alte, schwächliche Teile entfernt und die Entwicklung neuer, kräftiger und dichtbelaubter Triebe unterstützt.

Lange, dünne Triebe zurückschneiden

Schnellwüchsige Pflanzen, die klettern oder an Reifen und Stäben gezogen werden, können nach ein, zwei oder drei Wachstumsperioden ihre Form verlieren. Jasmin zum Beispiel ist eine Kletterpflanze, die einen besonders drastischen Rückschnitt erfordert. Hier können mit Ausnahmen der ganz jungen Triebe zu Frühjahrsbeginn alle Pflanzenteile entfernt werden. Bis zum Sommer entwickeln sich neue Triebe.

1 Bei spärlichem Wuchs wird durch Zurückschneiden ein schönerer, buschigerer Wuchs gefördert.

Dichten Wuchs fördern

Bei Pflanzen mit langen Trieben, wie Efeu oder Philodendron, entstehen im Winter unter Umständen große Abstände zwischen den Blättern, was durch schlechtes Licht oder beengte Verhältnisse verursacht sein kann. Hier müssen die betroffenen Stengel zurückgeschnitten werden, damit sich neue, dichtbelaubte Triebe entwickeln können (die Triebspitzen lassen sich auch als Stecklinge verwenden).

1 Triebe mit weit auseinanderstehenden Blättern – insbesondere bei kriechenden Pflanzen – zurückschneiden.

Große Pflanzen zurückschneiden

Da das Wachstum durch einen Rückschnitt gewöhnlich gefördert wird, ist ein Zurückschneiden um 10 bis 15 cm bei großen Pflanzen nur eine vorübergehende Lösung. Wenn ein Gummi- oder Drachenbaum fast die Decke erreicht hat und man will ihn noch einige Jahre im Haus halten, muß man ihn um mindestens 1 m zurückschneiden. Die Pflanze sieht dann vielleicht einige Wochen etwas merkwürdig aus, doch sobald sich neue Blätter entwickeln, hat sich der Rückschnitt gelohnt.

1 Zu groß gewordene, schöne Pflanzen können drastisch zurückgeschnitten werden, damit man sie noch einige Jahre im Haus halten kann.

Ausknipsen

Bei Pflanzen, die von Natur aus
lange, unverzweigte Triebe ausbilden, sollte man häufig die
Spitzen ausknipsen, weil ein
dichterer Wuchs schöner ist.
Dasselbe gilt für Kletter- und
Kriechpflanzen.

Wie man ausknipst (rechts)
Mit Daumen und Zeigefinger
die Triebspitze abkneifen.

2 Die Triebe vom Reifen
abnehmen und – mit Ausnahme von zwei der jüngsten
Triebe – alle zurückschneiden.

3 Die verbliebenen Triebe
um den Reifen winden und mit
Beutelverschlüssen befestigen.

2 Lange, dünne Triebe bis zu
einem Punkt (Knoten) zurückschneiden, an dem die Blätter
wieder dichter werden.

3 Unter normalen Wachstumsbedingungen entwickeln
sich bald dichtbelaubte Triebe.

2 Holzpflanzen mit einer
Gartenschere kappen und so
bis auf die Hälfte ihrer ursprünglichen Größe reduzieren.

3 Damit sie nicht bluten, die
Schnittstelle gegebenenfalls mit
pulverisierter Holzkohle bestäuben. Für gute Bedingungen
sorgen, damit die Pflanze schön
wachsen kann. In vier bis sechs
Wochen haben sich neue
Blätter entwickelt.

Pflanzen erziehen

Viele Zimmerpflanzen lassen sich durch Schneiden
oder Ausknipsen in einer Vielfalt von Formen erziehen.
Da gibt es zum Beispiel Büsche und hohe Pflanzen mit
kahlen Stämmen, sogenannte Hochstämmchen, oder an
Stützen wachsende Pflanzen. Die meisten Gewächse
erhalten innerhalb weniger Jahre eine schöne Form.

Ein Hochstämmchen erziehen

1 Alle sich am Stamm
entwickelnden Seitentriebe
entfernen, nicht aber das
Laub.

2 In der gewünschten
Höhe den Vegetationspunkt
ausknipsen und die Blätter
vom Stamm abstreifen.

Eine buschige Pflanze erziehen

1 Die Triebspitzen ausknipsen, um die Entwicklung
von Seitentrieben anzu-
regen.

2 Damit die buschige
Form erhalten bleibt, auch
die Spitzen neuer Seiten-
triebe ausknipsen.

Pflanzen an einer Stütze erziehen

Pflanzen können gestützt werden, indem man die Triebe an
dünnen Kunststoff- oder Bambusstäben, Drahtreifen oder Spalieren festbindet. Zum Befestigen
kann man Schnur, Bast, Draht-
ringe oder Beutelverschlüsse
nehmen. Die Befestigung darf
nicht zu eng sein, da die Stengel
dicker werden.

Rund

Rechteckig

Fächerförmig

Vermehrung 1

Alle Pflanzen erreichen irgendwann ein Stadium, in dem sie nicht mehr so schön wie früher aussehen und durch jüngere, kräftigere Exemplare ersetzt werden sollten. Eine gute und preiswerte Methode zur Verjüngung des Pflanzenbestandes ist die Vermehrung zu Hause.

Bei der Anzucht neuer Pflanzen unterscheidet man zwischen zwei Hauptgruppen: der Aussaat (s. S. 269) und der vegetativen Vermehrung.

Vegetative Vermehrung

Bei der vegetativen Vermehrung nimmt man einen bestimmten Teil einer Pflanze und regt ihn an, eigene Wurzeln auszubilden, damit er weiterwachsen und sich zu einer neuen Pflanze entwickeln kann.

Vermehren kann man fast mit allen Pflanzenteilen: mit Brutpflanzen (die sich an Blättern oder kriechenden Ausläufern bilden), Kindeln, Trieben oder Blättern. Sie können Pflanzen aber auch teilen (s. S. 267) und Zweige oder Stämme absenken beziehungsweise abmoosen (s. S. 268). Manche Pflanzen lassen sich nach mehreren der genannten Verfahren vermehren, wieder andere nur auf eine Weise. Je schneller sich ein Teil bewurzeln und zu einer selbständigen Pflanze entwickeln kann, um so sicherer ist die Methode. Unbewurzelte Teilstücke sind vielen Gefahren wie Welken, Faulen und so weiter ausgesetzt. Für die Vermehrung durch Stecklinge sind spezielle Bewurzelungssubstrate erhältlich, die das Wasser halten und gut durchlüftet sind, aber nur wenige Nährstoffe enthalten, die die Wurzeln verbrennen könnten.

Für praktisch alle Arten der vegetativen Vermehrung ist das Frühjahr der geeignetste Zeitpunkt, wenn das Wachstum erneut beginnt.

Geräte und Materialien

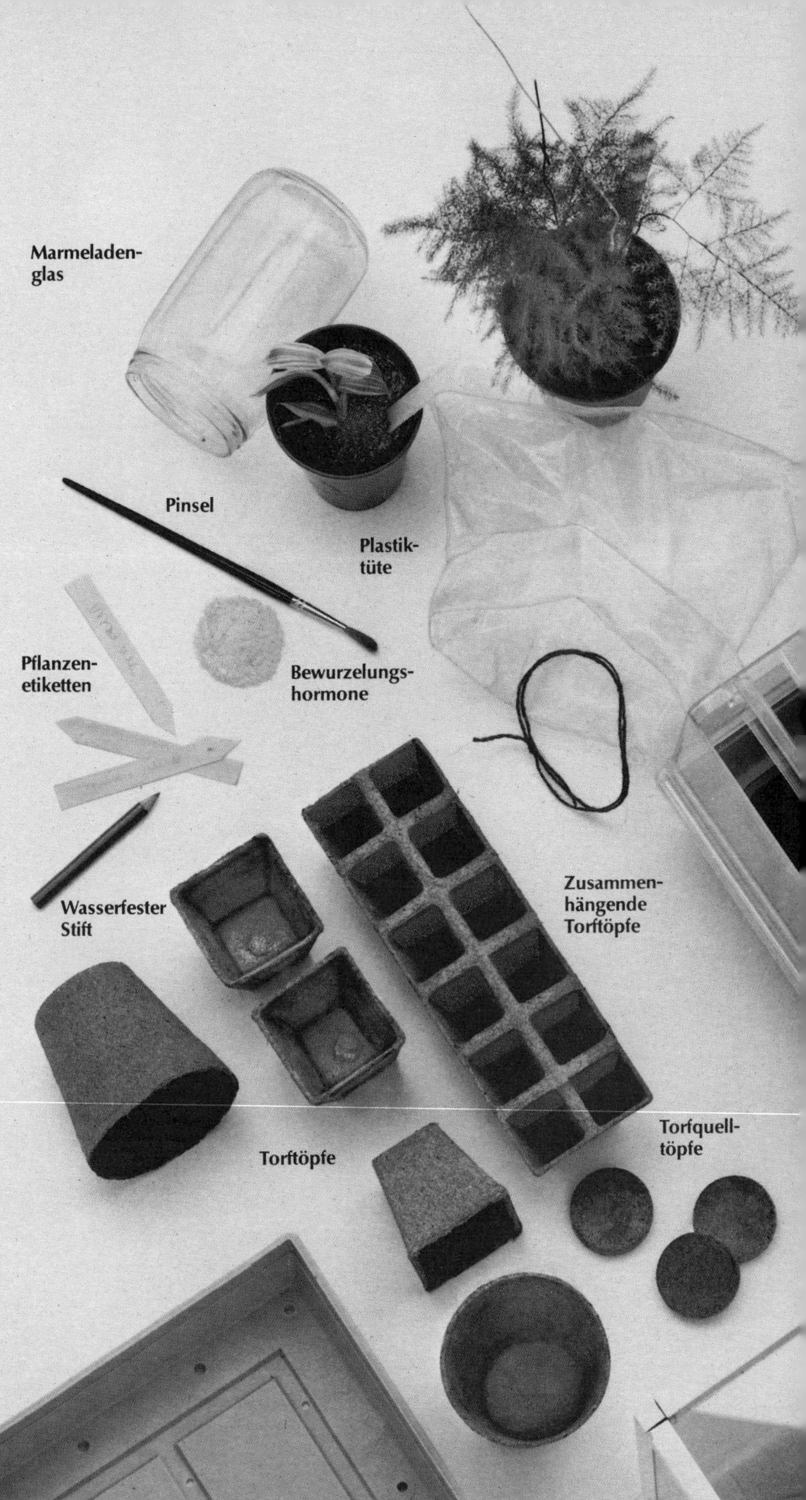

Marmeladenglas

Pinsel

Plastiktüte

Pflanzenetiketten

Bewurzelungshormone

Wasserfester Stift

Zusammenhängende Torftöpfe

Torftöpfe

Torfquelltöpfe

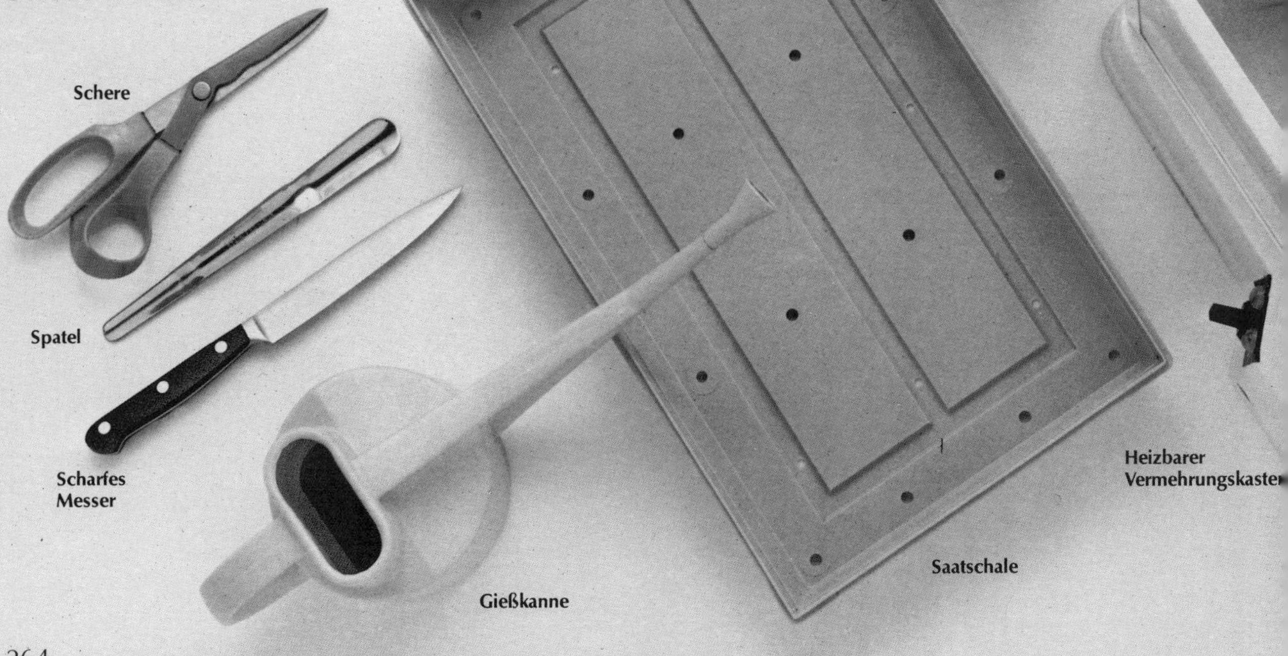

Schere

Spatel

Scharfes Messer

Heizbarer Vermehrungskasten

Saatschale

Gießkanne

Vermehrungskasten

Vermehrung durch Triebstecklinge

Die Stecklinge sollten mit einem sehr scharfen Messer oder einer Rasierklinge geschnitten werden, weil gequetschte oder ausgerissene Stengel leicht faulen. Wenn möglich, sollte die Mutterpflanze etwa zwei Stunden vor dem Stecklingsschnitt gewässert werden, denn Triebe und Blätter sind dann prall mit Wasser gefüllt. Bei der Verwendung von blütentragenden Trieben knipst man zuerst vorsichtig die Blüten ab. Die Bewurzelung wird beschleunigt, wenn man die Enden der Stecklinge in Bewurzelungshormone taucht.

Bewurzelung krautiger Stecklinge in Wasser

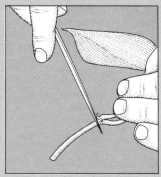

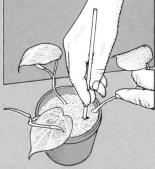

1 Den Trieb direkt oberhalb von einer Blattachsel oder einem Knoten mit scharfem Messer oder einer Schere sauber abtrennen.

2 Den Steckling direkt unterhalb des tiefsten Knotens beziehungsweise der tiefsten Blattachsel abschneiden, die unteren Blätter vorsichtig abstreifen.

3 Steckling ins Wasser stellen. Nach etwa vier Wochen haben sich 2 bis 4 cm lange neue Wurzeln entwickelt. Der Steckling kann eingepflanzt werden.

Bewurzelung krautiger Stecklinge in Pflanzsubstrat

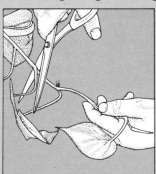

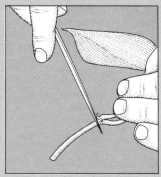

1 Einen gesunden Trieb mit dicht beisammensitzenden Knoten sauber abschneiden, so daß Sie einen 10 bis 15 cm langen Kopfsteckling erhalten.

2 Den Steckling direkt unterhalb des tiefsten Blattknotens abschneiden und die unteren Blätter entfernen, damit sie im Pflanzsubstrat nicht faulen.

3 Mit einem Stab einige Löcher machen und mehrere Stecklinge in einen Topf setzen. Mit den Fingern die Erde vorsichtig andrücken.

Vermehren durch Stammstecklinge

1 Beim Vermehren verholzter Pflanzen entfernt man noch verbliebene untere Blätter und schneidet den Stamm in kurze Stücke, die jeweils mindestens einen Knoten haben sollten. Die Bewurzelung kann einige Wochen länger dauern als bei krautigen Stecklingen.

2 Die Stecklinge waagrecht oder senkrecht in Pflanzsubstrat setzen. An den unterirdischen Knoten entwickeln sich Wurzeln, an den freiliegenden Knoten neue Triebe.

Vermehrung 2

Vermehrung durch Blattstecklinge

Manche Pflanzen können auch durch Blattstecklinge vermehrt werden. Man bricht oder schneidet ein ganzes Blatt mit Stiel von der Mutterpflanze ab und setzt es in leicht feuchtes Bewurzelungssubstrat, in einigen Fällen auch in Wasser. Die Blätter sollten in einem Winkel von 45 Grad und nicht zu tief in die Erde gesteckt werden. Eventuell lehnt man sie gegen den Topfrand, um sie gut abzustützen. An der Schnittstelle des Blattstieles oder entlang der Blattnerven entwickeln sich neue Wurzeln und Triebe. Blattstecklinge können einzeln in kleine Töpfe oder zu mehreren in größere Gefäße oder flache Schalen gepflanzt werden. Zieht man eine Plastiktüte über das Gefäß, entsteht eine feuchte Atmosphäre, die weiteres Gießen im allgemeinen erspart. Usambaraveilchen und Rhizom-Begonien gehören zu den beliebten Zimmerpflanzen, die sich auf diese Weise vermehren lassen. Die ausgewählten Blätter sollten weder zu alt noch zu jung sein, was, beim Usambaraveilchen zum Beispiel, bedeutet, daß man weder die ganz äußeren noch die ganz inneren Blätter verwendet. Das Laub großblättriger Begonien sollte nicht in Stücke geschnitten werden, da es leicht fault, doch kann man die Blätter ganz verwenden, wenn man die Ränder stutzt, um die Blattfläche und den durch die Transpiration bedingten Wasserverlust zu verkleinern.

Bewurzelung von Blattstecklingen in Pflanzsubstrat

1 Ein Blatt mit scharfem Messer oder einer Rasierklinge abschneiden und den Stengel auf 4 bis 5 cm Länge kürzen.

2 Blatt in leicht feuchtes Pflanzsubstrat setzen. Plastiktüte darüberziehen, um die Luftfeuchtigkeit zu erhöhen.

3 Haben sich an der Basis der Blätter neue Pflänzchen entwickelt, werden sie von dem alten Blatt abgeschnitten.

Bewurzelung von Blattstecklingen in Wasser

1 Ein gesundes Blatt mit Stiel abschneiden und den Stiel auf 4 bis 5 cm Länge kürzen.

2 Ein wassergefülltes Einmachglas mit Folie abdecken, einige Löcher in die Folie schneiden und die Blätter hineinstecken.

3 Unter Wasser entwickeln sich Wurzeln und Jungpflanzen. Sie können abgetrennt und in Pflanzsubstrat gesetzt werden.

Bewurzelung von Blattstücken in Pflanzsubstrat

Bei bestimmten Pflanzen, unter ihnen Bogenhanf, Drehfrucht und Steppdeckenpeperomie, können die Blätter auch in Stücke geschnitten werden, an denen sich dann Wurzeln und viele neue Pflanzen bilden. Bei dem Blattstück einer Drehfrucht schiebt sich ein ganzes Büschel Jungpflanzen aus der Erde, beim Bogenhanf dagegen entwickelt sich meist nur ein Jungpflänzchen aus der Schnittstelle. Es muß stets der untere Rand der Blattstücke in die Blumenerde gesteckt werden, weil sich andernfalls keine Wurzeln bilden. Bogenhanf und Drehfrucht-blätter sollte man quer schneiden und dann fast senkrecht so in sandiges Substrat setzen, daß zwischen ein Viertel und der Hälfte des Stückes eingegraben ist. Die Blätter der Steppdeckenpeperomie teilt man am besten in vier Teile (man schneidet sie einmal senkrecht und einmal waagrecht durch) und legt sie dann so auf die leicht feuchte Erde, daß die Schnittstellen gerade Kontakt mit ihr haben. Verwendet man wie hier Blätter eines panaschierten Bogenhanfs, entwickeln sich daraus einfarbig grüne Pflanzen.

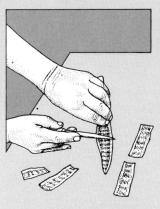

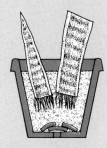

1 Die Mutterpflanze aus ihrem Topf nehmen, ein gesundes, unbeschädigtes und vollentwickeltes Blatt auswählen und es an der Basis abbrechen.

2 Das Blatt mit einem scharfen Messer in 5 bis 8 cm große Stücke schneiden. Jedes große Blatt liefert mehrere Teilstücke, aus denen neue Pflanzen gezogen werden können.

3 Die Blattstecklinge zusammen leicht schräg in das Pflanzsubstrat setzen. Falls notwendig, mit Pflanzenetiketten oder an der Topfwand stützen.

4 An der eingegrabenen Schnittstelle jedes Blattstückes bilden sich neue Wurzeln. Sind gutentwickelte Jungpflanzen herangewachsen, topft man sie ein.

Vermehrung durch Brutpflanzen

Eine Reihe von Zimmerpflanzen entwickelt Brutpflanzen – kleine Kopien ihrer selbst –, die auf ihren Blättern oder an den Enden von Ausläufern (Stolonen) oder ausschwingenden Trieben sitzen können. Werden die Jungpflanzen so lange an der Mutterpflanze belassen, bis sie sich gut entwickelt haben, kann man sie im allgemeinen abnehmen und eintopfen, damit sie in einem Pflanzsubstrat eigene Wurzeln bilden. Judenbart und Grünlilie zum Beispiel können auch abgesenkt werden (s. S. 268), obwohl sich die Brutpflanzen möglicherweise schlechter bewurzeln, solange sie noch durch einen Trieb mit der Mutterpflanze verbunden sind.

Vermehrung durch Kindel

Kindel sind kleine Pflänzchen, die sich an der Basis vollentwickelter Pflanzen bilden. Die meisten entstehen direkt an der Mutterpflanze, manche sitzen aber auch an langen Stengeln oder Stolonen, wie bei Bromelien und Sukkulenten. Auch viele Sorten von Kugelkakteen entwickeln Kindel. Damit Kindel allein weiterwachsen können, sollten sie erst abgenommen werden, wenn sie bereits die Form oder Charakteristika der Mutterpflanzen angenommen haben. Sie besitzen häufig schon einige Wurzeln, wodurch das Anwachsen erleichtert und beschleunigt wird.

Durch Teilung vermehren

Pflanzen, wie Usambaraveilchen, die meisten Farne und einige Kakteen, können gewöhnlich geteilt werden, indem man sie aus ihren Töpfen nimmt und vorsichtig, aber beherzt auseinanderzieht. Jeder Teil sollte aus einer oder mehreren kleinen Pflanzen bestehen. Möglicherweise ist es notwendig, einen Teil des Pflanzsubstrates abzustreifen oder abzuwaschen, damit die einzelnen Pflanzenteile sichtbar werden. Eventuell sind sie durch feste, verfilzte Wurzeln verbunden, die mit einem scharfen Messer durchtrennt werden müssen. Auch Farne haben häufig dichte, verflochtene Wurzelballen, die sich nur schwer teilen lassen.

1 Ein Blatt oder einen Ausläufer mit gutentwickelter Jungpflanze abschneiden. Etwa 3 cm des Blattstieles oder Ausläufers an der Jungpflanze belassen und so einpflanzen, daß die Brutpflanze auf der Oberfläche sitzt.

2 Plastiktüte darüberziehen. Innerhalb von drei Wochen entwickeln sich Wurzeln.

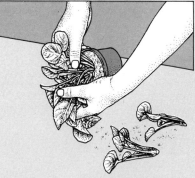 

1 Ein gut bewurzeltes Kindel auswählen und vorsichtig vom Hauptsproß abbrechen. Am besten geschieht dies beim Umtopfen der Mutterpflanze.

2 Die Kindel einzeln in Töpfe mit leicht feuchtem Bewurzelungssubstrat setzen. Die Töpfe unter Plastiktüten stellen, bis die Pflanzen zu wachsen beginnen.

1 Falls notwendig, einen Einschnitt machen, die Daumen hineindrücken und den Wurzelballen in Teile gleicher Größe auseinanderziehen.

2 In der gleichen Höhe wie zuvor einpflanzen. Der Topf sollte etwas größer sein als der Wurzelballen. Sparsam gießen, bis die Teile angewachsen sind.

Vermehrungszeiten

Krautige Stecklinge in Wasser: Ausreichende Wurzeln bilden sich innerhalb von vier bis sechs Wochen. Dann in Pflanzsubstrat setzen.

Krautige Stecklinge in Pflanzsubstrat: Ausreichende Wurzeln bilden sich innerhalb von drei bis vier Wochen.

Stammstecklinge in Pflanzsubstrat: Ausreichende Wurzeln bilden sich innerhalb von acht bis zehn Wochen.

Ganze Blätter in Pflanzsubstrat: Ausreichende Wurzeln bilden sich innerhalb von drei bis vier Wochen; dann dauert es weitere zwei bis fünf Wochen, bis sich oberirdische Pflanzenteile entwickeln.

Ganze Blätter in Wasser: Ausreichende Wurzeln bilden sich innerhalb von drei bis vier Wochen. Dann in Erde umsetzen.

Blattstücke in Pflanzsubstrat: Ausreichende Wurzeln bilden sich innerhalb von vier bis sechs Wochen; nach weiterer vier bis acht Wochen entwickeln sich oberirdische Pflanzenteile.

Brutpflanzen in Pflanzsubstrat: Ausreichende Wurzeln bilden sich innerhalb von drei bis vier Wochen.

Kindel in Pflanzsubstrat: Ausreichende Wurzeln bilden sich innerhalb von drei bis vier Wochen; nach weiteren zwei oder drei entwickelt sich eine Pflanze von verwendbarer Größe.

Geteilte Pflanzen: Innerhalb von zwei bis drei Wochen entwickelt sich eine Pflanze verwendbarer Größe.

Vermehrung 3

Absenken

Bei dieser Vermehrungsmethode bilden Triebe oder Zweige Wurzeln aus, noch während sie Verbindung mit der Mutterpflanze haben. Im Garten senkt man halbverholzte Zweige von Sträuchern ab, indem man sie auf die Erde herabzieht und feststeckt, damit sie neue Wurzeln entwickeln. Im Haus bedient man sich dieses Verfahrens selten. Eine Ausnahme bilden Kletterphilodendren und Efeu, die häufig an Knoten oder Blattachseln Luftwurzeln ausbilden. Ähnlich wie bei der Vermehrung durch Brutpflanzen (s. S. 267), werden die Triebe auf einem Topf mit geeignetem Pflanzsubstrat in Kontakt gebracht. Viele der Kriechpflanzen schieben, während sie wachsen, ununterbrochen Wurzeln in die Erde. Hier können neue Triebe praktisch jederzeit von der Mutterpflanze abgetrennt und eingetopft werden.

1 Den Trieb an der Stelle eines Knotens auf einen Topf mit geeignetem Pflanzsubstrat legen und mit einer Haarnadel oder einem gebogenen Draht darauf feststecken. Etwas Blumenerde auf die Berührungsstelle häufen.

2 An dem Knoten bilden sich innerhalb von drei bis vier Wochen neue Wurzeln, und es beginnt eine neue Pflanze heranzuwachsen. Auf diese Weise können mehrere neue Pflanzen gleichzeitig gezogen werden.

Abmoosen

Abgemoost werden schöne Pflanzen, die zu groß geworden sind oder ihre unteren Blätter abgeworfen haben. Man wendet dieses Verfahren hauptsächlich bei verholzten Pflanzen an, bei denen sich Stecklinge nur schwer bewurzeln und die zu steif sind, um die Zweige zum Absenken herabzubiegen. Der holzige Stamm wird »verletzt« und auf diese Weise angeregt, an der verletzten Stelle neue Wurzeln zu entwickeln. Dann kann man den oberen Teil der Pflanze abtrennen und eintopfen. Es gibt eine Methode des Abmoosens, bei der wird der Stamm schräg aufwärts eingeschnitten. Geht man dabei aber nicht geschickt vor, besteht die Gefahr, daß er abbricht. Das hier beschriebene Verfahren ist sicherer.

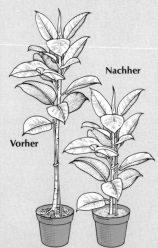

Nachher

Vorher

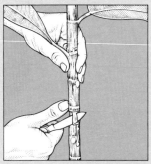

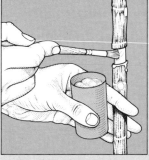

1 Den Stamm unterhalb des untersten Blattes in 1 bis 2 cm Abstand zweimal ringförmig einschneiden. Rinde dazwischen abschälen, ohne das Stammgewebe zu verletzen.

2 Die abgeschälte Fläche mit einem Bewurzelungshormon dünn bestäuben, damit sich dort schnell neue Wurzeln entwickeln.

3 Direkt unterhalb der abgeschälten Stelle mit Isolierband oder Schnur ein Stück Folie um den Stamm befestigen.

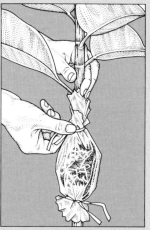

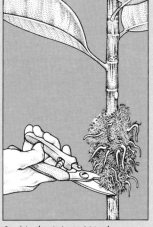

4 Feuchten Fasertorf oder feuchtes Moos in diese Folientasche füllen.

5 Zubinden, damit keine Feuchtigkeit entweichen kann. Die abgeschälte Fläche des Stammes sollte vollkommen abgedeckt sein.

6 Nach einigen Wochen wachsen Wurzeln durch das Moos. Dann Folie entfernen und Stamm unterhalb der neuen Wurzeln abschneiden.

7 In einen Topf setzen, der so groß ist, daß rund um die Wurzeln 5 cm Platz ist. Ein geeignetes Pflanzsubstrat einfüllen und sparsam gießen.

Anzucht aus Samen

Von beliebten Zimmerpflanzen, wie Semperflorensbegonien und Fleißigen Lieschen, sind Samen mit hoher Qualität erhältlich, und oft können auf diese Weise die schönsten Hybriden gezogen werden.

Gesät wird am besten in eine geeignete Aussaaterde auf Torfbasis. Verwenden Sie niedere Töpfe oder Ton-, Kunststoff- oder Saatschalen, je nachdem, in welchem Umfang Sie säen. Sehr kleine Samen, wie die der Begonien und Usambaraveilchen, sind staubfein und werden am besten auf das Substrat gestreut. Etwas größere Samen übersiebt man fein mit Pflanzsubstrat, und große Samen werden mit einer Erdschicht bedeckt, die eineinhalbmal so dick ist wie der Samen. Sobald Wasser die äußere Samenschale durchdringt, setzt das Wachstum ein. Von diesem Zeitpunkt an ist eine ständige Feuchtigkeitszufuhr erforderlich. Die Erde darf auf

keinen Fall austrocknen. Zuviel Wasser aber führt zu Fäule, deshalb muß genau die richtige Dosierung gefunden werden. Für eine rasche Keimung sind 15°C notwendig, und manche der tropischen und subtropischen Pflanzen brauchen noch viel höhere Temperaturen. Einige Samen keimen am besten im Dunkeln, andere nur im Licht. Befolgen Sie stets die Gebrauchsanweisung auf den Samentüten. Es ist sehr wichtig, daß die Lichtverhältnisse für kleine Sämlinge vom frühesten Entwicklungsstadium an sehr gut sind; denn schießt ein Sämling aufgrund von Lichtmangel in die Höhe, wird nie eine schöne Pflanze daraus. Allerdings dürfen Keimlinge nicht in der prallen Sonne wachsen, weil sie verbrennen, auf jeden Fall aber trocknet die Erdoberfläche aus. Deshalb sollten Sie Töpfe und Schalen täglich überprüfen.

Aussäen

1 Eine dünne Schicht Kies auf dem Boden einer Schale verteilen. Sie gewährleistet eine gute Drainage und verhindert Staunässe. Den Kies mit Aussaaterde bedecken.

2 Als Orientierungshilfe flache Furchen ziehen. Verteilt man die Samen breitflächig, wachsen die Sämlinge oft zu dicht.

3 Feine Samen in kleinen Mengen in die Furchen streuen. Größere Samen in regelmäßigen Abständen einzeln hineinlegen. Die Samen gegebenenfalls mit Erde bedecken.

4 Mit einem Zerstäuber gründlich durchfeuchten. Die Schale mit einer Glasscheibe oder klarem Kunststoff abdecken und an einen warmen Platz stellen.

Pikieren

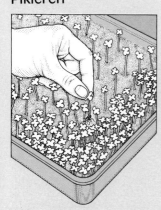 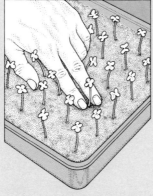  

1 Sehr dicht stehende Keimlinge rechtzeitig ausdünnen, damit sich die verbliebenen besser entwickeln können.

2 Die Abstände zwischen den Keimlingen sollten in etwa ihrer Größe entsprechen. Die Erde um sie herum mit den Fingerspitzen leicht andrücken.

3 Hat ein Sämling zwei richtige Blätter, lockert man mit einem Holzstück die jungen Wurzeln und hebt ihn heraus.

4 Sämlinge einzeln in entsprechendes Substrat setzen. Darauf achten, daß die unteren Blätter herausschauen. Die Stengel nicht anfassen.

Pflegefehler, Schädlinge, Krankheiten 1

Gesunde, gutgepflegte Zimmerpflanzen wachsen kräftig und sehen schön aus, darüber hinaus treten bei ihnen sehr viel seltener Probleme oder Krankheiten auf. Kränkelnde Pflanzen sind hauptsächlich das Ergebnis schlechter Haltung oder falscher Behandlung.

Die beste Garantie, Pflanzen in einwandfreiem Zustand zu halten, ist eine sorgfältige Auswahl, bei der Sie berücksichtigen müssen, wieviel Zeit und Mühe Sie Ihren Pflanzen widmen wollen und welche Wachstumsbedingungen Sie ihnen bieten können. Kaufen Sie nur gesund aussehende Exemplare und schützen Sie sie auf dem Heimtransport vor Beschädigung. Eine Pflanze braucht außerdem Zeit, um sich in ihre neue Umgebung einzugewöhnen. Sorgen Sie deshalb dafür, daß sie einen geeigneten Standort bekommt und einige Tage nicht umgestellt wird. Es ist außerdem ratsam, eine neue Pflanze erst dann mit anderen Zimmerpflanzen in Kontakt zu bringen, wenn ihre Gesundheit einwandfrei feststeht.

Vorbeugende Maßnahmen

Die erfolgreiche Pflege jeder Pflanze hängt davon ab, ob ihr Wasser, Nahrung, Licht, Wärme und Luftfeuchtigkeit, die wesentlichen Wachstumsfaktoren, in der richtigen Dosierung geboten werden. Neben den üblichen Pflegemaßnahmen sollten Sie jeder Pflanze alle ein bis zwei Wochen einige Minuten Zeit widmen, um sie zu säubern und zu überprüfen. Drehen Sie die Blätter um und untersuchen Sie sorgfältig die Unterseiten. Auf diese Weise können sie Probleme in einem frühen Stadium erkennen. Sollten Anzeichen einer Krankheit oder eines Schädlingsbefalls sichtbar werden, muß man sofort etwas unternehmen, um die Pflanze zu retten. Achten Sie besonders auf die Triebspitzen. Da sie zart und voller Saft sind, leiden sie leichter unter Blattlausbefall als ältere, ledrige Blätter. Bei verschiedenen Blütenpflanzen werden weniger die Blätter als Blütenstiele und Knospen befallen. Manche Schädlinge sind bei der Auswahl der Pflanzen wählerisch und befallen nur bestimmte Arten, wieder andere können an allen Pflanzen auftreten.

Routinepflege

Durch regelmäßiges Säubern einer Pflanze werden oft vereinzelte Schädlinge vernichtet, und sogar ein echter Befall kann so verhindert werden. Staub verunstaltet die Blätter und verstopft bis zu einem gewissen Grad die Poren, durch die sie atmen. Darüber hinaus verringert er die Lichtmenge, die für die Photosynthese wichtig ist. Auch dürfen Pflanzen nicht so dicht zusammenstehen, daß die Luft nicht mehr frei um sie zirkulieren kann oder sich die Pflanzen gegenseitig das Licht wegnehmen. Entfernen Sie gelbe oder beschädigte Blätter und alle welkenden Blüten. Blütenstiele sollten direkt an der Basis entfernt werden. Bleiben Stielstücke stehen, kann dies zu Fäulnis in der Pflanzenmitte führen.

Kontrollliste

In den meisten Fällen ist das Kränkeln von Pflanzen auf eine oder mehrere Umweltbedingungen zurückzuführen, die den Bedürfnissen der Pflanzen nicht entsprechen. Anhand der folgenden Prüfliste können Sie feststellen, was die vermutliche Ursache dafür ist. Haben Sie alle Fehler bei der Pflanzenhaltung korrigiert und die Symptome verschwinden immer noch nicht, dann müssen Sie die Pflanze auf Schädlinge und Krankheiten untersuchen.

- Gießen Sie zuviel?
- Gießen Sie zuwenig?
- Bekommt die Pflanze die Lichtqualität, die sie braucht?
- Ist die Temperatur für eine gute Entwicklung zu hoch oder zu niedrig?
- Entspricht die Luftfeuchtigkeit den Bedürfnissen der Pflanze?
- Haben Sie der Pflanze die eventuell notwendige Winterruhe gewährt?
- Hat die Pflanze in Zugluft gestanden?
- Hat das Pflanzgefäß die richtige Größe?
- Füllen die Wurzeln den Topf vollkommen aus?
- Wächst die Pflanze im richtigen Substrat?
- Wäre es gut für die Pflanze, mit anderen zusammenzustehen?
- Muß die Pflanze gesäubert werden?

Pflanzen säubern

Im Haus wachsende Pflanzen werden staubig und müssen deshalb regelmäßig gesäubert werden. Saubere Blätter sehen nicht nur schöner aus, sie garantieren auch einen besseren Ablauf der Lebensfunktionen. Nachfolgend finden Sie verschiedene Methoden der Säuberung, die von Größe und Struktur der Blätter abhängen. Am wirksamsten ist – das gilt für alle Pflanzen – wenn man sie in der milderen Jahreszeit während eines sanften Schauers nach draußen an einen geschützten Platz stellt. Regenwasser hinterläßt auf den Blättern keine häßlichen Flecken, und das Laub wird gründlich erfrischt.

Mit feuchtem Tuch säubern
Pflanzen mit großen, glatten Blättern können mit einem feuchten Schwamm oder einem weichen Tuch gereinigt werden. Man verwendet lauwarmes Wasser. Auch eine Dusche bekommt diesen Pflanzen gut, doch darf das Wasser nicht zu kalt und der Strahl nicht stark sein.

Welke Blätter und Blüten entfernen
Verwelkte Blüten oder alte Blätter, die anfangen gelb zu werden, entfernt man direkt an der Basis. Braune Blattränder kann man mit einer scharfen Schere stutzen. Da sie häufig durch trockene Luft bedingt sind, sollte die Luftfeuchtigkeit erhöht werden.

Fehler bei der Pflanzenhaltung

Die am häufigsten auftretenden Probleme bei Zimmerpflanzen werden verursacht durch zuviel oder zuwenig Wasser, schwankende Temperaturen, Zugluft, pralle Sonne, die die Blätter verbrennt, kaltes Wasser, das Flecken auf dem Laub entstehen läßt, und eine zu geringe Luftfeuchte.

Zuviel oder zuwenig Wasser

Überwässerung ist ein sehr häufiges Problem und kann fatale Folgen haben. Die Folgen der Unterwässerung sind zwar weniger gravierend, die Symptome aber sind in beiden Fällen sehr ähnlich: Die Pflanzen hängen herab oder welken, weil sie nicht mehr genügend Wasser aufnehmen. Wird durch zu häufiges Gießen eine bereits feuchte Erde noch stärker durchnäßt, kann keine Luft mehr an die Wurzeln gelangen. Sie wachsen dann nicht mehr, beginnen sich zu zersetzen und sterben ab. Wurde eine Pflanze zuwenig gegossen, ist das eindeutig an der Erde zu erkennen, die nur noch wenig oder gar keine Feuchtigkeit mehr enthält. Es kann auch ein Hohlraum zwischen Wurzelballen und Topfwand entstehen, weil das Substrat eingetrocknet ist. Lehmsubstrat kann darüber hinaus steinhart und rissig werden.

Schwankende Temperaturen

Schwankt die Temperatur um mehr als 8 bis 10°C, können Blätter abfallen. Sorgen Sie für eine möglichst gleichmäßige Temperatur, die auch nachts nur wenig absinkt. Vermeiden Sie auf jeden Fall große Temperaturunterschiede, wie beispielsweise an kühlen Tagen, an denen tagsüber die Heizung abgedreht ist und abends angeschaltet wird. Es ist ratsamer, alle Pflanzen – mit Ausnahme sehr wärmeliebender Gewächse – ständig bei einer etwas niedrigeren Temperatur zu halten.

Zugluft

Pflanzen vertragen keine Zugluft. Zum Beispiel werden die dünneren und zarteren Farnwedel durch Zugluft schwarz, die Blätter der Buntwurz (*Caladium*-Bicolor-Hybriden) und Rexbegonien (*Begonia*-Rex-Hybriden) hängen herab, und der Wunderstrauch (*Codiaeum variegatum var. pictum*) wirft sein Laub ab. Vermeiden Sie Standorte neben zugigen oder geöffneten Fenstern, und lassen Sie Pflanzen bei Nacht nicht hinter zugezogenen Vorhängen stehen.

Durch Sonne bedingte Verbrennungen

Die Blätter von Pflanzen, die einen schattigen Standort bevorzugen, bekommen leichte braune, trockene Flecken, wenn sie praller Sonne ausgesetzt sind. Auch Pflanzen, die direkte Sonne vertragen, sie aber nicht gewöhnt sind, können, wenn sie plötzlich direkter Sonne ausgesetzt werden, Verbrennungen erleiden. Gewöhnen Sie Pflanzen deshalb immer nach und nach an helleres Licht.

Schlechte Lichtverhältnisse

Erhält eine Pflanze nicht genügend Licht, verlangsamt sich im allgemeinen ihr Wachstum. Blütenpflanzen blühen nicht mehr, und die Blütenknospen können abfallen. Die neuen Blätter panaschierter Pflanzen schlagen zurück und werden vollkommen grün. Um zu gewährleisten, daß alle Teile einer Pflanze ausreichend Licht bekommen, dreht man sie regelmäßig oder stellt sie so auf, daß die der Lichtquelle abgewandte Seite eventuell von einer Fläche im Raum reflektiertes Licht erhält (s. S. 114/115).

Durch kaltes Wasser bedingte Flecken

Usambaraveilchen (*Saintpaulia*-Ionantha-Hybriden), Gloxinien (*Sinningia*-Hybriden) und eine Reihe anderer Gesneriengewächse bekommen helle Flecken auf ihren Blättern, wenn man sie mit kaltem Wasser gießt oder beim Gießen Wasser auf die Blätter tropft.

Verbesserung der Luftfeuchtigkeit

Durch zu trockene Luft werden Blätter an den Rändern und Spitzen braun. Erhöhen Sie die Luftfeuchtigkeit durch regelmäßiges Sprühen, und stellen Sie die Pflanzen auf mit nassem Kies gefüllte Untersetzer.

Behaarte Blätter säubern
Behaarte Blätter nehmen Schaden, wenn man sie mit einem feuchten Tuch reinigt. Das Wasser bleibt an den Haaren hängen und führt zu Fäulnis. Sie können den Staub mit einem weichen, trockenen, 1 bis 2 cm breiten Pinsel entfernen.

Eine kleine Pflanze tauchen
Das Laub einer kleinen Pflanze kann man von Staub befreien, indem man sie in eine Schüssel mit lauwarmem Wasser taucht. Die Pflanze mehrmals einige Sekunden lang vorsichtig schwenken, dann herausnehmen und abtropfen lassen.

Auf Schädlinge untersuchen
Es ist sinnvoll, die Pflanzen in regelmäßigen Abständen gründlich zu untersuchen. Schenken Sie vor allem weichen Triebspitzen und Blattunterseiten Aufmerksamkeit. Dort setzen sich Schild- oder Blattläuse besonders gern fest.

Pflegefehler, Schädlinge, Krankheiten 2

Schädlinge

Zimmerpflanzen werden mitunter von Insekten und anderen Schädlingen befallen, die Blätter, Stengel und Wurzeln abfressen oder an ihnen saugen. Ein schwacher Befall ist kaum sichtbar und ohne große Folgen, werden jedoch keine Gegenmaßnahmen getroffen, vermehren sich die Schädlinge rasch und können beträchtlichen Schaden verursachen. Daß es zu einem Befall kommt, kann unterschiedliche Ursachen haben, doch sollten neue Pflanzen stets gründlich untersucht und befallene Pflanzen von gesunden getrennt werden. Einige Schädlinge treten vorzugsweise an bestimmten Pflanzen auf, wieder andere sind weniger wählerisch. Verschiedene Schädlinge, wie Blattläuse und Weiße Fliegen, sind sehr verbreitet; man findet sie auf der ganzen Welt. Sie passen sich den unterschiedlichsten Bedingungen an und sind äußerst schwer zu bekämpfen.

Blattläuse

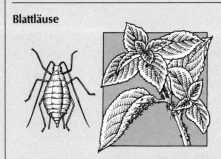

Blattläuse, sich schnell vermehrende Sauginsekten, können schwarz, braun, grau, hellgelb oder grün sein. Gelegentlich findet man ihre farblosen Körperhüllen an befallenen Pflanzen.
Schäden: Abgesehen davon, daß Blattläuse durch ihre Saugtätigkeit die Pflanzen schwächen und Blattdeformationen verursachen, verbreiten sie auch unheilbare Viruskrankheiten und scheiden klebrigen Honigtau aus, auf dem sich ein schwarzer Pilz, sogenannter Rußtau, entwickeln kann.
Gefährdete Pflanzen: Alle Arten mit weichen Stengeln und Blättern, darunter Alpenveilchen (*Cyclamen persicum*), Fleißige Lieschen (*Impatiens sp.*) und Blaue Lieschen (*Exacum affine*).
Gegenmaßnahmen: Einzelne Blattläuse können von Hand entfernt werden, meist ist aber ein geeignetes Insektizid erforderlich.

Raupen

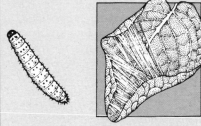

Raupen, wie man sie im Garten findet, befallen Zimmerpflanzen selten, denn nur gelegentlich verirrt sich ein Schmetterling oder Falter ins Haus und legt seine Eier an Stengeln oder Blättern (meist an den Blattunterseiten) ab. Ein häufigeres Problem sind dagegen die dünnen, hellgrünen Raupen des Wicklerfalters (Länge 1 bis 2,5 cm).
Schäden: Die Raupen wickeln sich innerhalb eines schützenden Gespinstes in ein junges Blatt ein und ernähren sich von jungen Trieben und Triebspitzen, wodurch die Wuchsform einer Pflanze beeinträchtigt wird.
Gefährdete Pflanzen: Alle weichblättrigen Pflanzen wie Harfenstrauch (*Plectranthus parviflorus*), Mosaikpflanzen (*Fittonia verschaffeltii*), Geranien (*Pelargonium sp.*).
Gegenmaßnahmen: Einzelne Raupen von Hand ablesen, bei schwerem Befall ein geeignetes Insektizid verwenden.

Trauermücken

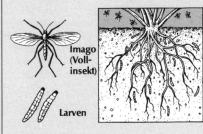

Die winzigen, trägen Larven der Trauermücke leben auf dem Pflanzsubstrat, richten aber keinen ernsthaften Schaden an.
Verursachte Schäden: Die Fliegen legen ihre Eier in die Erde, und die geschlüpften Larven ernähren sich von abgestorbenem Pflanzenmaterial. Lebende Wurzeln großer Pflanzen sind durch sie kaum gefährdet, gelegentlich aber die Wurzeln von Sämlingen.
Gefährdete Pflanzen: Trauermücken kommen in praktisch allen Torfen und Torfprodukten vor. Insbesondere Pflanzen wie Feigen (*Ficus pumila*), Usambaraveilchen (*Saintpaulia*-Ionantha-Hybriden) und ein Großteil der Farne leiden unter Befall.
Gegenmaßnahmen: Bei Befall kann das Substrat – in verhältnismäßig trockenem Zustand – mit einem Insektizid getränkt werden.

Wolläuse und Wurzelläuse

Wolläuse sind weiß, oval und etwa 0,5 cm lang. Sie hüllen sich in eine klebrige weiße Watte, die Wasser (und auch Insektizide) abstößt.
Verursachte Schäden: Wolläuse sind Sauginsekten und scheiden Honigtau aus. Bei starkem Befall werfen die Pflanzen die Blätter ab. Wurzelläuse treten an Wurzeln auf und bilden dort kleine weiße Watteflöckchen.
Gefährdete Pflanzen: Wolläuse können jede Pflanze befallen, vorzugsweise aber Kakteen und Sukkulenten. Wurzelläuse treten auch an Geranien (*Pelargonium sp.*) und Usambaraveilchen (*Saintpaulia*-Ionantha-Hybriden) auf.
Gegenmaßnahmen: Um Wolläuse wirksam zu bekämpfen, müssen Insektizide wiederholt angewendet werden. Bei Wurzelausfall wird die Erde im Abstand von jeweils zwei Wochen dreimal mit einem Insektizid getränkt.

Spinnmilben (oder Rote Spinne)

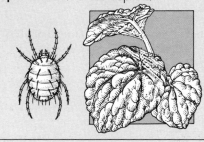

Diese winzigen rötlichen Schädlinge entwickeln sich in warmer, trockener Luft. Die Milben sind mit bloßem Auge kaum zu sehen, man erkennt sie aber an ihrem Gespinst.
Schäden: Spinnmilben sind Sauginsekten und bilden an den Blattunterseiten sehr feine Gespinste. Als Folge des Befalls werden die Blätter fleckig, neue Triebe sind gestaucht; in schlimmen Fällen werden die Blätter abgeworfen.
Gefährdete Pflanzen: Zwei beliebte Zimmerpflanzen, die leicht befallen werden, sind das Fleißige Lieschen (*Impatiens sp.*) und die Grünlilie (*Chlorophytum comosum*).
Gegenmaßnahmen: Regelmäßig besprühen, denn Spinnmilben mögen keine Feuchtigkeit. In schweren Fällen muß man Insektizide einsetzen. Einmal wöchentlich die Blätter ober- und unterseits spritzen.

Schildläuse

Imago

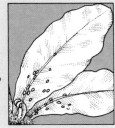

Meist sind Schildläuse braun oder gelblich, haben einen wachsartigen Schild, der rund oder oval gewölbt sein kann. Sie setzen sich hauptsächlich an den Blattunterseiten fest und haben eine besondere Vorliebe für Ritzen.
Schäden: Schildläuse sind Sauginsekten und scheiden einen klebrigen Honigtau aus. Häufig findet man als erstes Anzeichen eines Befalls diesen klebrigen Film auf Blättern und Möbeln. Auf Honigtau

kann sich Rußtau entwickeln.
Gefährdete Pflanzen: Alle Pflanzen können befallen werden, doch manche Schildlausarten bevorzugen bestimmte Pflanzen. Am stärksten gefährdet sind Zitrusgewächse und Farne, besonders Nestfarne (*Asplenium nidus*).
Gegenmaßnahmen: Spritzen hilft nicht, da der harte Schild die erwachsenen Tiere schützt. Man kann jedoch ein systemisches Insektizid verwenden.

Dickmaulrüßler

Ein Befall durch diese Schädlinge kann katastrophale Auswirkungen haben. Die erwachsenen Käfer sind groß und beinahe schwarz, ihre Larven cremefarben.
Schäden: Die Käfer beißen Stücke aus den Blättern, die Larven ernähren sich von Wurzeln, Rhizomen und Knollen. Das erste Befallszeichen ist oft ein Welken der Pflanze. Bei der Überprüfung kann sich herausstellen, daß keinerlei Wurzeln mehr vorhanden sind.

Gefährdete Pflanzen: Zu den am häufigsten befallenen Pflanzen gehören Bogenhanf (*Sansevieria sp.*), Usambaraveilchen (*Saintpaulia*-Ionantha-Hybriden) und alle Arten von sukkulenten Rosettenpflanzen.
Gegenmaßnahmen: Käfer sollte man absammeln und die Erde mit einem geeigneten Insektizid tränken. Eine Pflanze, die fast keine Wurzeln mehr hat, läßt sich meist nicht mehr retten.

Weiße Fliegen

Diese winzigen weißen, falterartigen Tiere tauchen mitunter auch in Wohnungen auf, häufiger findet man sie aber in Gewächshäusern, Wintergärten und Sonnenveranden.
Schäden: Diese Sauginsekten setzen sich hauptsächlich an den Blattunterseiten fest und scheiden Honigtau aus. Auch ihre beinahe durchscheinenden larven sind in großer Zahl meist an den Blattunterseiten zu finden.

Gefährdete Pflanzen: Weiße Fliegen befallen vorzugsweise bestimmte Blütenpflanzen, wie Geranien (*Pelargonium sp.*), die den Sommer über im Garten wachsen.
Gegenmaßnahmen: Diese Schädlinge sind nur schwer zu bekämpfen. Durch wiederholtes Spritzen mit einem Insektizid kann man mit der Zeit die Larven vernichten, die ausgewachsenen Tiere mit einem systemischen Insektizid.

Minierfliegenlarven

Die Larven der kleinen Minierfliege schädigen die Blätter durch Saugen und sind nur zu erkennen, wenn man die Blätter sehr genau betrachtet.
Schäden: Die Larven bohren in die Blätter bestimmter Pflanzen Gänge, wobei mosaikartige oder unregelmäßige Linienmuster entstehen. Meist breiten sie sich schnell aus. Wird nichts gegen sie unternommen, werden die Pflanzen rasch häßlich.

Gefährdete Pflanzen: Zwei der häufig befallenen Zimmerpflanzen sind Chrysanthemen (*Chrysanthemum sp.*) und Cinerarien (*Senecio*-Cruentus-Hybriden). Gekaufte Pflanzen werden im Gegensatz zu selbst gezogenen selten befallen.
Gegenmaßnahmen: Die geschädigten Blätter sollten entfernt und das restliche Laub mit einem Insektizid besprizt werden. Man kann auch über dem Substrat ein systemisches Insektizid verteilen.

Regenwürmer

Regenwürmer sind keine Schädlinge – im Gegenteil: Im Garten (und Boden allgemein), wo sie zur Humusbildung und Lüftung des Bodens beitragen, sind sie äußerst nützlich. Nur in der Erde von Zimmerpflanzen können sie eine Plage sein.
Schäden: Durch ihre ständige Tätigkeit lockern sie Wurzeln und Substrat, so daß die Pflanzen oft keinen festen Halt mehr haben. Meist machen sie sich durch

Häufchen auf dem Substrat bemerkbar.
Gefährdete Pflanzen: Die Würmer können durch die Abzugslöcher jedes Topfes eindringen, der während eines Regens oder während der Sommerzeit im Garten steht.
Gegenmaßnahmen: Die Töpfe befallener Pflanzen taucht man ganz in lauwarmes Wasser ein; die Würmer kommen dann von selbst heraus und können abgelesen werden.

Schnecken

Nacktschnecke

Gehäusschnecke

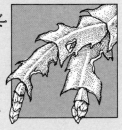

Nackt- und Gehäusschnecken überleben in der Wohnung nicht lange, denn sie sind schnell entdeckt und können leicht eingesammelt werden. In Wintergärten werden sie mitunter zur Plage.
Schäden: Beide Arten mögen saftige Triebe und fressen große Blattstücke ab. Am aktivsten sind sie während der Nacht und bei anhaltend feuchtem Wetter.
Gefährdete Pflanzen: Pflanzen, die im Sommer und Herbst im Freien stehen,

können durch Schnecken stark geschädigt werden. Weihnachts- und Osterkakteen (*Schlumbergera sp.* und *Rhipsalidopsis sp.*) sind aufgrund ihrer sukkulenten Triebe besonders gefährdet.
Gegenmaßnahmen: Zimmerpflanzen, die vorübergehend im Freien stehen, stets dadurch schützen, daß man Schneckenkorn um die Töpfe streut. Das Schneckenkorn regelmäßig erneuern, weil es durch Regen unwirksam wird.

Pflegefehler, Schädlinge, Krankheiten 3

Krankheiten

Zimmerpflanzen werden auch von Krankheiten, die durch die Luft übertragen werden, befallen, in den meisten Fällen jedoch werden durch Überwässerung oder falsche Umweltbedingungen erst die Voraussetzungen geschaffen, unter denen sich Pilze und Bakterien gut entwickeln. Beschädigte Blätter oder gequetschte Stengel können zu verschiedenen Bakterienerkrankungen führen, und auch beengte Platzverhältnisse verursachen oft Probleme, weil die Luft nicht gut zirkulieren kann. Ebenso übertragen viele Schädlinge Krankheiten. Und jeder Schädlingsbefall schwächt die Pflanze und macht sie dadurch anfälliger für Krankheiten. Entfernen Sie erkrankte Teile immer sofort und isolieren Sie die betroffene Pflanze, bis sie wieder gesund ist.

Phytium

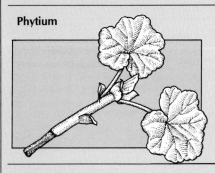

Diese Krankheit beginnt am Stengelgrund und breitet sich sowohl auf- wie abwärts zu den Wurzeln aus. In der Regel tritt dieser Bodenpilz nur dann auf, wenn die Erde über längere Zeit zu naß war. Besonders anfällig sind Triebstecklinge.
Gefährdete Pflanzen: Am häufigsten werden Geranien (*Pelargonium sp.*) befallen.

Gegenmaßnahmen: Immer eine durchlässige Erde verwenden und während der Zeit, in der sich Geranienstecklinge bewurzeln, besonders sparsam gießen. Möglichst die Stengel nicht verletzen und welke Blätter immer entfernen. Ein Gegenmittel für befallene Zimmerpflanzen gibt es nicht, doch können die noch gesunden Triebspitzen abgeschnitten und neu bewurzelt werden.

Grauschimmel

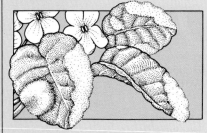

Diese Pilzerkrankung, auch Botrytis genannt, beginnt sich gewöhnlich an abgefallenen Blättern und Blüten zu entwickeln, aber auch in Blattachseln, in denen Wasser steht. Sie tritt leicht bei niedrigen Temperaturen und feuchter Luft auf. Es können Blätter oder Triebe befallen werden, die einen grauen schimmeligen Überzug bekommen.
Gefährdete Pflanzen: Grauschimmel befällt Pflanzen mit weichen Stengeln und Blättern, wie Usambaraveilchen (*Saintpaulia*-Ionantha-Hybriden), Cinerarien (*Senecio*-Cruentus-Hybriden), Buntwurze (*Caladium*-Bicolor-Hybriden) und Samtpflanzen (*Gynura aurantiaca*).
Gegenmaßnahmen: Welkende Blätter sollten entfernt und die Pflanzen seltener gewässert oder besprüht werden. In schweren Fällen eventuell ein geeignetes Fungizid anwenden.

Rußtau

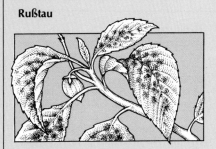

Rußtau entwickelt sich auf dem klebrigen Honigtau, den manche Schädlinge, wie Blatt- und Schildläuse, absondern. Er ist ein sicheres Zeichen dafür, daß eine Pflanze von einer saugenden Insektenart befallen ist. Der Pilz sieht wie Ruß aus und fühlt sich klebrig an. Er verstopft die Atemöffnungen der Pflanze und läßt weniger Licht für die Photosynthese durch.
Gefährdete Pflanzen: Besonders anfällig sind Zitrusgewächse.

Gegenmaßnahmen: Durch gelegentliches Abwaschen der Blätter mit dünnem Seifenwasser wird die Wahrscheinlichkeit eines Insektenbefalls verringert. Auch der auftretende Rußtau wird nur abgewaschen. Am besten bekämpft man die Sauginsekten, die den Honigtau ausscheiden.

Echter Mehltau

Echter Mehltau macht sich in Form von pulvrigen weißen Flecken auf den Blättern, Stengeln und gelegentlich auch Blüten bemerkbar. Diese Flecken unterscheiden sich vom Grauschimmel dadurch, daß sie nicht flaumig sind. Befallene Blätter deformieren sich und fallen ab. Ideale Bedingungen für Echten Mehltau sind niedrige Temperaturen in Kombination mit hoher Luftfeuchtigkeit, schlechter Zirkulation und Überwässerung.

Gefährdete Pflanzen: Besonders anfällig sind Gewächse mit weichen Blättern und sukkulenten Stengeln, wie einige Begoniensorten. Andere Begonien wiederum werden nicht befallen, selbst wenn sie neben erkrankten Pflanzen stehen.
Gegenmaßnahmen: Zur Behandlung der befallenen Pflanzen alle erkrankten Blätter entfernen und dann die Pflanzen mit einem Fungizid spritzen.

Stengel- und Blattfäule

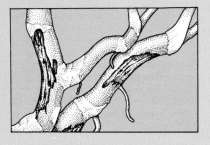

Wenn ein Stengel einer Pflanze weich und schleimig wird, kann dies auf Stengelfäule zurückzuführen sein. Oft sind zu niedrige Temperaturen und zu nasses Pflanzsubstrat die Ursachen. Die Blattfäule beginnt in der Mitte der Blätter und dehnt sich dann nach außen aus.
Gefährdete Pflanzen: Anfällig für Stengelfäule sind Pflanzen mit weichen Stengeln, wie Fleißiges Lieschen (*Impatiens sp.*) und Blaues Lieschen (*Exacum affine*), ferner Kakteen. Ein Befall ist daran zu erkennen, daß sich in Erdnähe weiche, dunkelbraune oder schwarze Flecken entwickeln. Unter Blattfäule leiden häufig Rosettenpflanzen, wie Echeverien (*Echeveria sp.*) und Usambaraveilchen (*Saintpaulia*-Ionantha-Hybriden).
Gegenmaßnahmen: Meist gehen die befallenen Pflanzen ein, doch nicht erkrankte Pflanzenteile können mit Netzschwefel bestäubt und neu bewurzelt werden.

Diagnose-Tabelle

Diese Übersicht soll Ihnen helfen festzustellen, was Ihrer Pflanze fehlt. Die meisten Probleme entstehen durch eine unsachgemäße Haltung oder Behandlung. Trifft das nicht zu und die Symptome bleiben, müssen Sie die Pflanze auf Schädlinge und Krankheiten überprüfen und entsprechend behandeln.

Anzeichen für Schädlinge

Symptome	Ursache
● Deformierte Stengel und Blätter ● Beschädigte Blüten ● Allgemeine Mattigkeit ● Klebriger Honigtau auf Blättern und Trieben *Treten hauptsächlich von Frühjahr bis Herbst auf*	Blattläuse
● Gesprenkelte oder kleingefleckte Blätter ● Aufgerollte Blattränder ● Feine seidige Gespinste an den Blattunterseiten und in den Blattachseln *Treten hauptsächlich von Frühjahr bis Herbst auf*	Blattspinnmilben
● Klebriger Film auf den Blättern, die sich schwarz färben ● Wachsartige braune oder gelbe Krusten auf den Blattunterseiten *Treten ganzjährig auf*	Schildläuse
● Gelbwerden der Blätter ● Allgemeine Kraftlosigkeit ● Wachsartige, weiße Watte in Blattachseln oder um Kakteenareolen ● Honigtau auf Blättern und Kakteensprossen *Treten ganzjährig auf*	Wolläuse
● Schlechtes Wachstum, Blätter werden gelb ● Weiße, wachsartige Insekten sitzen in Klumpen an den Wurzeln *Treten ganzjährig auf*	Wurzelläuse
● Sichelförmige Fraßschäden an den Rändern sukkulenter Blätter *Treten im Frühjahr und Sommer auf*	Dickmaulrüßler (Käfer)
● Die Pflanze welkt, obwohl die Erde feucht ist ● Wurzeln oder Rhizome sind abgefressen *Treten von Frühjahr bis Herbst auf*	Dickmaulrüßler (Larven)
● Klebriger Honigtau auf den Blättern ● Weiße, mottenähnliche Insekten auf den Blattunterseiten *Treten im Sommer und Herbst auf*	Weiße Fliegen
● In der Nähe des Erdsubstrats halten sich winzige, träge, schwarze Fliegen auf ● Unter dem Topf befinden sich von winzigen Larven erzeugte Erdhäufchen *Treten das ganze Jahr über auf*	Trauermücken
● Fraßschäden an Blättern und Stengeln ● Aufgerollte Blätter, die durch feines klebriges Gespinst zusammengehalten werden ● Deformierte Triebe, weil Blätter und Stengel aneinander festkleben *Treten ganzjährig auf*	Raupen des Wicklerfalters

Anzeichen für Krankheiten

Symptome	Ursache
● Grauer, flaumiger Überzug auf halbverfaulten Blättern *Tritt von Herbst bis Frühjahr auf*	Grauschimmel (Botrytis)
● Weiche, schleimige Stengel ● Schwarze oder braune, faulige Stellen *Tritt im Herbst und Winter auf*	Blatt- und Stengelfäule
● Blätter und Triebe haben einen schwarzen, rußigen Überzug, der sich auf von Sauginsekten ausgeschiedenem Honigtau bildet *Tritt im Sommer und Herbst auf*	Rußtau
● Pulvrige, weiße Flecken auf Blättern und Stengeln ● Deformierte Blätter ● Blätter fallen ab, mitunter das ganze Laub *Tritt während Frühjahr und Herbst auf*	Echter Mehltau
● Oberhalb der Erde bilden sich am Stengel schwarze, runzlige Stellen *Tritt im Spätherbst und Winter auf*	Phytium

Verschiedene Gefahrenzeichen

Symptome	Ursache
● Blasse Triebe und spärlicher Wuchs mit großen Abständen zwischen den Blättern ● Neue Blätter und Blüten sind klein oder selten ● Panaschierte Blätter verblassen ● Neue Triebe panaschierter Pflanzen werden reingrün	Lichtmangel
● Blätter haben unregelmäßige hellbraune Flecken ● Blätter und Triebe hängen herab ● Blüten sind gestaucht, Blütenstiele ungewöhnlich kurz oder deformiert	Zu starke oder ungewohnte Sonne. Zuviel Licht für schattenliebende Pflanzen
● Blattspitzen und -ränder braun ● Einige Blätter rollen sich	Luft zu trocken und/oder die Erde ist zwischen dem Gießen ausgetrocknet
● Kleine Blattflächen werden schwarz und runzlig ● Großblättrige Pflanzen werfen zahlreiche Blätter ab	Zugiger oder zu kalter Standort
● Tontöpfe haben einen grünen Überzug ● Auf der Oberfläche des Pflanzsubstrats bilden sich Algen, Moos und andere Pflanzen ● Blätter werden gelb und fallen ab	Überwässerung

Pflegefehler, Schädlinge, Krankheiten 4

Pflanzenschutzmittel

Auf den Packungen von Pflanzenschutzmitteln sind sowohl die Wirkstoffe aufgeführt als auch die Schädlinge oder Krankheiten, gegen die sie eingesetzt werden können. Lesen Sie diese Informationen stets aufmerksam und befolgen Sie sehr genau alle Gebrauchsanweisungen.

Kontaktinsektizide

Insektizide werden meist in flüssiger Form als Sprays oder Spritzmittel angewandt, wirken also direkt auf die Schädlinge ein (häufig auf ihre Atmung) und töten sie, mit etwas Glück sofort. Man bezeichnet sie als Kontaktgifte. Die meisten dieser Mittel riechen unangenehm und sollten nicht eingeatmet werden. Am besten stellen Sie zu behandelnde Pflanzen in den Garten oder auf den Balkon.
Manche Insektizide sind auch für Vögel, Fische und andere Tiere giftig. Andere wiederum sind für bestimmte Pflanzen oder ganze Pflanzenfamilien nicht geeignet, weil sie Chemikalien enthalten, die die Blätter verbrennen.

Systemische Insektizide

Systemische Insektizide wirken auf andere Weise. Sie werden in den Saftstrom der Pflanzen aufgenommen – entweder über das Pflanzsubstrat oder über die Blätter – und vergiften so Saug- und Fraßinsekten. Manche bilden einen dünnen Film auf der Oberfläche der Blätter und töten die Insekten, die sie fressen. Man bezeichnet sie als Fraßgifte. Systemische Insektizide werden auf verschiedene Weise angewendet: mit dem Gießwasser, als Granulate oder als Zäpfchen beziehungsweise Stäbchen, die man in die Erde drückt. Systemische Insektizide haben eine verhältnismäßig lange Wirkzeit und töten auch Schädlinge, die die Pflanzen einige Zeit nach Anwendung des Mittels befallen. Kontaktmittel töten nur die Insekten ab, die direkt mit ihnen in Berührung kommen.
Bei manchen Mitteln sind beide der genannten Wirkungsweisen kombiniert. Außerdem werden auch immer wieder neue Produkte entwickelt, nicht zuletzt, weil manche Schädlinge im Laufe der Zeit gegen bestimmte Chemikalien resistent werden. Damit keine Resistenz entstehen kann, sollten Sie zu Hause von Zeit zu Zeit neue Mittel anwenden.

Fungizide und Bakterizide

Das beste Mittel gegen Krankheitsbefall ist eine Art entsprechende Pflanzenhaltung. Da Krankheiten seltener auftreten als Schädlinge, lassen sie sich durch eine kleinere Anzahl von Mitteln bekämpfen. Gegen Pilzerkrankungen werden sogenannte Fungizide eingesetzt, gegen Bakterienerkrankungen sogenannte Bakterizide. In den meisten Fällen handelt es sich um systemische Mittel, die in der ganzen Pflanze wirken. Im Gegensatz zu ungeeigneten Insektiziden schädigen sie gesunde Pflanzen kaum, darüber hinaus sind sie für Menschen meist ungefährlich. Fungizide und Bakterizide wirken vorbeugend angewendet am besten und richten als reine Präventivmittel keinen Schaden an. Manche gehen in den Saftstrom der Pflanzen und verhindern die Ausbreitung einer Krankheit, wirken aber auf begrenzte Zeit auch vorbeugend gegen weiteren Befall.

Anwendungsverfahren

Insektizide, Fungizide und Bakterizide werden vom Handel in verschiedenen Formen angeboten und in unterschiedlichen Verfahren angewendet. Neben den üblichen Sprays, Spritzmitteln, Pulvern, Granulaten, Stäbchen oder Zäpfchen gibt es auch chemische Lösungen, in die kleinere Pflanzen getaucht werden können. Auch Bodenschädlinge lassen sich gegebenenfalls bekämpfen, indem man die Erde mit einem entsprechenden Mittel tränkt. In allen Fällen muß die Gebrauchsanweisung genau befolgt und bei der Anwendung für eine gute Belüftung gesorgt werden.

Spritzen
Alle Teile der Pflanze gleichmäßig bespritzen und dabei besonders auf die Blattunterseiten achten. Spritzmittel und Sprays möglichst im Freien anwenden und nicht einatmen.

Gießen
Beim Gießen dürfen keine Spritzer auf die Blätter gelangen. Die Mittel nur in der empfohlenen Konzentration anwenden.

Stäuben
Pulver eignen sich besonders für verletzte oder gequetschte Blätter. Ober- und Unterseiten sowie das Pflanzsubstrat gleichmäßig bestäuben.

Streuen
Granulat wird gleichmäßig auf das Substrat gestreut. Beim nachfolgenden Wässern lösen sich die chemischen Substanzen auf.

Zäpfchen oder Stäbchen
Sie werden mit einem Stift oder dem Finger in die Erde geschoben. Dieses Verfahren ist schnell und bequem.

Anwendung der Pflanzenschutzmittel

SCHLÜSSEL

●	Gießen
○	Spritzen
■	Stäuben
▬	Zäpfchen/Stäbchen
▲	Granulat
⬤	Köder

Schädling / Krankheit	Bupirimat	Trifonin	Butocarboxim	Propoxur	Dichlofluanid	Netzschwefel	Malathion	Pyrethrum	Metaldehyd	Pyrethroide	Permethrin	Pirimiphos-Methyl	Etrimfos	Anmerkungen
Blattläuse			○	○			○ ●	○ ●					○ ●	
Phythium (Bodenpilz)														Für Zimmerpflanzen kein Gegenmittel bekannt
Raupen				● ○										
Regenwürmer														Pflanze mit Topf in warmes Wasser stellen.
Trauermücken								●	●				● ○	
Grauschimmel					○									
Minierfliegenlarven										○				
Wicklerlarven				●										
Woll- und Wurzelläuse			■	●			○ ●	○ ●				○ ●	● ○	
Echter Mehltau	○					○								
Spinnmilben oder Rote Spinne			○				○ ●	○ ●				○ ●		
Schildläuse			● ■	○ ●			○ ●	○						
Schnecken									⬤ ▲					
Rußtau		○												Mit einem feuchten Schwamm abwischen
Stengel- und Wurzelfäule						■								
Dickmaulrüßler				○ ●								● ○		
Weiße Fliege			○ ■	○ ●			○ ●	○ ●			○ ●	○ ●		

Glossar

Adventivwurzeln Wurzeln, die sich an ungewöhnlichen Stellen – etwa an Stielen und Blättern – entwickeln, beispielsweise bei in Wasser stehenden Stecklingen oder den Blättern einiger sukkulenter Pflanzen.

Ähre Langer, unverzweigter Blütenstand, ähnlich aufgebaut wie eine Traube. Die einzelnen Blüten sind ungestielt. Ein Beispiel ist die Gladiole.

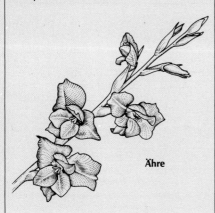

Ähre

Anthere (Staubbeutel) Der männliche Teil einer Blüte, in dem sich der Pollen bildet.

Areole Ein nur bei Kakteen vorkommendes Organ. Es handelt sich dabei um einen im Wachstum steckengebliebenen Seitensproß, auf dem sich Haare, Dornen oder Blüten entwickeln.

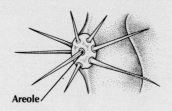

Areole

Art Mitglieder einer Gattung werden als Arten bezeichnet. Aus Samen gezogene Nachkommen einer Art sind sortenecht und weisen die gleichen Haupteigenschaften auf. Ein Pflanzenname besteht aus mindestens zwei Bezeichnungen, und zwar die der Gattung und der Art (z. B. *Coleus* (Gattung) *blumei* (Art). Siehe auch Gattung und Familie.

Auge Die Mitte einer Blüte, die oft anders als die restliche Blüte gefärbt ist, wie etwa bei der Schwarzäugigen Susanne oder bei Primeln.

Ausdauernde Pflanze Pflanze, die unbestimmte Zeit lebt, wie beispielsweise die Schmucklilie. Ausdauernde Pflanzen können sowohl krautig als auch holzig sein. Siehe auch einjährige und zweijährige Pflanzen.

Ausknipsen Auch Entspitzen oder Pinzieren. Mit Daumen und Zeigefinger werden vorsichtig die weichen Triebspitzen ausgeknipst (oder auch ausgeschnitten), um einen buschigen Wuchs anzuregen.

Ausläufer (Stolon) Ober- oder unterirdischer Seitensproß, an dessen Knoten sich Wurzeln und neue Pflanzen entwickeln.

Baum Pflanze mit unverzweigtem, holzigem Stamm und einer Krone aus Ästen. Siehe auch Holzpflanze und Strauch.

Beere Fruchtform mit meist kleinen, aber harten Samen, die von saftigem Fruchtfleisch umgeben werden. Dieses Fruchtfleisch ist meist leuchtend gefärbt, um Vögel und andere Tiere anzulocken.

Bereifung (s. Reif)

Blattachsel Winkel zwischen Blatt bzw. Blattstiel und Sproßachse (Stengel), aus dem sich neue Blatt- oder Seitentriebe und Blütenknospen entwickeln. Diese Knospen werden Achselknospen genannt. Die Entwicklung von Seitentrieben kann durch Ausknipsen verhindert werden.

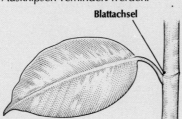

Blattachsel

Blumenkrone (s. Korolle)

Blüte Meist der auffälligste Teil einer Pflanze. Ein mit speziellen Teilen zur geschlechtlichen Fortpflanzung ausgestattetes Organ. Einige Pflanzen entwickeln Blüten, die entweder nur männliche Teile (Staubgefäße) oder nur weibliche Teile (Stempel) besitzen; bei den meisten Pflanzen aber befinden sich sowohl weibliche wie männliche Geschlechtsorgane innerhalb einer Blüte. Diese Organe werden im allgemeinen von bunten Blütenblättern (Petalen) und grünen Kelchblättern (Sepalen) umgeben. Begonien sind beispielsweise Pflanzen mit Blüten, die entweder männlich sind (leuchtende Blütenblätter umgeben pollentragende Staubgefäße) oder weiblich (ein großer geflügelter Fruchtknoten sitzt hinter den Blütenblättern).

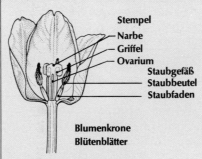

Stempel
Narbe
Griffel
Ovarium
Staubgefäß
Staubbeutel
Staubfaden

Blumenkrone
Blütenblätter

Blütenblätter (s. Petalen)

Blütenkelch (s. Kalyx)

Blütenstand (s. Infloreszens)

Bluten Wenn aus einem verletzten Stengel viel Saft austritt, »blutet« er. Zu stark blutenden Pflanzen zählen Christusdorn und Gummibaum, die einen weißen Milchsaft (Latex) ausscheiden. Dem Bluten kann durch Bestäuben mit Schwefel oder Holzkohlenstaub entgegengewirkt werden (s. auch Latex).

Blütenscheide (s. Spatha)

Brakteen (Hoch- oder Deckblätter) Umgebildete, oft buntgefärbte Laubblätter, die relativ unscheinbare Blüten umgeben, wie etwa die blütenblattähnlichen Hochblätter des Weihnachtssterns oder die glockenförmigen Brakteen der Bougainvillee, und bestäubende Insekten und Vögel anlocken.

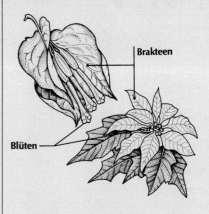

Brakteen

Blüten

Brutzwiebel (s. Bulbille)

Bulbille (Brutzwiebel) Kleine unreife Zwiebel, die an einer vollentwickelten Zwiebel sitzt. In einigen Fällen bilden sich auch an Stengeln oder Blättern Bulbillen, wie bei einigen Lilien.

Chlorophyll Pigment, das Trieben und Blättern ihre grüne Farbe verleiht und bei der Photosynthese eine wichtige Rolle spielt.

Cultivar [Abk.cv.(Sorte)] Eine von ihrem Züchter benannte Pflanzensorte. Die Sortennamen stehen in einfachen Anführungszeichen hinter Gattungs- und Artbezeichnung: z. B. *Scindapsus pictus* ›Argyraeus‹.

Deckblatt (s. Braktee)

Dolde Blütenstand mit einzelnen, von einem Punkt ausgehenden Blütenstielen. Beispiele sind Königspelargonien und Hortensien. Siehe auch Infloreszenz.

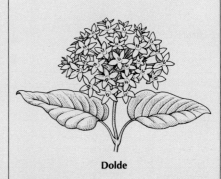

Dolde

Einfache Blüte Blüte mit nur einem Kranz von Blütenblättern, wie etwa beim Gänseblümchen. Siehe auch gefüllte und halbgefüllte Blüte.

Einjährige Pflanze Pflanze, die innerhalb einer Wachstumsperiode aus einem Samen keimt und ihren Lebenszyklus abschließt. Danach wird sie weggeworfen. Man behandelt aber auch eine Reihe aus-

Einfache Blüte

dauernder Pflanzen wie einjährige, weil sie nur schwer zu überwintern sind oder in den folgenden Jahren nicht mehr dekorativ aussehen.

Epiphyt (Aufsitzerpflanze) Eine Pflanze, die auf einer anderen Pflanze wächst, aber nicht schmarotzt. Viele Bromelien und Farne sind Epiphyten.

Entspitzen (s. Ausknipsen)

Etiolement (Vergeilung) Entwicklung von blassen, kränklichen Trieben. Die Abstände zwischen den Blättern werden größer, und es erscheinen weniger Blüten. Ursachen sind Lichtmangel und zu wenig Platz.

Familie Bezeichnung für eine Kategorie von Pflanzen, die bestimmte gemeinsame Merkmale aufweisen. Eine Familie wiederum besteht aus vielen Gattungen. Siehe auch Gattung und Art.

Fieder(blatt) Teil eines zusammengesetzten, gefiederten Blattes oder Wedels (s. auch zusammengesetztes und handförmiges Blatt und Wedel).

Fieder (-blatt)

Filament (Staubfaden) Der den Staubbeutel tragende Faden. Beide zusammen bilden das Staubgefäß, auch Stamen genannt. Normalerweise stehen Filamente dicht gedrängt in der Blütenmitte, wie etwa bei der Passionsblume (s. auch Stamen und Anthere).

Frucht Häufig verwendeter Begriff, der für vollentwickelte Fruchtknoten mit reifen Samen benutzt wird. Die äußere Hülle kann weich und fleischig sein, wie bei den Beeren der Korallenkirsche, oder eine trockene Schote, in der harte Samen sitzen, wie bei der Drehfrucht. Siehe auch Nuß und Beere.

Fruchtknoten (Ovarium) Unterer Teil einer Blüte, in dem sich die Samen bilden. Aus der Fruchtknotenwand entwickelt sich die Fruchtwand.

Gattung Gruppe verwandter Pflanzen. Meist sind sie ähnlich aufgebaut und haben sich – vermutlich – aus einem gemeinsamen Vorfahren entwickelt. So gehören beispielsweise alle Efeu zur Gattung *Hedera*.

Gefüllte Blüte Blüten mit mindestens zwei Kränzen von Blütenblättern; häufig befinden sich auch anstelle von Staubgefäßen und Stempeln Blütenblätter in der Blumenmitte. Gefülltblühende Formen sind meist Züchtungen, so zum Beispiel moderne Rosen (s. auch einfache und halbgefüllte Blüte).

Getreide Pflanzen aus der Familie der Gräser, die als Nahrung angebaut werden, wie Weizen und Gerste. Siehe auch Gras.

Gras Sammelbezeichnung für einjährige oder ausdauernde Pflanzen aus der Familie der *Gramineae*. Sie haben dekorative Samenstände und dünne Halme. Siehe auch Getreide.

Griffel (s. Stylus)

Halbgefüllte Blüte Blüte mit mehr als einem Kranz von Blütenblättern, aber nicht ganz gefüllt. Beispiele geben verschiedene Usambaraveilchen (s. auch einfache und gefüllte Blüten).

Halbgefüllte Blüte

Hagebutte Fleischige Frucht der verschiedenen Rosenarten.

Handförmiges Blatt Bezeichnung für Blätter mit mehreren Fiedern, die fächerförmig von einem Punkt ausgehen und wie eine Hand geformt sind, wie zum Beispiel bei der Fingeraralie (s. auch zusammengesetztes Blatt).

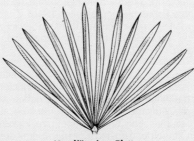

Handförmiges Blatt

Hauptader (s. Rippe)

Hochblatt (s. Braktee)

Holzpflanze Ausdauernde Pflanze mit mehr oder weniger stark verholzten Stäm-

men und Ästen, wie etwa die Bougainvillee.

Humus (lat. Boden) Durch Verrotten pflanzlicher und tierischer Stoffe entstandene Bodensubstanz. Idealer Zusatz für Pflanzsubstrate. Humus ist reich an Pflanzennährstoffen und Bodenbakterien. Darüber hinaus hält er das Wasser gut und gewährleistet eine gute Durchlüftung der Erde.

Hybride Pflanze mit sich genetisch unterscheidenden Eltern. Fremdbefruchtung ist zwischen Pflanzen verschiedener Arten und Gattungen möglich (so ist Fatshedera zum Beispiel eine Kreuzung zwischen *Fatsia* und *Hedera*). Natürlich auftretende Hybriden sind steril und können sich nicht vermehren.

Immergrüne Pflanze Pflanze, die ihr Laub das ganze Jahr hindurch behält. Siehe auch sommergrüne Pflanze.

Inflorezenz (Blütenstand) Ein Büschel aus zwei oder mehr an einem Stiel stehenden Blüten. Es gibt sehr unterschiedlich geformte Blütenstände: Sie reichen von den schmalen, ährenartigen Blüten des Lavendels bis hin zu den breiten, rundlichen Blütenköpfen der Hortensien (s. auch Traube, Rispe, Ähre und Dolde).

Jugendform Begriff, der auf Blätter junger Pflanzen angewandt wird, die sich in der Form von denen älterer Pflanzen unterscheiden. Ein Beispiel ist der Eukalyptus, der runde Jugendblätter hat, später aber schmale, spitze Blätter entwickelt. Auch bei Philodendren können sich die Jugendblätter von älteren unterscheiden.

Kalyx (Blütenkelch) Zusammenfassende Bezeichnung für alle grünen Sepalen oder Kelchblätter, die die Petalen oder Blütenblätter der meisten Blumen umschließen. Der Kalyx schützt die sich entwickelnden Blütenknospen.

Kapillareffekt (Kapillaranziehung) Das Aufsteigen von Flüssigkeit in den Haargefäßen einer Pflanze oder das Aufsteigen von Flüssigkeit in einem Docht bzw. das Ansaugen von Flüssigkeit durch saugfähiges Material.

Keimung Erstes Entwicklungsstadium auf dem Weg vom Samen zur Pflanze, in dem zunächst ein Keimling entsteht. Die Keimung kann rasch erfolgen (in vier bis sechs Tagen) oder aber Wochen und sogar Monate erfordern. Diese Zeit ist problematisch: Einerseits wird der Samen nicht mehr durch die Schale geschützt, andererseits haben sich noch keine kräftigen Wurzeln und Blätter entwickelt.

Kelchblätter (s. Sepalen)

Kindel Pflänzchen, das sich an der Basis der Mutterpflanze entwickelt und (zur Vermehrung) abgetrennt werden kann.

Knolle Ober- oder unterirdisches Speicherorgan, das aus einem verdickten Sproß und einer dünnen Haut besteht. Oben befindet sich die Knospe, aus der sich Wurzeln und Triebe entwickeln, wie etwa bei Krokussen und Gladiolen (s. auch Zwiebel und Rhizom).

etwa bei Krokussen und Gladiolen (s. auch Zwiebel und Rhizom).

Knolle

Knospe Noch nicht vollentwickelte Sproßspitze, aus der Triebe, Blätter oder Blüten hervorgehen. Sogenannte End- oder Terminalknospen befinden sich an den Spitzen von Hauptsprossen oder Seitentrieben. Achselknospen bilden sich in den Achseln von Laubblättern. Meist werden Knospen durch sich dicht überlappende Knospenschuppen oder Blattanlagen vor Beschädigung und Kälte geschützt. Siehe auch Blattachsel.

Seiten- oder Achselknospe

End- oder Terminalknospe

Knoten Stellen, an denen die Blätter am Stengel sitzen. Sie können gekerbt oder verdickt sein. An diesen Stellen entwickelt sich bei Pflanzen wie Efeu und Philodendren häufig auch neue Wurzeln.

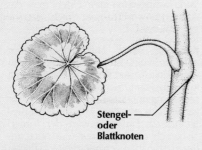

Stengel- oder Blattknoten

Kolben (s. Spadix)

Korolle (Blumenkrone) Gesamtheit der kreisförmig angeordneten Blütenblätter. Die Korolle kann aus einzelnen oder miteinander verschmolzenen Petalen (Blütenblättern) bestehen.

Krautige Pflanze Unter diesem Begriff werden im allgemeinen ausdauernde Pflanzen zusammengefaßt, deren oberirdische Teile im Spätherbst absterben und im folgenden Frühjahr neu austreiben. Diese Pflanzen besitzen Speicherorgane wie Zwiebeln, Knollen oder Rhizome. Bei-

spiele sind Begonien und Osterglocken. Krautige Pflanzen haben keine holzigen Sprosse.

Kürbis Große, fleischige Frucht von kletternden oder kriechenden Einjahrespflanzen, die im tropischen Amerika heimisch sind. Viele dieser Früchte können, getrocknet, zu Dekorationszwecken verwendet werden.

Latex Milchige, weiße Flüssigkeit, die von verschiedenen Pflanzen, wie Christusdorn oder Gummibaum, ausgeschieden werden, wenn die Stengel oder Stämme verletzt werden (s. auch Bluten).

(Laub)blatt Energieerzeugendes Organ einer Pflanze (s. Photosynthese). Blattranken sowie Blüten-, Kelch- und Hochblätter sind vermutlich umgewandelte Blätter. Bei den meisten Kakteen übernehmen die Sprossen die Funktion der Blätter.

Lauberde Teilweise verrottetes Laub, das für Pflanzsubstrate verwendet wird, da es Nährstoffe und Bakterien enthält und für lockere, durchlässige Bodenstruktur sorgt. Im Handel ist Lauberde mitunter schwer erhältlich, doch findet man sie unter sommergrünen Bäumen oder kann sie durch Kompostieren von gefallenem Laub herstellen (s. auch Humus).

Luftwurzeln Wurzeln, die an Stengelknoten erscheinen. Sie dienen hauptsächlich als Kletterhilfen, können aber auch Feuchtigkeit aus der Luft aufnehmen. Viele entwickeln sich nur dann richtig, wenn sie einen geeigneten Nährboden finden. Beispiele sind hier Philodendren, Efeutute, Fensterblatt, Purpurtute und Goldgefleckte Efeutute.

Mittelrippe (s. Rippe)

Narbe (s. Stigma)

Nuß Fruchtform mit einer harten oder ledrigen Schale, die häufig einen eßbaren Samen umschließt. Siehe auch Frucht.

Ovarium (s. Fruchtknoten)

Panaschierung Weiße, gelbe und cremefarbene Flecken oder Streifen der Blätter, die ursprünglich durch eine Mutation oder aber durch eine Virusinfektion zustande kamen. In der Natur sind sie selten zu finden. Panaschierte Pflanzen sind sehr beliebt, doch müssen sie hell stehen, damit ihre Panaschierung erhalten bleibt. Zieht man von panaschierten Pflanzen Stecklinge, entwickeln sich grünblättrige Pflanzen.

Petalen (Blütenblätter) Meist der auffälligste Teil einer Blüte. Die Petalen schützen die Blütenmitte. Sind sie farbig, haben sie die Aufgabe, bestäubende Insekten zu Staubgefäßen und Stempeln zu locken. Oft werden Sepalen (Kelchblätter) mit den Petalen (Blütenblätter) verwechselt. Eine Blüte kann sehr wenige Petalen haben (bei vielen Tradeskantien sind es nur drei), aber auch sehr viele (wie etwa gefülltblühende Rosen). Zusammen bilden sie die sogenannte Korolle (s. auch Sepalen, Stamen, Stempel, Blüte und Korolle).

Photosynthese Vorgang, bei dem im Blatt Kohlendioxid und Wasser in Kohlenhydrate umgewandelt werden. Er kommt in Gang, wenn Licht auf die grünen Pigmente in Blättern und Sprossen trifft (s. auch Chlorophyll).

Quirl (s. Wirtel)

Pinzieren (s. Ausknipsen)

Ranke Fadenförmiges, drahtiges Klammerorgan, das der Befestigung an Stützen dient und der Pflanze das Klettern ermöglicht. Ranken können spiralig sein (wie bei der Passionsblume) oder auch gegabelt.

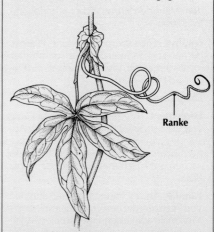

Ranke

Reif (Bereifung) Feiner, schuppenartiger Überzug auf Blättern und Trieben, der sie grau oder silbrig erscheinen läßt (Beispiel: *Cotyledon undulata*).

Rhizom Kriechender, meist waagrechter und häufig unterirdisch wachsender Sproß, aus dem sich Blätter, Triebe und Wurzeln entwickeln. Dient oft als Speicherorgan, das es der Pflanze ermöglicht, kurze Trockenzeiten zu überleben. Einige Begonien haben Rhizome.

Rippe Die mittlere Rippe eines Blattes, auch Mittelrippe oder Hauptader genannt.

Rispe Verzweigter Blütenstand. Die Verzweigungen tragen jeweils mehrere gestielte Blüten, wie z. B. beim Flieder und den meisten Gräsern (s. auch Inflorescenz).

Rosette Rosettenartige Anordnung der Blätter, die von einem Punkt der Pflanzenbasis ausgeht (Beispiel: Usambaraveilchen).

Ruheperiode Zeit innerhalb des Jahreszyklus, während der eine Pflanze ruhen und wenig oder keine Blätter und Wurzeln entwickeln sollte.

Sämling Aus einem Samen hervorgegangene, noch unverzweigte Pflanze.

Samen Der befruchtete und gereifte Teil einer Blütenpflanze, der keimen und eine neue Pflanze hervorbringen kann. Der Durchmesser der verschiedenen Samen reicht von weniger als 1 mm bis 20 cm.

Sepalen (Kelchblätter) Äußerer, oft grüner Teil einer Blüte, der die Blütenmitte und die zarteren Petalen (Blütenblätter) schützt. Blüten wie die der Anemone bestehen nicht aus Petalen, sondern aus Sepalen. Siehe auch Kalyx und Petalen.

Sommergrüne Pflanze Pflanze, die am Ende ihrer Wachstumsperiode die Blätter verliert. Da solche Pflanzen während der Ruheperiode wenig dekorativ sind, eignen sie sich nicht unbedingt als Zimmerpflanzen. Im Frühjahr entwickeln sie neue Blätter (s. auch immergrüne Pflanze).

Sorte (s. Cultivar)

Spadix (Kolben) Kleine Ähre aus winzigen Blüten, die meist von einer Blütenscheide (Spatha) umgeben wird (Beispiel: Flamingoblume).

Spaltöffnungen (s. Stomata)

Spatha (Blütenscheide) Auffälliges Hochblatt (Braktee), das den Blütenstand umgibt. Meist fleischig, sowohl weiß wie farbig (Beispiel: Flamingoblume).

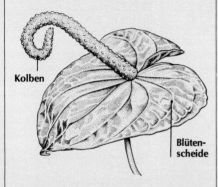

Kolben

Blütenscheide

Sporen Winzige Fortpflanzungsorgane der Farne und Moose; sie entsprechen den Samen der Blütenpflanzen. Die Sporen sitzen in Kapseln an den Unterseiten von Wedeln (es gibt auch sterile Wedel, die keine Sporenkapseln tragen) und können auf unterschiedliche Weise angeordnet sein, etwa fischgrätartig, randständig oder verstreut.

Stamen (Staubgefäß) Das den Pollen enthaltende männliche Organ einer Blüte. Es besteht aus einem Staubfaden und zwei Staubbeuteln, in denen sich der Pollen befindet.

Staubbeutel (s. Anthere)

Staubfaden (s. Filament)

Staubgefäß (s. Stamen)

Steckling Ein von einer ausgewachsenen Pflanze abgetrennter, 7 bis 10 cm langer Trieb, der zur Vermehrung in der Erde bewurzelt wird.

Stempel Der weibliche Teil einer Blüte, der aus Narbe (Stigma), Griffel (Stylus) und Fruchtknoten (Ovarium) besteht.

Stiel Stützorgan einer Blüte (Blütenstiel) oder eines Blattes (Blattstiel).

Stigma (Narbe) Der obere Teil des weiblichen Geschlechtsorgans (Stempel) einer Blüte, der den Pollen aufnimmt.

Stolon (s. Ausläufer)

Stomata (Spaltöffnungen) Poren, durch die der Gasaustausch einer Pflanze geregelt wird. Meist liegen sie an den Blattunterseiten.

Strauch Verholzte, buschige Pflanze, die kleiner als ein Baum ist und meist viele Stämme hat, die sich dicht am Boden verzweigen.

Sukkulenten Pflanzen mit fleischigen Blättern oder Trieben, die als Speicherorgane für Wasser dienen. Meist stammen diese Pflanzen aus Trockengebieten.

Stylus (Griffel) Er bringt die Narbe in eine für die Bestäubung geeignete Stellung und leitet den Pollen zum Fruchtknoten (s. auch Stigma, Stempel und Blüte).

Transpiration Die natürliche Verdunstung von Wasser durch die oberirdischen Organe einer Pflanze. Je nach Tages- oder Jahreszeit bzw. Standortbedingungen kann sie sehr stark oder nur äußerst gering sein.

Traube Länglicher, unverzweigter Blütenstand, in dem jede Blüte an einem kurzen Stiel steht. Im allgemeinen öffnen sich die Blüten von unten nach oben. Ein Beispiel ist die Hyazinthe (s. auch Inflorenszenz).

Traube

Treiben Methode, eine Pflanze außerhalb ihrer natürlichen Blütezeit zum Blühen anzuregen. Meist wird sie bei Frühjahrs-Zwiebelblumen (z. B. Hyazinthen) angewendet.

Varietät [Abk.var.(Unterart)] Begriff für eine sich durch geringe Merkmale unterscheidende Unterart (einer Pflanzenart). Varietäten werden mit lateinischen Namen bezeichnet: z. B. *Adiantum pedatum var. aleuticum*.

Vergeilung (s. Etiolement)

Wachstumsspitze Auch als Vegetationspunkt bezeichnet. Die Spitze eines wachsenden Triebes.

Wedel Bezeichnung für tiefgeteilte Blätter von Farnen und Palmen.

Winterharte Pflanze Pflanze, die auch in Gegenden mit Winterfrösten das ganze Jahr im Freien bleiben kann.

Wirtel (Quirl) Ring aus drei oder mehr Blättern oder Blüten, die an einem Stengelknoten stehen, wie etwa bei der Kapländischen Bleiwurz.

Wurzel Zumeist unterirdischer Teil einer Pflanze, der sie im Boden verankert und der Aufnahme von Wasser und Nährstoffen dient. Man unterscheidet zwischen Tief- und Flachwurzlern.

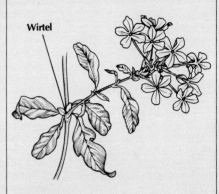

Wirtel

Wurzelballen Der von Wurzeln durchzogene Erdballen.

Wurzelhaare Schlauchig ausgebildete Oberhautzellen, die für die Nahrungsaufnahme sehr wichtig sind.

Wurzelhals Oberes Wurzelende, an dem die Triebe oder Blätter entspringen.

Zusammengesetztes Blatt Blatt, das aus zwei oder mehr Einzelblättchen oder Fiedern besteht. Ein Beispiel ist das Zypergras.

Zweijährige Pflanze Pflanze, die zwei Jahre benötigt, um zu keimen und ihren Lebenszyklus abzuschließen. Im ersten Jahr entwickelt sie Blätter und im zweiten Jahr Blüten, wie etwa der Fingerhut. Danach sollte die Pflanze weggeworfen werden, da sie kaum ein zweites Mal zur Blüte kommt. Siehe auch einjährige und ausdauernde Pflanze.

Zwiebel Unterirdisches Speicherorgan mit der Anlage für eine Jungpflanze (Beispiele: Tulpen und Narzissen). Siehe auch Knolle und Rhizom.

Zwiebel

Register

285

Danksagung

Danksagung des Autors

Den folgenden Personen möchte ich für ihre Hilfe danken: Elizabeth Eyres, die das Buch redigiert hat, und Jane Owen, die für die schöne Gestaltung verantwortlich ist; Priscilla Ritchie für ihre unschätzbare Hilfe bei den Studioaufnahmen, die sie während meiner Abwesenheit in Zusammenarbeit mit dem Fotografen Dave King arrangiert hat; Richard Gilbert für seine enorme Arbeit zu den Aspekten der Pflanzenpflege – die nicht gerade meine Stärke ist. Und schließlich Hilary Bryan-Brown, meiner Sekretärin, die bewundernswert gut mit neuen Pflanzennamen und meiner Handschrift zurechtkam.

Danksagung des Verlags Dorling Kindersley

Richard Gilbert gebührt Dank für seine unermüdliche und zuverlässige Mitarbeit; Chris Thody für die Beschaffung der Pflanzen; Helen Claire Young und Tina Vaughan für ihre Hilfe bei der Gestaltung des Buches; Caroline Ollard und Sophie Galleymore-Bird für ihre redaktionelle Mitarbeit; Vicky Walters für die Bildrecherchen; Sue Brown und Sarah Hayes Fisher für ihr Styling; Judy Sandeman für die Herstellung; Sebastian von Mybourg (The Flowersmith); Anmore Exotics; The Vernon Geranium Nursery; The Royal Horticultural Society; Holly Gate Cactus Nursery; Syon Park Garden Center; Clifton Nurseries Ltd.; Bourne Bridge Nurseries; Inca (Peruvian Art and Craft Ltd.), 15 Elizabeth St., London SW1; The General Trading Company, 144 Sloane St., London SW1; Zeitgeist, 17 The Pavement, London SW3; Ceramic Tile Design, 56 Dawes Rd., London SW6; Chris Frankham von Glass House Studios, Neal Street East, London, und Habitat.

Illustrationen

David Ashby, Will Giles, Tony Graham, Nicholas Hall, Coral Mula, Sandra Pond, James Robins, Lorna Turpin.

Bildnachweis

EWA = Elizabeth Whiting and Associates; CP = Camera Press; SG = Susan Griggs Agency; DK = Dorling Kindersley. o = oben; u = unten; l = links; r = rechts; M = Mitte.

1,2,3,4 Philip Dowell/DK; **6l** Ken Kirkwood/English Style (mit freundlicher Genehmigung von Margot Johnson); **6M** Michael Boys; **6r,7l & r;** Michael Dunne/EWA; **7M** Lucinda Lambton/Arcaid; **8l** Andreas Einsiedel/EWA; **8M** Richard Bryant/Arcaid; **8r** Michael Boys; **9l** Richard Bryant/Arcaid; **9M** John Hollingshead; **9r** Michael Dunne; **10,11** Linda Burgess; **12,13,14,15,16,17,18,19,20,21, 22,23,24,25** Philip Dowell/DK; **26,27** Linda Burgess; **28,29** Dave King/DK; **30Ml** Für Sie/CP; **30o,Mr & u** Dave King/DK; **31o** Mon Jardin et Ma Maison/CP; **31ul** Schöner Wohnen/CP; **31ur** Michael Boys/SG; **32ol & or** Dave King/DK; **32u** Michael Nicholson/EWA; **33** Jean Durand/The World of Interiors; **34o** Tom Dobbie/DK; **34u** Dave King/DK; **35o** Tom Dobbie/DK; **35u** - Dave King/DK; **36o** Michael Boys/SG; **36u** John Vere Brown/The World of Interiors; **37l** Dave King/DK; **37or** Michael Nicholson/EWA; **37ul & ur,38o & u** Tom Dobbie/DK; **39o** Dave King/DK; **39u** IMS/CP; **40o** Für Sie/CP; **40u** Dave King/DK; **41ol & or** Linda burgess; **41u** Dave King/DK; **42ol** Michael Boys/SG; **42or** Linda Burgess; **42u** Dave King/DK; **43l** Tom Dobbie/DK; **43r** Michael Boys/SG; **43u** Dave King/DK; **44or** Linda Burgess; **44ol** Richard Bryant/Arcaid; **44u** Dave King/DK; **45ol** IMS/CP; **45or** Schöner Wohnen/CP; **45u,46,47o & M** Dave King/DK; **47u** Geoff Dann/DK; **48,49,50** Dave King/DK; **51l** Michael Dunne/EWA; **51or** Jessica Strang; **51u,52,53o & ur** Dave King/DK; **53ul** Hus Modern/CP; **54** Spike Powell/EWA; **55** Dave King/DK; **56,57,58** Trevor Melton/DK; **59o** Linda burgess; **59u** Schöner Wohnen/CP; **60** Dave King/DK; **61ul** Pamla Toler/Impact Photos; **61ur** K-D Buhler/EWA; **62ol** John Moss/Colorific; **62or & u** Pamla Toler/Impact Photos; **63,64** Dave King/DK; **65o & u** Linda Burgess; **66,67,68o** Dave King/DK; **68ul** Michael Boys/DK; **68ur** Geoff Dann/DK; **69,70,71ol & r** Dave King/DK; **71ul & r** Tom Dobbie/DK; **72, 73o & ul** Dave King/DK; **73ur** Michael Boys; **74o & ur** Dave King/DK; **74ul** Schöner Wohnen/CP; **75** Dave King/DK; **76,77** Linda Burgess; **78,79** Philip Dowell/DK; **80,81,82,83,84,85,86,87,88, 89,90,91,92,93** Dave King/DK; **94,95** Linda Burgess; **96,97,98,99o** Dave King/DK; **99u** Linda Burgess; **100,101,102** Trevor Melton/DK; **103ol** Jessica Strang; **103or & u** Linda Burgess; **104, 105o & ul** Dave King/DK; **105ur** Tom Dobbie/DK; **106,107,108o** Dave King/DK; **108u** Zuhause/CP; **109,110,111** Dave King/DK; **112,113** Schöner Wohnen/CP; **114ol** Michael Dunne; **114or** Bill McLaughlin; **114ul** Ron Sutherland; **114ur** Schöner Wohnen/CP; **115ol** Jessica Strang; **115ul** John Vaughan/The World of Interiors; **115M** Jacques Dirand/The World of Interiors; **115or** Dave King/DK; **115ur** Fernina/CP; **116** John Hollingshead; **117o** Schöner Wohnen/CP; **117u** Tim Street-Porter/The World of Interiors; **118o** Ken Kirkwood/English Style (mit freundlicher Genehmigung von Tricia Foley); **118u** John Vaughan/The World of Interiors; **119ol** Michael Boys; **119or** Schöner Wohnen/CP; **119u** Michael Boys; **120l** Schöner Wohnen/CP; **120r** Clive Helm/EWA; **120u** IMS/CP; **121** Dave King/DK; **122o** IMS/CP; **122M** Michael Boys; **122ul** Michael Dunne; **122ur** Ken Kirkwood/English Style (mit freundlicher Genehmigung von Michael Baumgarten); **123** John Vaughan/The World of Interiors; **124ol** Ken Kirkwood/English Style (mit freundlicher Genehmigung von Lesley Astaire); **124or** Michael Boys; **124Ml** Ken Kirkwood/English Style (mit freundlicher Genehmigung von Lesley Astaire); **124Mr & u** Michael Boys; **125** John Vaughan/The World of Interiors; **126ol** Ken Kirkwood/English Style (mit freundlicher Genehmigung von Stephen Long); **126or** Schöner Wohnen/CP; **126u** Peter Woloszynski/The World of Interiors; **127** Dave King/DK; **128ol & or** Michael Boys; **128or** Michael Boys/SG; **128u** Jessica Strang; **129** Schöner Wohnen/CP; **130** Peter Woloszynski/The World of Interiors; **131ol** Michael Boys; **131or** Ken Kirkwood/English Style; **131u** Schöner Wohnen/CP; **132oM** Deneux/Agence Top; **132u** Neil Lorimer/EWA; **133o** Hussenot/Agence Top; **133u** Schöner Wohnen/CP; **134o** Michael Boys; **134u** Kent Billequist/CP; **135** Tim Street-Porter/The World of Interiors; **136o** Richard Bryant/Arcaid; **136Ml** Michael Dunne; **136Mr** Jessica Strang; **136u** Ken Kirkwood/English Style (mit freundlicher Genehmigung von Lesley Astaire); **137o** Schöner Wohnen/CP; **137u** Bill McLaughlin; **138ol** Suomen/CP; **138r** Schöner Wohnen/CP; **138ul** Michael Dunne; **139** Dave King/DK; **140o** Spike Powell/EWA; **140u** Fermina/CP; **141o** Lucinda Lambton/Arcaid (mit freundlicher Genehmigung von Virginia Antiques, London W11); **141r** Schöner Wohnen/CP; **142ol** Lucinda Lambton/Arcaid; **142or** Mon Jardin et Ma Maison/CP; **142M** Linda Burgess; **142u** Lucinda Lambton/Arcaid; **143** James Wedge/the World of Interiors; **144o** Jessica Strang; **144ul & ur** Schöner Wohnen/CP; **145ol** Lucinda Lambton/Arcaid (mit freundlicher Genehmigung von Tessa Kennedy); **145or** Bill McLaughlin; **145u** Clive Frost/The World of Interiors; **146ol** Lucinda Lambton/Arcaid (mit freundlicher Genehmigung von Lyn le Grice Stencil Design, Bread St, Penzance, Cornwall); **146or** Michael Boys/SG; **146ul & ur** Lucinda Lambton/Arcaid; **147** Dave King/DK; **148o & u** Michael Boys; **149** John Vaughan/The World of Interiors; **150ol** Bill McLaughlin; **150or** Ken Kirkwood/English Style (mit freundlicher Genehmigung von Philip Hooper); **150u** Jessica Strang; **151** Dave King/DK; **152o** Ken Kirkwood/English Style (mit freundlicher Genehmigung von The Victorian Society); **152ul** Richard Bryant/Arcaid; **152uM** Michael Dunne; **152ur** Spike Powell/EWA; **153** Jacques Dirand/the World of Interiors; **154** Ron Sutherland; **155ol** Tim Soar/Arcaid; **155or** Bill McLaughlin; **155u, 156ol** Linda Burgess; **156or** Jessica Strang; **156u** Ken Kirkwood/English Style (mit freundlicher Genehmigung von Matyelok Gibbs); **157ol** Linda Burgess; **157or** Michael Boys; **157u** IMS/CP; **158, 159** Andreas Einsiedel/DK; **162, 163, 164, 165, 166, 167, 168, 169, 170, 171, 172, 173** Tom Dobbie/DK; **173ol** Dave King/DK; **174, 175, 176, 177** Tom Dobbie/DK; **177ol** Dave King/DK; **178, 179, 180, 181, 182, 183, 184, 185, 186, 187, 188, 198, 190, 191, 192, 193** Tom Dobbie/DK; **194, 195** Dave King/DK; **196, 197, 198, 199, 200, 201l** Tom Dobbie/DK; **201r** Dave King/DK; **202, 203, 204, 205, 206, 207** Ian O'Leary/DK; **209** Dave King/DK; **210, 211, 212, 213, 214, 215, 216, 217, 218, 219, 220, 221, 222, 223, 224, 225, 226, 227, 228** Trevor Melton/DK; **229** Dave King/DK; **230, 231, 232, 233, 234, 235, 236, 237, 238, 239** Philip Dowell/DK; **240, 241** The Design Group; **242, 246, 254, 255** Dave King/DK; **258l** IMS/CP; **258r, 259l** Dave King/DK; **259r & u** Femina/CP; **264** Dave King/KG.